谨以此书献给

精忠报国的中国航母人

国外航母全寿命周期
费用管理概述

▶ ▶ ▶ 高　星　田小川 ◆主编

HEUP 哈尔滨工程大学出版社

图书在版编目(CIP)数据

国外航母全寿命周期费用管理概述/高星,田小川
主编. —哈尔滨 :哈尔滨工程大学出版社,2017.7
ISBN 978 - 7 - 5661 - 1447 - 1

Ⅰ.①国… Ⅱ.①高… Ⅲ.①田… ①航空母舰—耐
用性—费用—研究—国外 Ⅳ.①E925.671

中国版本图书馆 CIP 数据核字(2016)第 322457 号

选题策划 张 玲 吴鸣轩
责任编辑 马佳佳
封面设计 博鑫设计

出版发行 哈尔滨工程大学出版社
社　　址 哈尔滨市南岗区东大直街 124 号
邮政编码 150001
发行电话 0451 - 82519328
传　　真 0451 - 82519699
印　　刷 哈尔滨市石桥印务有限公司
开　　本 787 mm × 1 092 mm 1/16
印　　张 19.25
字　　数 450 千字
版　　次 2017 年 7 月第 1 版
印　　次 2017 年 7 月第 1 次印刷
定　　价 118.00 元
http://www.hrbeupress.com
E-mail:heupress@ hrbeu. edu. cn

(内部发行)

编　委　会

前　言

　　航母(航空母舰)是搭载舰载机的海上活动机场,是以舰载机为主要作战力量的大型水面舰艇,是体现国家国防和军事战略需求的重要海军武器装备,是现代战争体系对抗的"巨系统",是国家综合国力的体现和海军实力的重要标志。航母一直被世界公认为是海军的核心打击力量,既具有进攻性,又具有防御性,是现代海战的中坚力量;航母可以远离国土、不依靠本土机场进行军事任务和非军事行动。目前,世界拥有航空母舰的国家高度重视航母全寿命周期成本费用管理,以充分发挥航母及其编队作战效能,并积累了行之有效的成功经验,对于正在发展航母的国家来说具有重要的借鉴作用。

　　为此,本书编委组织有关单位的专家广泛搜集、翻译、整理资料,对美国、英国多型航母全寿命周期内费用总体情况、采办策略、组织管理、费用预算、拨款方式、成本控制与措施、关键系统设备研发与购置费用等多项内容进行汇总,从不同侧面分析研究国外航母全寿命周期费用管理上的诸多经验和模式,共同完成了《国外航母全寿命周期费用管理概述》一书。本书在谋篇布局上分为国外航母全寿命周期费用综述、国外航母全寿命周期费用超支影响因素、国外航母全寿命周期费用管理与控制、福特级航母案例分析、常规动力航母与核动力航母费用的比较,以及美国海军航空母舰港口访问费用分析、英国皇家海军"伊丽莎白女王"号航母费用削减策略研究等章节。

　　本书在编撰过程中得到海军装备研究院、中国船舶工业综合技术经济研究院、北京轩航信息技术研究院、爱德亚海上安全研究中心等有关单位的大力支持。在中国人民解放军建军 90 周年之际,谨以此书献给中国航母事业,祝愿祖国强盛,实现海洋强国梦、强军梦,祝福世界和平!

　　书中所有资料都来自于开源信息,憾时间紧、文献少、水平有限,书中难免存在疏忽和遗漏,望读者在参考借鉴过程中注意结合实际进行鉴别,如有不当之处敬请批评指正!

编　者

2017 年 6 月

目　　录

第1章　国外航母全寿命周期费用综述 ·················· 1

　　1.1　航母全寿命周期费用概述 ·················· 1

　　1.2　航母费用构成及评估方法 ·················· 4

　　1.3　国外航母费用总体情况 ·················· 10

　　1.4　航母全寿命周期费用分析的意义 ·················· 39

第2章　国外航母全寿命周期费用超支影响因素 ·················· 42

　　2.1　美国航母建造费用增长情况 ·················· 42

　　2.2　国外航母全寿命周期费用超支原因分析 ·················· 49

第3章　国外航母全寿命周期费用管理与控制 ·················· 55

　　3.1　采办过程管理与控制策略 ·················· 55

　　3.2　论证阶段费用管理与控制策略 ·················· 58

　　3.3　设计阶段费用管理与控制策略 ·················· 62

　　3.4　建造阶段费用管理与控制策略 ·················· 67

第4章　福特级航母案例分析 ·················· 77

　　4.1　福特级航母背景介绍 ·················· 77

　　4.2　福特级航母的费用估算 ·················· 78

　　4.3　福特级航母费用投入情况 ·················· 85

　　4.4　福特级航母研制过程中成本超支原因分析 ·················· 103

　　4.5　福特级航母全寿命周期费用管理与控制策略 ·················· 108

第5章　常规动力航母与核动力航母费用的比较 ·················· 117

　　5.1　美国海军两种航母的发展现状 ·················· 117

　　5.2　常规动力与核动力航母的寿命周期费用 ·················· 128

附录A　美国海军航空母舰港口访问费用分析 ·················· 145

　　附录A.1　海军航空兵司令部内部备忘录 ·················· 184

　　附录A.2　美国"约翰·斯坦尼斯"号航母访问新加坡的费用及分析 ·················· 187

附录B　英国皇家海军"伊丽莎白女王"号航母费用削减策略研究 ·················· 189

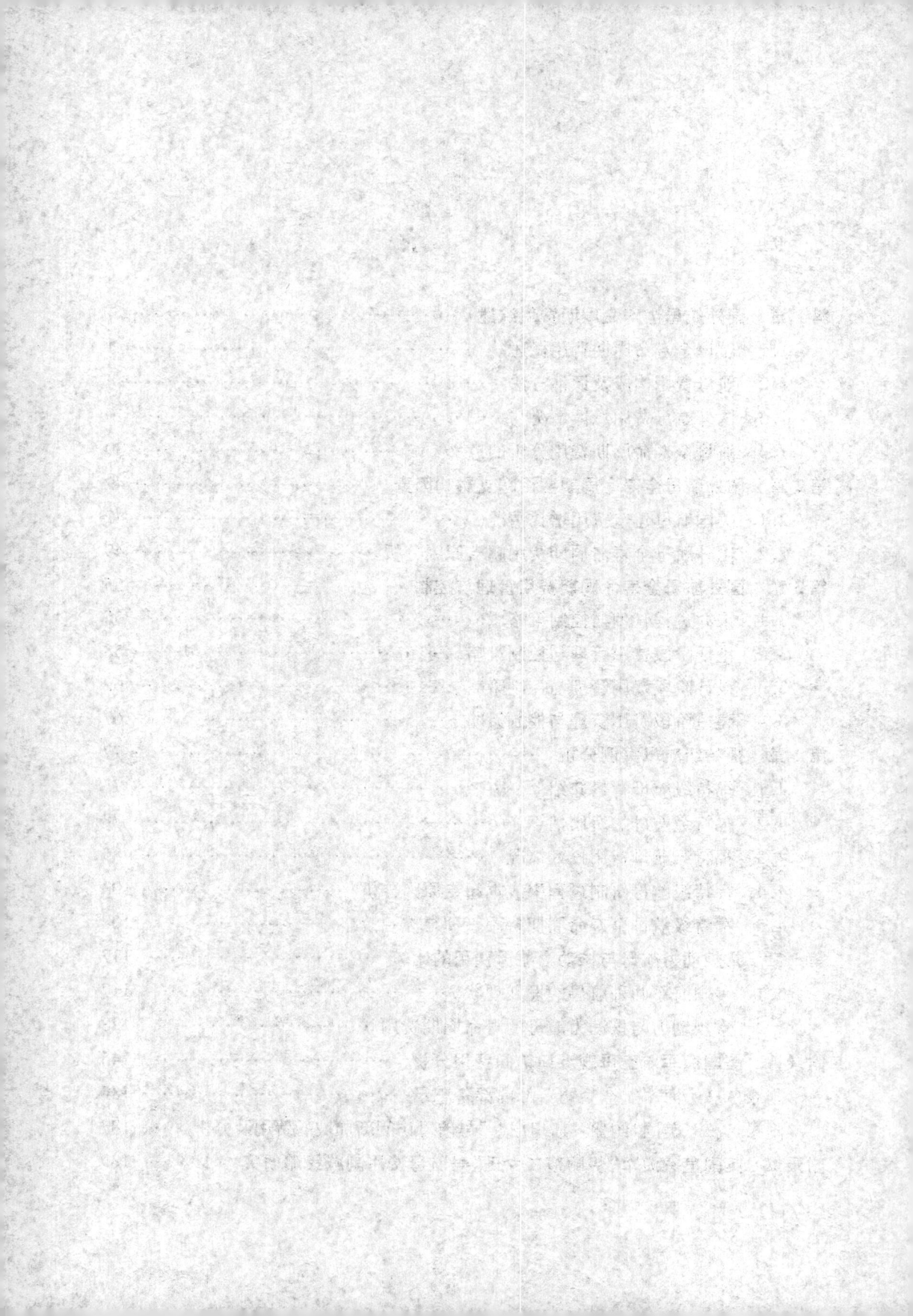

第1章 国外航母全寿命周期费用综述

1.1 航母全寿命周期费用概述

身为"海上霸王"的航空母舰,从它出生前的研发和设计,到随后的建造、使用、维修和保障乃至退役和报废处理,样样都代价不菲,其"吞金怪兽"的称号当之无愧。若不面面俱到地精打细算,则很难准确把握一艘航母的"吞金胃口"到底有多大。比如英国的 CVF 航母,其成本估算从最初 1999 年的两艘 20 亿英镑的建造费用,到 2003 年两艘 55 亿英镑的全寿命周期费用,再到 2006 年 BAE 公司提出的每艘 40 亿英镑的建造成本,短短几年间造价一路上涨,致使英国国防部焦头烂额,不得不将建造两艘航母的计划削减到一艘。航空母舰从先期论证设计的费用,到开始建造的费用,再到后期保障性的使用费用,直至退役后的所有费用,其账单明细必须进行充分、全面的考虑,由此也就引出了"全寿命周期费用"(Life Cycle Cost,LCC)这一概念。"全寿命周期费用"目前已成为各国最为普遍接受和使用的航母费用评价标准。

一般意义而言,全寿命周期费用是指研发、设计、生产、使用、淘汰某一物质产品的全部费用之和。这一概念由美国于 20 世纪 60 年代初首先提出。"全寿命周期费用"是大型系统在预定有效期内发生的直接的、间接的、重复性的、一次性的及其他有关的费用。采用"全寿命周期费用"的分析方法,可以使产品使用者通过分析最大经济效益或效能来评判产品和设备,为管理者在进行产品更新、报废和选型决策时提供科学的、定量的决策依据。目前,这种分析方法已在国内各个行业得到了非常广泛的应用。在日常生活中,人们购买各类产品时,往往看重产品的性能和价格,通过"性价比"来评判该产品是否值得购买和使用。这种做法本身里没有错的,但由于人们的目光多局限于产品的销售价格,忽视了日常使用的费用消耗,结果往往会事与愿违。比如早期人们在购买最原始的窗机空调时,往往只注重它的制冷效果和价格水平,却很少关注它的保养费用,结果造成许多用户购买了空调却因电费、维修费用高而不敢经常使用。再如,人们在购车时如果只考虑小轿车的外形和销售价格,而不考虑其油耗、寿命、保险以及日常各类花费的话,就很容易出现买得起车而养不起车的情况。

同样,国防武器装备系统的研发和使用也长期受费用问题的困扰,尤其是 21

世纪以来,航天技术、信息技术、光电技术、计算机技术和新材料技术等取得飞速发展,这促使一些先进武器系统(如空军的隐形飞机、预警机、无人机,海军的航空母舰、护卫舰、驱逐舰、核潜艇等)的更新换代速度加快。高精度、高效能、高自动化系统的逐渐增多,使得投资费用愈来愈高。先进的武器技术和性能对打赢现代高技术条件下的局部战争起着举足轻重的作用。然而,一味地追求高性能,过多地采用新技术,会导致技术和费用风险大幅增加,费用开支也随之迅速增加。

美国国防部曾对 20 世纪 70 年代初新旧两代战斗机的 13 项主要性能进行对比分析,发现其性能每提高 1~2 倍,研制费用将增加约 4.4 倍,其购置费用在 1960—1980 年的 20 年间平均年增长率为 9%~10%,每 20 年增长约 5~6 倍,远远超过性能提高的速度。而到了 20 世纪 80 年代以后,美国的高性能武器的费用更为高昂,F-117A 型隐形战斗机的研制费用高达 30 亿美元,单价 5 600 万美元;而集隐身、高机动、超声速巡航和智能电子火控为一体的 F-22 研制花费更是达到了 683 亿美元,单价高达 1.2 亿美元。美军装备费用的增加不仅表现在购置费用昂贵,还表现在使用和维持费用上的大幅提高。例如,1972 年时美国海军的舰艇总数为 654 艘,维修和现代化改装费用为 14 亿美元;1978 年时,舰艇总数减至 462 艘,费用却增至 30 亿美元。而从美国整个国防领域武器装备的费用情况来看,其研制、购置、使用保障费用之比在 1964 年为 1∶2.1∶1.6,1972 年为 1∶2.4∶2.8,1980 年达到 1∶2.6∶3.5。武器装备使用和保障费用比例的不断增加,已经成为美国军方的沉重负担。

其他国家在发展武器装备和民用设备方面,也吃过不少苦头。在过去的武器研发、采办和列装过程中,同购买日常商品一样,大多数国家也多注重武器装备的先进性能和购买价格,却忽视了包括设计、使用、维护等方面的费用。随着新装备使用时间的增加,各种问题层出不穷,一些武器系统逐步暴露出操作性不好、应用性不成熟、部分功能过时或过剩、维护费用过高、难以报废处理等问题。有的国家曾对处理服役期满潜艇的费用进行过估算,发现其解体报废的费用甚至已超过当时的购置费用,大大加重了军队的经济负担。又如某些定型坦克,虽然之前进行了大量的设计工作和定型试验,其性能也比较突出,但后来发现列装后购置成本高、维护费用大,军方不得不暂缓列装进度。这些问题已经成为制约各国武器装备发展的关键因素。

在这一系列问题面前,各国政府和军队已经逐步认识到,在国防预算有限的情况下,对武器装备系统的研发和采办进行最有效的评估、管理和决策,已经成为不得不认真对待的必要工作。为了充分权衡武器的先进效能和费用、最大程度地增强武器的战斗力,武器装备管理层和研发人员开始对费用理论和武器采办政策进行革新。由此,"全寿命周期费用"的设计思想逐渐得到了发展,并因其实用性和适用性获得了世界各国的广泛认可。

对于航母而言,其"全寿命周期费用"指的是航母从先期论证、设计,到开始建造,再到后期保障性的使用,直至最后退役时的所有费用。航空母舰作为当今世界具有最强大综合战斗力的海上"堡垒",拥有全面的作战打击能力,但这些能力是要靠重金打造的,其天文数字的费用令许多国家望而却步,即使西方海军大国也力不从心。因此,航空母舰这个"吞金怪兽"的"全寿命周期费用"自然成为各海军大国的关注焦点。通常来讲,航母的全寿命周期费用是它的建造费用或采办费用的很多倍。有俄罗斯海军专家估算,建造一艘航母需要 20~40 亿美元,考虑装备几十架战斗机和各种武器系统,舰上三四千名舰员的开销和训练费用、一年的日常运行和维护费用也在 13 亿美元左右。以航母的寿命 30 年计,即使在和平年代,一艘航空母舰的全寿命周期费用也可达 400 亿美元,这还不算为航母护航的水面、水下舰艇,这笔费用不是一般国家所能承担得了的。如果加上各属舰,以及核动力潜艇、快速支援舰补给潜艇,大约需六七百亿美元。由此算来,全寿期的一个航母编队,可能要超过八百亿美元。而对于美国新一代的福特级航母,其整个编队的"全寿命周期费用"将来可能超过 1 000 亿美元。如此庞大的费用账单,已经对国民经济的发展产生了十分巨大的影响,如果不对这份巨额账单进行科学统筹和管理,不仅影响航母的设计、建造和服役进度,而且会影响到整个国力和相关行业的发展,成为各国经济和国防发展的"绊脚石"。因此,"全寿命周期费用"作为目前工业设备开发和武器装备决策最为成功的费用评价方法,无疑将为航母费用的科学预算、管理和评估提供最有力和最权威的决策依据,自然也成为航母决策者和管理者的首选评价方法。

在"全寿命周期费用"理论基础上,全寿命周期费用技术(即 LCC 技术),包括 LCC 估算、LCC 分析、LCC 评价、LCC 管理等,成为武器装备或产品设备研发和采办过程中用于控制费用、优化质量、谋求最佳效费比的非常有效的技术。LCC 技术表面上看似不难,然而要真正地将其发挥好、协作好,则是一项十分复杂的系统工作。著名经济学家布兰查德教授认为全寿命周期费用分析是一种系统的分析方法,它可在资源有限的条件下,通过对可供选择的各种方案进行了评价,选择和确定装备,以期获得最佳费用效果。要做到这一点,首先就需要进行详细准确的费用估算,通过建造费用模型,采用相应的费用估算关系式或不同的费用估算方法进行分析,尽量使估算费用最大程度地接近实际费用。如果遇到一些全新的技术或系统,费用模型和估算关系式的偏差变大或不再适用,则费用估算的难度将大幅增加,此时必须在费用估算大量经验的基础上进行人为估算。

1.2 航母费用构成及评估方法

1.2.1 航母设计与研发费用

航母的设计理念和技术先进水平决定了航母的隐身性、攻击性、生存性、机动性和适应性等综合性能。在近一个世纪的发展过程中,正是设计思想和装备技术的不断发展创新,才使得航母的技术性能不断发生变革和飞跃。

早期的航母都是通过改装而成的,其设计思想受大炮巨舰主义影响明显。航母诞生后很长一段时间内,在以战列舰为核心的编队中处于从属地位,直到第二次世界大战时航母才逐渐确立编队核心的地位,那时的航母大多装备防空火炮和主炮。第二次世界大战后,以美国福莱斯特级航母为代表,其设计更加注重防护性能和生存能力的提高,如增加了装甲防护、水密舱设计等,使得一枚或数枚鱼雷都很难击沉航母。这一时代的航母在设计上更加注重舰机适配性和安全性,如安装了蒸汽弹射器、液压阻拦装置等。在1952年,英国和美国分别在"凯旋"号和"中途岛"号航母上完成了斜角甲板的相关试验,实现了舰载机起飞、降落的并行作业,使舰载机着舰安全性大大提高。到了20世纪70年代以后,随着电子信息技术的飞速发展,以美国尼米兹级和法国戴高乐级为代表的新型航母在设计理念上又有了更大的创新。这些新型航母开始采用了计算机网络技术,大量配备了雷达、传感器、无线电通信、卫星通信、防空导弹、鱼雷诱饵等各种先进的武器和装备;动力形式则出现了燃气轮机和核动力。此外,这一时代的航母在舰机适配技术、滑跃甲板设计和舰载机类型上都有很大突破,进一步提升了航母的整体性能。著名的帕累托曲线表明,在一个武器系统的全寿命周期中,方案研究结束时,LCC大体上(70%)已被决定;审批结束时,LCC的85%已被决定;而等到全面研制工作结束时,则该武器系统LCC的95%已被决定了,而使用、维护阶段的活动对LCC的影响仅有1%。可见一个武器系统的设计研发对其全寿命周期费用的影响有多么巨大。航母的设计和技术研发如此重要,使得各国在其花费方面也毫不吝啬。在航母的"全寿命周期费用"中,设计和研发费用是决策者首先要考虑的因素,其中包括前期的基础设计费用,以及由此开展的各类具体设计费用、关键技术和其他各项技术研发所产生的费用等。

以美国最新的"福特"号(CVU-78)航母为例,整个设计和建造费用约110亿美元,其中设计费用就超过了30亿美元。其设计流程大体如下:"福特"号航母首先由海军进行基础设计,与之前的航母相比,它在建造合同签订前的设计工作需要更加地深入和完善,在建造前所需做的工作也更多。截至2004年,美国海军完成了"作战需求文件"编制,首先描绘了该航母完成其任务必须具备的一些基本需求,之后进行了该航母的具体要求论证,明确了必须满足的一些技术要求。论证完成后,该航母就处于一定的建造结构控制之下,任何的结构更改都必须得到海军管理部门的批准。2008 年,"福特"号航母的基础设计工作的后续安排与模块/系统图纸获得批准,包括船舱的位置、管道系统与带缆柱、甲板的高度等。接下来,造船厂进行该航母的设计,绘制建造所需的各种图纸。在设计过程中,造船厂采取了一种模块结构设计方法,能更快、更有效地进行"福特"号航母的设计,首次使用计算机辅助设计产品模型开展整个航母的设计,帮助设计人员进行更精确的设计,设计的产品可反馈到模拟的三维环境中,为设计过程增加了更多的可视性。设计人员可以通过虚拟的可视化空间"在航母中穿梭",对其设计进行验证。这就得以在建造之前对设计的各个部件进行检验,尽可能避免返工。为使新一级航母在性能上超过现役航母,而在排水量的(大小、体积)上小于现役航母,"福特"号航母上采用了很多新技术。美国海军研究的了新技术对该舰研制、建造、使用、作战各阶段都带来了积极的影响,其以新颖性、独创性等为依据,确立了 16 项关键技术,包括先进拦阻装置、先进武器升降机、双波段雷达、电磁弹射器、核动力与电力设备、增程海麻雀防空导弹、联合精确进场着舰系统、舰载武器装填装置等。虽然美国在航母研发和建造方面有着相当丰富的经验,但他们在建造航母前,海军还会做大量的工作来减轻技术研发对建造过程的影响以及避免不必要的额外费用。美国海军前期的时间准备和经费准备均比较充足,极大地降低了基础技术方面的风险,如核推进装置和电力装置等。即便如此,该航母在研发过程中仍存在一些技术风险,例如,在 2008 年美国海军福特级航母首舰的审计报告中指出,电磁弹射系统(EMAIS)、先进拦阻装置、双波段雷达等三个系统在临近进度计划时间节点时,仍存在很多技术上的问题没有解决,进而严重影响了"福特"号航母的总体建造进度,并造成建造成本的大幅增加。假如关键系统的进厂时间迟于原计划时间,将会使相关工期延长,平均工作效率有所下降,从而导致劳动力成本上升。因此,电磁弹射系统和先进拦阻装置作为保证航母作战能力的关键技术,必须保证能够按时交付船厂,这样才能保证整艘航母的建造能够按照计划进度进行;而双波段雷达是关系到新航母舰岛——上层建筑的体积能否小于以前航母的关键设备,也是提高飞行架次率的重要保证。上述系统的几次关键性试验必须按计划进行,以保证这些系统能够按期完成。

由此可见,航母的设计和研发的进展,尤其是关键技术的研究进度,直接决定了航母的建造进度和整体性能,进而影响到其基本的成本费用。一般而言,航母的研发费用占到了先期采办费用(包括设计研发费用和建造费用)的 1/4,必须在一定的期限内和相关条件下确定下来,如有延误,则会导致其他各类费用的进一步增长,并可能降低航母交付时的战术技术性能。因此,航母的技术研发能否按时完成、采用的技术是否完全成熟可用,不仅决定着航母的设计费用支出,还会对航母的建造费用产生重要的影响。为保证航母重大性能指标的实现,最为关键的是在建造过程中同步、高效地集成各种技术和装备。

此外,"福特"号航母在设计和研发中的关键技术及相关数据也是动态、变化的,因为随着工程的进展,美国海军可能不再想采用某项技术,或关注一些新出现的、更好的其他技术。如在"福特"号航母的设计过程中,美国海军将"动态装甲防护系统"从设计方案中取消,决定在其后续舰再开始研究该项技术,而考虑将电子战和指控系统列为"福特"号航母的关键技术,这些变化都会导致设计和研发费用发生重大变化。

1.2.2　航母建造费用

航母的建造,除了要具备足够的造船技术、电子技术和工艺水平外,关键还必须具备建造进度的统筹安排能力和经费保障,这与航母的设计和研发要求是一致的。如俄罗斯,虽然掌握了建造航母的基本经验,但在今后按照《俄联邦海军未来发展计划》再造航母,其技术水平短期内也难以赶上美国水平,其中经费保障这一条就足够令俄罗斯头疼的。反观具有近百年航母建造历史的美国,其航母建造都是在前期大量的技术基础和充足的经费保障前提下进行的,其重大设计和技术开发工作都需要在建造合同签订前开展,有的配套系统甚至在动力系统建造前七八年就开始生产了。对于航母建造中各项时间节点和经费预算,也有严格的要求和周密的计划。可见,航母的建造涉及技术研发、组织管理、部门协调、系统配套等诸多问题,是一个非常庞大和复杂的系统工程。

在航母的建造费用方面,其主要花费是人力资源成本和原材料费用。其中,人工成本很大程度上取决于航母技术研发和建造的进程,当进程延误时,将不可避免导致工时增加、人力成本上升。虽然美国在建造"福特"号航母之前对其中的一些关键技术进行了前期开发,但近几年的实际建造经验表明,海军在其最初的经费额度内很难及时交付舰船,影响建造经费的不确定因素太多,导致其首舰建造时很难设立一个可实现的经费目标。此外,在建造过程中,承包商曾经通过对一些新的、未经验证的手段进行估算,预计可节约成千上万个工时,如在建造管理过程中运用产品模型的方法,可以节省约 400 000 个舰船建造工时,且通过设备改进和设计方案优化可进一步节省工时。然而,承包商自己也承认,通过上述新举措到底能够节约多少工时无法精确估计。事实上,这些新手段实际节约的工时往往比预期的要少。而如果海军延误了给承包商相关技术信息的时间,或者耽搁了一些关键技术和试验进度,工时将会增加,其费用风险也会逐渐增大。虽然美国海军将"福特"号航母的建造工时比尼米兹级首舰的建造工时预估增加了 10%,并提出提高造船厂的实际劳动效率来减少人力成本,但以往的经验表明,通过提高效率节省工时,其结果往往不如期望的那样好。例如,"布什"号航母在建造时,曾期望通过使用计算机辅助设计减少工时,但最终工时并没有减少。

目前,美国国防部独立成本分析专家还没有对"福特"号航母建造中劳动效率提高对工时的节省状况作出预估,原因是其效果还没有得到论证。而航母建造中的材料配套体系,包括材料的研制、配套材料和工艺完善等则是航母建造的基础,其花费也很可能超过预计值,并导致最终成本高于目标经费。根据承包商的说法,过去在建造新航母时,其原材料都是根据前一艘航母建造时的材料进行报价,并不清楚新航母与前艘航母的不同之处。因此,原材料报价存在很大的不精确性。一方面,随着航母设计理念的发展和军事作战要求的提升,一些高性能材料和设备的研制和使用会导致原料成本上升;而另一方面,随着新材料、新技术的飞速进步,一些材料的大规模工业应用在一定程度上又会降低其生产成本。因此,诸多因素的影响会导致航母采用的原材料费用产生不同程度的变化,并与预估经费目标发生一定的偏离。

航母的船体结构材料是航母原材料的主体,各国都投入了大量精力研究发展结构材料,力求提高航母性能、降低成本、完善配套和挖掘潜力。其中,航母结构用钢是航母建造中的最重要物质基础,在短短几十年中便经历了多个发展阶段。由于各型航母所采用的结构用钢型号、性能和用量各不相同,因此其原材料费用也会产生较大的差异。美国是航母大国,其材料技术先进、工业基础雄厚,因而航母结构用钢更为先进和齐全,其在第二次世界大战期间主要选用 HTS,A,B,D,E 等高强度及一般强度的结构钢作为船体结构材料,成本低、焊接性好,可基本满足美国中型航母的需求,但韧性较低、防弹性能差。到 20 世纪 60 年代后,美国在 Ni – Cr系 STS 防弹钢的基础上开发出了 HY – 80 和 HY – 100 等高强度结构钢,用于减轻航母质量和提高性能,满足发展大型航母的需求,但成本较高,焊接工艺复杂。20 世纪 80 年代以后,美国海军又开发了 HSLA – 80 和 HSLA – 100 钢,与之前的 HY 型钢相比,这类钢采用铜沉淀硬化型的强化机理,C,Ni,Cr,Mo 含量减少,厚板的淬脆性降低,从而可改善舰船用钢的可焊接性,节约航母建造成本。这一阶段美国航母的主船体用钢主要是 HY – 80,HY – 100,HSLA – 80 和 HSLA – 100 四种混用。而到了 20 世纪 90 年代以后,美国海军对航母主船体质量、航母机动性和有效载荷等问题更加关注,因而开发了 HSLA – 65 钢和 10Ni 钢。据估计,核动力航母“里根”号使用 HSLA – 65 钢,使舰体质量减轻 2 400 t,节省建造费用2 400 万美元。另一种 10Ni 钢则是一种高强度、高韧性钢,其屈服强度高达 1 240 MPa,且焊接性好。与 HSLA – 100 相比,如果将其应用于航母,可使舰体结构厚度减少 3 mm(1/8 in①)以上,质量减轻 400 ~ 800 t。

其他国家也非常重视航母结构用钢的研制工作,其目的是在保证航母战斗性能的条件下,开发更先进的结构材料,进一步降低成本、改进性能。例如,俄罗斯先后开发了 AK – 25,AK – 29 和 AK – 43 等航母舰体和防护材料用钢以及 A,B,D,E 结构用钢,其屈服强度为 355 ~ 980 MPa,成本较低,可满足航母不同部位结构和性能的要求。英国在 20 世纪五六十年代发展了 QT28 和 QT35 钢,之后由于技

---

① 　1 in = 0.025 4 m。

术和经费原因,分别仿制了美国的 HY-80,HY-100 和 HY-130 钢,从而形成了英国的 Q1,Q2 和 Q3 钢。为进一步降低航母建造成本,往往会在同一艘舰上大量使用不同强度级别的材料。此外,日本也开发了高屈服强度钢 NS30,NS46,NS80和 NS90 等,并仿制美国的 HY-80 形成了 NS63 钢,用于准航母和各类舰艇的建造。

1.2.3 航母使用与保障费用

航母的作业使用和维持保障费用,即用在养护航母方面的费用往往容易被人忽视,但其在这方面的开支却十分巨大,已远远超过了最初航母建造或采购的费用,这也是世界上只有少数几个国家才用得起航母的原因。航母的作业维持费用可分为直接作业维持费用(包括人力费用、燃料费用、养护费用等)和间接作用维持费用(包括培训费用、燃料费用、核维持费用等)。美国是独一无二的超级大国,经济实力最为雄厚,它的航空母舰也是世界上最昂贵的航空母舰。美国海军的现役航母以尼米兹级航母为主。如此高昂的花费,使得各国海军对航母维持费用的态度慎之又慎。

根据美国 GAO(问责署,2004 年以前为审计总署)于 1998 年的估算,在整个寿命期内,每艘航母的使用与保障费用均超过 100 亿美元。常规动力航母平均为111 亿美元,核动力航母平均为 148 亿美元,较前者高出近 34%。保守估计,一天消耗 100 万美元以上,平均每小时超过 5 万美元,以目前美国海军 10 艘航母以上的保有规模计算,仅使用与保障费用,每年的经费需求就超过 50 亿美元。表 1.1对比了常规动力航母和核动力航母在寿命周期内的直接和间接的作业与维持费用。

表 1.1 常规动力航母和核动力航母在寿命周期内的
直接和间接的作业与维持费用(1997 财年)

单位:万美元

费用类别	CV(常规动力)	CVN(核动力)
直接作业和维护费用		
人力	463 600	520 600
化石燃料	73 800	—
养护	413 000	574 600
其他	93 300	72 400
直接使用保障的费用	1 043 600	1 167 700
间接作业和维持费用		
培训	16 100	110 700

表 1.1(续)

费用类别	CV(常规动力)	CVN(核动力)
直接作业和维护费用		
化石燃料	46 900	——
核维持活动	——	204 500
其他	5 800	5 300
间接使用与保障总费用	68 800	320 500
总费用	1 112 500	1 488 200

20 世纪 70 年代以来,美国海军军费在国防费用中所占比例一直保持在 31% ~35%。2016 年,美国的国防费用为 5 800 亿美元;2017 年,美国的国防预算为 5 827 亿美元。

无疑,在航母的各项费用中,使用与保障费用所占比例最高。大部分人可能还很难料想到,在航母的维持保障费用中,港口建设和配套设施等保障费用占有较大份额,甚至达到总费用的四分之一。而这部分费用估算难度很大,估算结果通常存在较大差异。以美国海军为例,2010 年迈波特港建造一艘核动力航母港口,GAO 估算的结果是一次性费用为 2.588 ~3.56 亿美元,经常性费用为每年 900 ~ 1 760 万美元。而海军的估算结果是一次性费用点估计值为 5.376 亿美元,甚至超出了 GAO 的估算范围,经常性费用为每年 1 530 万美元,在 GAO 的估算范围内。导致双方估算值不同的因素集中在建造新的厂房和舰船维修设施的工程投入等方面。上述因素不仅影响着一次性费用的规模,而且在厂房和设施建成后航行的成本还决定着经常性费用的数额。

航空母舰在设计建造过程当中,动力部分的成本占非常大的比例,而在维修成本上,核动力航母和常规动力航母也有很大区别。一般来说,核动力航母的燃料棒在整个全寿命周期,其技术保障的经费比常规动力的要多,更换一次成本比较大,所以核动力航母的维修费用比常规动力高得多。另外,核动力航母的安全性要求较高,尤其日本大地震后,核安全成为各个国家重点关注的一个问题,由此也造成了航母建造费用的增加。像法国经营了多年中型核动力航母"戴高乐"号之后,下一代皮埃尔级航母却不搞核动力,除了它本身的核动力技术不行之外,实际上整个运行过程中也有核安全的考虑。

1.2.4　航母报废费用

在服役末期,常规动力航母可以放在备用舰队中,或者仍然作为机动资产。当海军不需要常规航母时,还可以将航母卖给私人企业或外国政府,或者以报废价出售出去。GAO 根据海军 1998 财年数据,得出了 5 260 万美元的常规航母报废价。而核动力航母因为核推进系统的限制,其报废起来就没那么容易了。核动力舰船的核反应舱室内装有一个核电站,而核电站的组成包括一个高压的反应堆槽、数个热交换装置(蒸汽发电机),还有相连管路、泵送系统和阀门。每个反应堆均容纳了一百多吨的铅屏蔽,部分屏蔽因为辐射物接触也带上了辐射,因而在有效服役期将满时,核动力航母上的辐射物必须处理掉。

虽然目前还未报废过核动力航母,但基本步骤和报废核动力潜艇及水面战舰大致相同。首先排除核反应堆设备中的存油。由于核燃料辐射性特别高,美国海军将废燃料从核反应堆设备中清除掉后还要送往海军核反应堆研究室(Naval Reactor Facility)进行检验和封闭存放。接着将管道系统和反应堆排净,将放射性系统装置密封,然后将核反应堆室密封并用高度安全可靠的钢制外皮包装起来。

根据美国海军提供的数据,报废第一艘尼米兹级核动力航母的费用为8.186~9.555亿美元。费用大部分用于排油和核污染设备的处理上。这个数据还不包括核废燃料的存储费用以及在汉福德(核反应堆埋放地)的维持费用。

在尼米兹级航母服役期间,核反应堆内的核废燃料需要清理两次,一次在中期,一次在报废时。核废燃料过强的辐射性使其必须安安稳稳地埋在地下数千年才行。核废燃料的存放方法分为干存和湿存两种。"美国海军核推进计划"曾做过一次估算:一艘核动力航母退役后,如果采用干存方法,在最初的100年里,安全存放的核燃料的费用为1 300万美元左右。美国海军后来采用湿存方法,即将核燃料存在特殊的存放池中,池中的水可以起到屏蔽和散热的双重作用。采用这种湿存方法的话,将尼米兹级堆芯放入存放池中的费用为30.6万美元,此后每年存放堆芯的费用为1.144万美元(1998年财年)。

在最后报废时,要对核燃料进行永久性废弃处理。由于这种燃料的危险性会持续千年之久,因此存储难度非常大。

1.3 国外航母费用总体情况

1.3.1 美国航母费用总体情况

1. 美国核动力与常规动力航母全寿命周期费用

核动力与常规动力航母全寿命周期费用的差别历来是美国核、常动力之争的焦点。在新一代航母福特级的论证过程中,1998年,美国审计总署给国会提交了分析核动力航母与常规动力航母效费比的报告,比较了尼米兹级航母("里根"号)和小鹰级航母("肯尼迪"号)的全寿命周期费用(表1.2)。

审计总署通过比较,认为"里根"号航母(CVN-76)全寿命周期费用比"肯尼迪"号航母(CV-67)高58%,但这并不等于核动力航母费用比常规动力航母费用高58%,因为小鹰级航母的排水量比尼米兹级小近20 000 t,舰身短12~17 m,最大搭载舰载机总质量比尼米兹级小 10%①,机库面积也较小,容纳人员少 15%,航空燃油装载量小 50%,弹药装载量小 1/3,而且尼米兹级航母在过去 30 年中进行了大量升级,如改进电子系统、提高生命力、改进弹射器等,而"肯尼迪"号航母基本作为训练舰使用,并没有进行这些升级。

表 1.2　美国航母费用构成及其占全寿命周期费用的比例(1997 财年)

单位:亿美元

费用类别	费用细分	常规动力航母("肯尼迪"号)		核动力航母("里根"号)	
		比例	数值	比例	数值
投资费用	小计	20.69%	29.16	28.98%	64.41
	采办	14.55%	20.50	18.27%	40.59
	中期现代化改装	6.14%	8.66	10.72%	23.82
使用与保障费用	小计	78.93%	111.25	66.97%	148.82
	直接使用与保障费	74.05%	104.36	52.55%	116.77
	间接使用与保障费	4.88%	6.88	14.42%	32.05
退役处理费用	小计	0.38%	0.53	4.05%	8.99
	退役处理费	0.38%	0.53	3.99%	8.87
	核废料埋存费	—	—	0.06%	0.13
全寿命周期费用		100%	140.94	100%	222.22

数据来源:美国审计总署对美国海军数据的分析。

　　从表 1.2 可以看出,在航母全寿命周期费用中,比重最大的是使用与保障费用,占全寿命周期费用的 67% ~79%,若计入中期现代化改装费用,服役期内的费用支出将占到全寿期总费用的 81.7% ~84.4%,远远高于航母的采办费用。按照美国航母平均 7 年的建造期、50 年的服役期计算,航母建造阶段平均每年支出全寿命周期费用的 2.1% ~2.6%,而在服役期间平均每年需支出全寿命周期费用的 1.63% ~1.69%,比建造阶段少 23% ~37%。

　　如果福特级航母的全寿命周期费用构成保持以上比例不变,并考虑首舰的研制费用远远超过后续舰,福特级航母的平均采办费用将大于 81 亿美元,小于 137 亿美元,其全寿命周期费用将达到 450 亿美元以上,可见费用增长的问题在福特级航母身上似乎表现得尤为突出。近些年,美国海军正在采取各种措施降低航母

---

　　① 美国航母舰载机的质量和尺寸不同,美国审计总署此处用搭载舰载机的总质量进行对比。

的全寿命周期费用,尤其是使用和保障费用。这些措施包括减少航母人员编制、提高航母的自动化和信息化水平、提高有关设备的可靠性以及减少维护工作量等。美国航母每年的使用和保障费用见表1.3(以"小鹰"号和"企业"号为例)。

表1.3 美国航母每年的使用和保障费用

舰名/舰级	每年的使用保障费用/亿美元	财年
"小鹰"号	1.41	1996
"企业"号	2.22	1996
尼米兹级	1.6	1996

数据来源:美国海军装备使用和保障费用监控系统1996年的数据。

另外,油价的浮动对核动力与常规动力航母全寿命周期费用的差别也会有较大影响。2005年,"海军核动力推进计划小组"向美国国会提交了一份分析报告,粗略计算了油价浮动对舰艇全寿命周期费用的影响,其结论是当海军舰用柴油价格达到55美元/桶时,大甲板核动力与常规动力航母的全寿命周期费用将不相上下。

2.美国现役航母及舰载机

(1)"企业"号航母

"企业"号航母(CVN-65)是世界上第一艘核动力航母,1958年2月4日开工,1961年11月25日服役,满载排水量93 970 t,使用8座A2W型压水堆,4台蒸汽轮机,总功率209 MW(28万马力),人员编制5 765人。

由于采用8座核反应堆,"企业"号航母的采办费用为4.51亿美元,而同年服役的"小鹰"号航母仅为2.65亿美元。较高的采办费用一度使人们对于核动力航母的效费比产生怀疑,但在20世纪60年代的越南战争中,"企业"号航母被证实比"小鹰"号具有更强的作战能力,从而坚定了美国发展核动力航母的决心。

"企业"号航母由于受到建造费用的严格限制,完工时几乎没有安装任何武器,不过预留了武器安装位置。该航母1979年1月到1982年3月在普吉特海峡的海军船厂进行了第一次换料大修,耗资14亿美元。换料大修中将点防御导弹改为3座MK29型"海麻雀"导弹,并加装了3座6管MK15型20 mm"密集阵"火炮系统,将舰岛也改为"尼米兹"号航母的外观,用SPS-48C和SPS-49雷达取代了SPS-32和SPS-33型相控阵雷达。另外,1991年初至1994年5月,该航母在纽波特纽斯船厂接受了延寿改装。此次改装中换装了SPS-48E和MK23TAS目标捕获雷达,以及SPN-46精确进近和着舰雷达,改进了指挥、控制和电子战系统。

"企业"号航母的8座核反应堆在下水后不久的1960年12月首次达到初始

临界状态,随后 3 年在航行 20.7×10^4 nmaiL 后,于 1964 年 11 月至 1965 年 7 月进行了核燃料换装,并在航行 30×10^4 nmaiL 里后于 1970 年进行第二次换料,第二次换料后航行了 8 年,直到 1979 年改装时才再次换料。

"企业"号航母于 2016 年退役。

（2）尼米兹级航母

尼米兹级航母是美国海军现役数量最多的核动力航母,共 10 艘。首舰"尼米兹"号（CVN-68）于 1975 年服役,最后一艘"布什"号于 2009 年 1 月服役。其中 CVN-68~CVN-70 的满载排水量为 91 487 t,CVN-71 的满载排水量为 96 386 t,CVN-72~CVN-77 的满载排水量为 102 000 t。尼米兹级航母使用 2 座 GE 公司 A4W/A1G 型压水堆,4 台蒸汽轮机,总功率 209 MW（28 万马力）,人员编制 6 054 人。尼米兹级核动力航母是迄今为止世界上最大的军舰,同时也是连续 30 多年批产创纪录的航母。所有尼米兹级航母均由位于美国弗吉尼亚州的诺斯罗普·格鲁曼公司纽波特纽斯船厂建造,该船厂是美国唯一有能力建造核动力航母的造船企业。

尼米兹级航母从"罗斯福"号（CVN-71）开始进行了较大的设计改进,不仅加大了排水量,还改进了弹药舱防护系统,并将之前的 A4W 型反应堆换为 A1G 型反应堆,延长了堆芯寿命;此外,还在弹药库的舷侧增加了 63.5 mm 厚的凯芙拉装甲板,在弹药舱和机库顶部同样也增设了该型装甲板,形成箱型防御结构;并从"斯坦尼斯"号（CVN-74）航母开始使用性能更好的特种钢,增强了航母的弹片防御性能。

与"企业"号航母相比,尼米兹级航母提高了核反应堆功率,核反应堆数量由 8 座减为 2 座,降低了采办成本和维护费用。

表 1.4 为美国现役航母的采办费用。从中可以看出,美国航母采办费用平均约占当年国防预算的 1% 左右,这也表明,发展"企业"号和尼米兹级航母对美国而言,不会造成国防预算的负担。

表 1.4　美国现役航母的采办费用

舰名	服役年代	采办费用/亿美元		备注	当年国防预算/亿美元		航母采办费用占当年国防预算的比例
		当年币值	2009 年币值		当年币值	2009 年币值	
企业	1961	4.5	26.28		451	2 634	1.00%
尼米兹	1975	7.25	24.54		862	2 918	0.84%

表 1.4（续）

舰名	服役年代	采办费用/亿美元		备注	当年国防预算/亿美元		航母采办费用占当年国防预算的比例
		当年币值	2009年币值		当年币值	2009年币值	
艾森豪威尔	1977	7.44	21.84		1 102	3 235	0.68%
卡尔·文森	1982	12.8	25.55		2 165	4 322	0.59%
罗斯福	1986	32	55.84		2 891	5 045	1.11%
林肯	1989	31	49.19	同时支付费用	2 996	4754	1.03%
华盛顿	1992	31	49.19		2 951	4 245	1.05%
斯坦尼斯	1995	35.11	47.35	同时支付费用	2 664	3 593	1.32%
杜鲁门	1998	35.11	47.35		2 710	3 483	1.30%
里根	2003	45	52.57		4 560	5 327	0.99%
布什	2008	58.43	59.61		6 932	7 072	0.84%

数据来源:"杜鲁门"号及之前的采办费用参见《现代海军武器装备手册》,其他数据参见美国国会、总审计署和美国海军的有关报告。

从表 1.4 还可以看出,当所有的采办费用都折算到同一年之后,对于同一级航母来说,首舰的采办费用相对较高,后续舰在建造间隔周期不长的情况下,采办费用可能会稍有降低。如"企业"号航母作为第一艘核动力航母,其采办费用高于"尼米兹"号;"尼米兹"号作为尼米兹级的首舰,其采办费用高于 2 号舰;4 号舰"罗斯福"号的采办费用却突然比 3 号舰"卡尔·文森"号高出一倍还多,与自然成本增加相比,技术植入是最重要的原因,因为"罗斯福"号在前 3 艘尼米兹级的基础上做了大量改进,正是因为如此,"罗斯福"号及后续舰也被称为罗斯福级,或称改进尼米兹级[1]。改进尼米兹级的 7 艘航母中,只有最后一艘"布什"号的采办费用高于"罗斯福"号,主要原因是该舰属于承上启下型航母,其设计中集成了属于下一代航母的一些新技术,如改进推进装置和球鼻艏、升级电子系统等(表 1.5)。此外,设计改动、大量年轻工人培训费用、总工时增加、新工资标准、医疗和休假制度改革、原材料价格变动等也是成本超支的因素。

---

① 中国船舶信息中心编,《现代海军武器装备手册》,2001 年 8 月第一版。

表 1.5　美国各财年预算中"布什"号航母（CVN - 77）的采办费用

单位:亿美元

费用组成	2003 财年	2004 财年	2005 财年	2008 财年	2009 财年
基本建造	38.357 19	34.069 45	33.897 64	38.060 71	37.473 64
订单变更		1.170 85	1.170 85	1.760 54	2.108 80
电子设备	0.213 40	2.685 80	2.628 86	2.469 54	2.457 09
动力装置	6.958 70	6.958 70	6.958 70	6.958 70	6.958 70
船机电系统	0.220 63	0.263 79	0.375 24	0.483 43	0.508 08
军械弹药	0.737 89	2.220 92	2.164 54	1.887 01	1.874 81
其他费用	0.435 22	0.435 22	0.608 90	0.696 59	0.696 59
自然增加费用	2.432 71	2.432 71	2.432 71	5.905 07	6.349 03
总费用	49.355 74	50.237 44	50.237 44	58.221 59	58.426 74

注:自然增加费用主要由汇率波动和通胀引起。上述各年费用为海军预算中各财年公布的采办总费用,并非当年需要的费用。"布什"号于 2011 财年批准采购,上述费用均为 2011 财年美元。

一般而言,航母采办费用的增加主要受两大因素的影响,一是自然成本增加（包括人工、材料等费用的上涨）,二是技术植入带来的额外资金投入。

之所以会出现后续航母费用比首舰采办费用低的现象,主要是因为:（1）航母的研制费用往往要计入首舰的采办费用中,从而使首舰的采办费用更高;（2）在航母的采办费用中,人工成本占绝大多数,随着同级航母建造数量的增加,工人的熟练程度增加,有利于缩短建造周期和减少人工成本,进而降低航母的采办费用。美国兰德公司在评估美国航母工业基础时,曾对工人熟练程度对航母建造费用的影响做过专门论述。

表 1.6 是美国海军 2000 财年舰艇建造预算文件中关于尼米兹级 4 艘航母建造费用投入的表格,这 4 艘尼米兹级航母分别是 CVN - 74 ~ CVN - 77,其中,CVN - 76 于 1998 年 2 月铺设龙骨,从表中可以看出,其建造经费在 1998 财年之前就已经基本支付完毕;CVN - 77 从 2001 财年开始投资,其实际铺设龙骨日期为 2003 年 9 月 6 日（意味着铺设龙骨以后的工作将从 2004 财年开始）,CVN - 77 在 2001 财年的投资额度达到近 40 亿美元,加上前期投入的先期采购费用,总额近 50 亿美元,几乎是该航母建造费用的全额拨款。可以认为,美国航母建造费用中的大部分（约为67.6%）是一次性拨付出去的,只有少部分经费分布在多年拨付。

表 1.6　美国尼米兹级航母的投资情况　　　　单位:亿美元

尼米兹级航母	上一年度	2014	2015	2016	2017	2018	2019	2020	还需	总计
数量	2	0	0	0	0	1	0	0	0	3
最终费用	242.35	0	0	0	0	134.72	0	0	0	377.066 0
减去先期采办	70.20				0	20.008 0			0	90.209 0
减去下一财年自然	126.64	0	0	0	0	98.694 0	0	0	0	225.330 0
全部投资	83.10	9.18	12.19	16.35	18.29	35.308 0	20.76	8.733	69.20	273.108 0
加上前期采办	70.20			8.75	11.261 0				0	90.209 0
预算授权总额	153.30	15.06	18.82	26.33	29.551 0	35.308 0	20.76	8.733	69.20	377.066 0
加上舾装和交付	0.01	0.41	0.46	1.00	0.023	0	0	0.02	5.10	7.024
总计	153.31	15.47	19.28	27.33	29.574 0	35.308 0	20.76	8.753	74.308 0	384.090
单艘费用(平均最终费用)	121.17	0	0	0	0	134.72	0	0	0	125.689 0

数据来源:2000 年海军预算舰艇建造文件。

3. 美国航母航空联队及舰载机

美国海军的现役航母和航空联队之间没有固定的搭配,无论是常规动力航母还是核动力航母,其航空联队的构成都高度类似。美国海军当前的一个航空联队约有 77 架固定翼飞机和直升机,按照 1997 财年的价格,这些舰载机的总价约35.63 亿美元,如表 1.7 所示。

由表 1.4 可知:1995 年和 1998 年服役的"斯坦尼斯"号和"杜鲁门"号航母平均采办价格为 35.11 亿美元,可以认为,1 艘尼米兹级航母在 1997 财年的采办价格也大致为 35.11 亿美元,与同时期该级航母单个航空联队的总价(表 1.7)相当。

表1.7　美国航母航空联队费用

舰载机	单价/亿美元	数量/架	费用合计/亿美元
F/A－18A/C	0.395 0	36	14.22
F/A－18E/F	0.840 6(1998年)	12	10.087
EA－6B	0.52	4	2.08
S－3B	0.27	4	1.08
E－2C 2000	0.930 5(1998年)	4	3.722
C－2A	0.389 6	2	0.779
HH－60H	0.158 0	2	0.316
SH－60F	0.257 8	4	1.03
SH－60R	0.257 8	9	2.32
合计		77	35.634

数据来源:美国海军官方预算文件、《简氏飞机年鉴》,除特别标注外,其他数据均为1997财年数据。航空联队的总价是各舰载机购买价格的总和,未计入舰载机的全部研制经费。

(1)F/A－18 A/B/C/D"大黄蜂"战斗攻击机

1974年,根据美国海军VFAX低费用、轻质量和多用途舰载战斗机计划,由麦道公司开始研制F/A－18"大黄蜂"战斗攻击机。首架飞机于1978年试飞,1980年5月开始交付美国海军和海军陆战队。F/A－18C/D的单机采办费用为4 300万美元[①]。

该型飞机的主要任务包括护空、对海、对地攻击,以及空中战斗巡逻、护航侦察警戒等,有A,B,C,D四种机型,其中A,C为单座,B,D为双座。虽然这四型机均已停产,但现有的651架(据《简氏战舰2009》统计)海军和海军陆战队飞机将继续占海军航空兵攻击力量的一半,它们将服役至2023年。

(2)F/A－18E/F"超级大黄蜂"战斗攻击机

美国F/A－18E/F"超级大黄蜂"战斗攻击机是F/A－18C/D"大黄蜂"战斗攻击机的改进型,用于取代美国航母上的F－14和F/A－18A/B/C/D飞机。

F/A－18E/F飞机项目于1992年正式启动,1992年7月21日,美国海军签订了两份合同以展开该项目的工程制造研发。1995年9月18日,海军收到第一批7架试验样机并交与位于马里兰州的帕特克森特河海军空战中心,进行为期3年的飞行试验。1995年11月完成首飞,1997年1月开始进行航母舰载飞行试验,1999年11月完成作战试验与评估并服役。在此过程中,"超级大黄蜂"项目在1996年

① 美海军2006年公布的数据,考虑了通货膨胀等因素并对数据进行了修正。

和 1998 年曾因为发动机故障一度停止试验。F/A - 18E/F 飞机的大批量生产交付始于 2001 年,2002 年第一支"超级大黄蜂"飞行中队部署在"林肯"号航母上。由于 F/A - 18 各型飞机之间的武器系统、航空电子设备和软件都有广泛的兼容性,F/A - 18E/F 战斗攻击机的保障设施可在现有的组织机构基础上建立。F/A - 18E/F"超级大黄蜂"主要研制节点,如表 1.8 所示。

表 1.8　F/A - 18E/F"超级大黄蜂"主要研制节点

事件	时间点
需求发布	1991
工程制造研发合同(EMD 合同)	1992 年 6 月
关键性设计评估(CDR)	1994 年 6 月 13 日至 17 日
下线	1995 年 9 月 18 日
首飞	1995 年 11 月 29 日
生产许可(小批量)	1997 年 3 月 26 日
生产型飞机首飞	1998 年 11 月 6 日
首架交付	1998 年 12 月 18 日
服役(VFA - 122)	1999 年 11 月 17 日

与 F/A - 18C/D"大黄蜂"相比,F/A - 18E/F 着舰总质量增加 4 536 kg,机长增加 0.86 m,翼展增加 1.31 m,机翼面积也增加 25%,翼根厚度增加 2.5 cm,并增大了水平尾翼面积;机内油箱容量增加 1 637 kg,外挂油箱增加 1 406 kg;作战半径增加 40%;翼下武器挂点增加 2 个;采用 F414 - 400 涡扇发动机,与 FA - 18C/D 的 F404 发动机相比,发动机推力增加了 36%。

据美国国防部 2006 年 12 月 31 日发布的《选择性采办报告》(SAR)估计,海军 494 架 F/A - 18E/F 飞机采办项目的总费用为 463 亿美元,平均每架采办费用为 9 372 万美元。

(3)E - 2C"鹰眼"舰载预警机

美国 E - 2C"鹰眼"预警机于 1973 年开始服役,目前美国所有航母和法国"戴高乐"号航母均使用该型预警机。E - 2C"鹰眼"预警机能在 9 150 m 高空全天候覆盖整个航母编队。其主要机载设备包括雷达、电子对抗、通信、显控等分系统,机载雷达先后使用了 AN/APS - 120/125/138/145 等,其跟踪目标数量和探测性能不断增加。

"鹰眼 2000"是 E - 2C 系列中的最新改进型,仍装备 APS - 145 雷达,但提高了任务计算机的能力和可靠性,改进了卫星语音和数据通信能力,最重要的是增加了协同作战能力(CEC)系统,具备了联合作战能力,能将来自众多传感器的信息合成单一综合航迹来提供有关这些威胁的统一图像,并传递给整个航母编队,作为发射各类武器的火控数据。"鹰眼2000"因此成为舰队的中心节点,并具备了一定的战区导弹防御能力。

E-2C"鹰眼2000"单机采办费用为9 305万美元(1998财年数据)。

(4)EA-6B电子战飞机

EA-6B"徘徊者"(Prowler)是诺·格公司专门为美国海军设计和制造的专用舰载电子战飞机。该型飞机具有针对敌方雷达和通信系统进行空中电子攻击和发射反辐射导弹的能力。在海湾战争"沙漠风暴"行动期间,该机执行了1 627架次飞行任务,使伊拉克的预警系统和C³I系统致盲,并用"哈姆"反辐射导弹摧毁了伊拉克的重要雷达阵地。

EA-6B电子战飞机的单机采办费用为5 200万美元。

该型飞机于1991年停产,共交付170架,其中美海军现役111架。目前该型飞机已服役40多年,从2009年开始逐步退役。

4. 福特级航母

福特级航母是美国下一代航母,计划建造12艘,将逐艘替代现役的"企业"号和尼米兹级航母。该级航母从1993年开始概念论证,1996年开始方案论证,2000年6月正式开始概念设计。首舰"福特"号(CVN-78)满载排水量102 022 t,使用2座A1B型压水堆,人员编制4 660人。该舰于2005年切割第一块钢板,2009年秋季铺设龙骨。福特级航母前三艘舰的项目进度规划如图1.1所示。

福特级航母是以尼米兹级航母的基本概念为蓝本,进一步改进而成的新舰级,改进重点包括三个主要方向:提升作战能力,改善舰员舰上生活质量并降低成本;采用新技术,包括新型发电配电系统、电磁弹射器、先进阻拦装置、新型反应堆等;提高架次率,减少舰上人员数量。

2007年,美国国家审计总署估计,福特级航母前三艘舰的总采办费用为361亿美元(包括43.3亿美元开发费用和317.5亿美元采办费用),平均每艘舰120亿美元。其中,"福特"号航母为137亿美元,包括32亿美元技术研发费用和105亿美元设计建造费用(图1.2及表1.8)。"福特"号航母的采办费用占2009年美国国防预算的2.05%,明显高于之前的1%,这表明,相对于美国国防预算而言,"福特"号航母的采办费用偏高。尼米兹级航母首舰的采办费用为7.25亿美元(1975年),根据美国国防部的换算,相当于2009年的24.54亿美元,"福特"号的采办费用为"尼米兹"号的5.58倍。

"福特"号航母的科研费用为32亿美元,其中A1B型反应堆、电磁弹射器、先进阻拦装置、联合精确进近着舰系统这4类设备的科研就花费了23.022 3亿美元(表1.9)。电磁弹射器在研制时制作了一个半长样机和一个全长样机。先进阻拦装置在研制时也制作了一个样机。

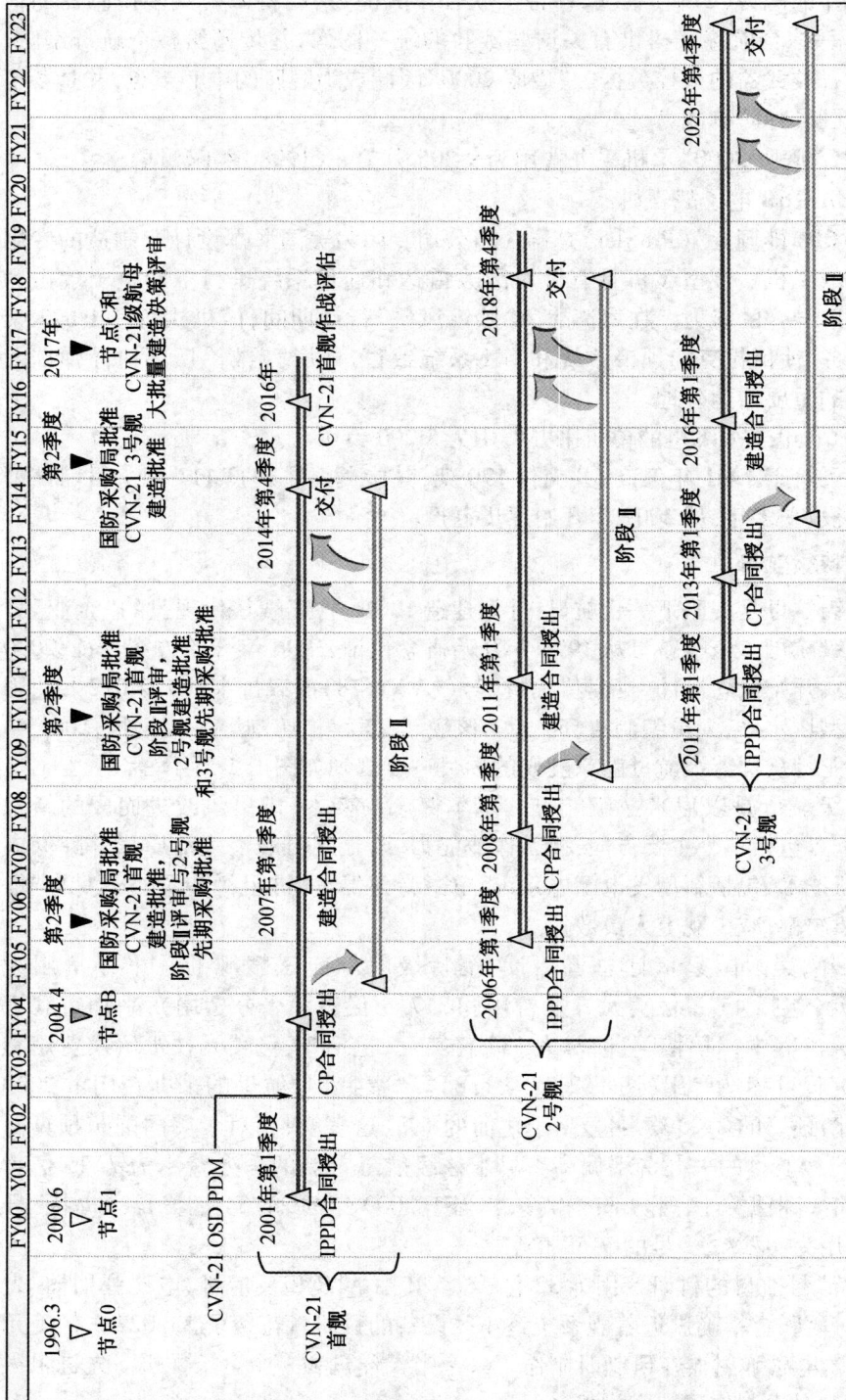

图1.1 美国海军"福特"级航母项目进度规划（2004年）

注：该图为2004年的进度规划，现已部分调整，如首舰建造合同授予和交付日期延迟了1年左右。图中"OSD PDM"为"国防部长办公室项目决策备忘录"，"IPPD合同"为"集成产品与工艺开发合同"，"CP合同"为"建造准备合同"。

20

研制：32 亿美元 ┐
　　　　　　　　├ 采办费用：
　　　　　　　　│ 137 亿美元
建造：81 亿美元 ┐
　　　　　　　　├ 设计建造：
　　　　　　　　│ 105 亿美元
详细设计和非重复性 ┘
工程费用：24 亿美元

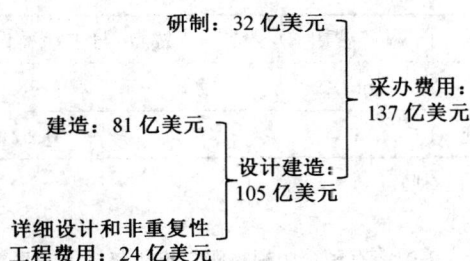

图 1.2　"福特"号航母的采办费用及构成

表 1.9　CVN－78 航母设计建造费用构成

费用/亿美元	2008 财年数据/亿美元	2013 财年数据/亿美元	变化幅度
总体设计	23.548 73	32.782 58	39.21%
基本建造	47.265 02	55.887 18	26.71%
订单变更	2.356 01	2.181 06	−7.43%
电子设备	3.756 05	3.292 62	−12.34%
动力装置	15.156 12	15.156 12	0.00%
船机电系统	0.545 18	0.309 39	−43.25%
其他费用	0.780 48	0.666 63	−14.59%
军械弹药	6.968 48	14.017 36	101.15%
自然增加费用	4.513 30	0	−100.00%
总费用	104.889 37	128.292 49	22.31%

数据来源：2014 财年美国海军预算。

美国海军 2011 财年预算需求报告预计，CVN－78 总采办费用将为 115.31 亿美元（以当年美元计算），其中 2011 年为四年增加采办费用的最后一年，投入资金为 17.313 亿美元；CVN－79 总采办费用将为 104.131 亿美元，其中 2011 年需要支付预付款 9.083 亿美元；CVN－80 总采办费用将为 135.77 亿美元。3 艘航母总采办费用合计将达到 355.211 亿美元（表 1.10 ~ 表 1.12）。

表 1.10　美国"福特"号航母部分系统设备科研和购置费用　单位：亿美元

关键技术与系统	科研费用	"福特"号上该类设备的购置费用
A1B 型核反应堆	14.8	6.958 7
电磁弹射器	2.561 1	6.700 38

表1.10 （续）

关键技术与系统	科研费用	"福特"号上该类设备的购置费用
先进阻拦装置	1.661 2	1.385 66
联合精确进场着舰系统	4	0.671 1

注:表格中的金额为2008财年数据。

表1.11　美国海军预算中福特级航母历年投入的采办费用

单位:亿美元

财年	CVN-78	CVN-79	CVN-80	总计
2001	0.217	0	0	0.217
2002	1.355	0	0	1.355
2003	3.955	0	0	3.955
2004	11.629	0	0	11.629
2005	6.231	0	0	6.231
2006	6.189	0	0	6.189
2007	7.538	0.528	0	7.886
2008	26.85	1.235	0	28.085
2009	26.846	12.106	0	38.952
2010	7.37	4.829	0	12.199
2011(预算)	17.313	9.083	0	26.396
2013(计划)	0	4.948	0	4.948
2013(计划)	0	24.183	0	24.183
2014(计划)	0	31.585	2.281	33.866
2015(计划)	0	7.607	15.238	22.845

注:以当年美元计算,四舍五入。

表1.12　美国海军预算中CVN-78,CVN-79和CVN-80总采办费用预算

单位:亿美元

海军预算报告	CVN-78	CVN-79	CVN-80
2009年预算	104.579	91.916	107.168
2010年预算	108.458	-	-
2011年预算	115.31	104.131	135.77
2011比2009年预算增长	10.3%	13.3%	26.7%

注:以当年美元计算,四舍五入。

美国国防部和海军对福特级航母的采办预算逐年增加,预计到交付海军之前建造费用还将会有较大上升。据美国《海军时报》2017 年 1 月 11 日报道,首舰"福特"号已花费 129 亿美元,进度落后一年多。从目前情况看,该航母已经很难在最初预算额度内完成项目采办,主要问题在于:

第一,"政府提供设备"(包括技术和设备)成本超支,电磁弹射器、双波段雷达、先进阻拦装置等关键技术尚处于开发阶段,进度和经费屡屡超出预计。

第二,人工成本超出预算,美国国防部最早基于 CVN – 76 的经验估算建造工时,但没有考虑到"福特"号是新级航母首舰,需要更多工时。

第三,材料和设备价格超出预计,而且总是延期交付船厂。

由于没有考虑到以上问题,美国海军不仅在初期过于乐观地对航母采办成本进行了预算,而且在过程中没有执行严格的监管程序,也缺乏成熟的管理工具以确定早期费用上涨信号,并对其作出迅速反应,这些都导致了福特级航母成本的超支。

1.3.2　英国航母费用总体情况

1. 英国现役无敌级航母及舰载机

(1)无敌级航母

无敌级航母共建造 3 艘,搭载"鹞"式飞机,采用滑跃起飞、垂直降落的起降方式,建造和服役时间见表 1.13。该级航母满载排水量 20 600 t,使用 4 台"奥林普斯"TM3B 燃气轮机,持续功率 72.5 MW(9.72 万马力)。

表 1.13　无敌级航母建造和服役时间

舰名	舷号	开工日期	下水时间	服役日期	退役日期
无敌	R05	1 973.7.20	1 977.5.3	1 980.7.11	2 005.8.1
卓越	R06	1 976.10.7	1 978.12.1	1 982.6.20	
皇家方舟	R07	1 978.12.14	1 981.6.2	1 985.11.1	2 011.1.22

无敌级航母首舰造价 1.85 亿英镑(约合 3.55 亿美元),"卓越"号造价2.20亿英镑(约合 4.2 亿美元)①。无敌级航母平均采办费用约 2 亿英镑。

(2)无敌级航母航空联队

20 世纪 70 年代英国取消大甲板航母以后,意味着常规起降的高性能舰载机从舰队中消失。英国海军并未甘心放弃舰载航空兵,于是决定在空军"鹞"式垂直短距起降飞机的基础上开发舰载的"海鹞"飞机。第一架"海鹞"飞机于 1978 年 8

---

① 　中国船舶信息中心,《现代海军武器装备手册》,2001 年 8 月。

月首飞,1979 年 6 月交付英国海军。1985 年 1 月,英国国防部与英国 BAE 系统公司签订合同对其进行改装,即后来的"海鹞"Ⅱ。

①"海鹞"Ⅱ

无敌级航母搭载 9 架"海鹞"Ⅱ短距起飞/垂直降落型飞机,"海鹞"Ⅱ单价为 3 200 万美元(折合成 2006 年美元)。

②"海王"直升机

无敌级航母搭载 12 架"海王"直升机,其中 9 架反潜型,3 架早期预警型。"海王"直升机的单价为 640 万美元。

③航空联队飞机总费用

9 架"海鹞"Ⅱ和 12 架"海王"直升机的总费用约为 3.65 亿美元。

2. 英国在研 CVF 航母及舰载机

(1)CVF 航母

英国 CVF 航母满载排水量约 65 000 t,可搭载 36 架 F - 35B"闪电Ⅱ"联合攻击机和 4 架预警机,计划建造 2 艘,分别命名为"伊丽莎白女王"号和"威尔士亲王"号。

CVF 使用 2 台燃气轮机,带 2 台 35 MW 交流发电机,以及 2 台 11.7 MW 柴油机和 2 台 9.45 MW 柴油机,总发电功率 110 MW,人员编制 1 500 人。该型航母最重要的特征是具备"可改装性",服役初期 CVF 采用带滑跃甲板的短距起飞/垂直降落的航母形式,但在未来服役期内,可以改装成配备弹射器和阻拦装置的常规起降型航母。

CVF 航母 1996 年开始方案选型,2008 年授予建造合同,共跨越 12 年。首舰"伊丽莎白女王"号计划于 2014 年 7 月 4 举行命名下水仪式,计划于 2020 年具备初始作战能力,"威尔士亲王"号由于预算及舰载机问题,服役时间将推迟。

①采办过程

a. 采办方法

英国国防部在航母采办过程中采用了"精明采办"方法,将开始进行航母概念研究到最终退役的整个过程视为一个采办周期,共包括 6 个阶段和 2 个关键决策点。它们是:概念研究阶段、评估阶段、演示阶段、生产阶段、服役阶段和退役阶段;概念研究阶段与评估阶段间的初始决策点(Initiate Gate)、评估阶段与演示阶段间的主决策点(Main Gate)。根据"精明采办"规定,各阶段和决策点的主要任务分别为:

概念阶段。生成航母用户需求文件(URD);筹划组建一体化项目小组;邀请工业界参与概念研究;确定可供进一步开发的技术和采购方案,为评估阶段及后续阶段筹措资金和制订计划,确定性能、成本和进度的范围;启动全寿期管理计划;持续监控方案的成熟度,并在适当时机编制和提交一份在性能、成本和进度限定范围内的初始决策点报告,为项目进入评估阶段做准备。

初始决策点。确定项目是否能够由概念阶段进入评估阶段,同时为评估阶段设定航母的初步参数。

评估阶段。负责生成航母系统需求文件(SRD);建立并保持用户和系统要求之间的联系;确定最佳效费比的技术方案和采购方案;降低风险水平,使之与按严格控制进度和成本参数交付的系统性能需求的可接受水平一致;进一步完善全寿期管理计划,包含为演示阶段制订的详细计划;持续监控方案的成熟度,并在适当时机提交一份在性能、成本和进度限定范围内的主决策点报告,为项目进入演示阶段做准备。

主决策点。确定项目是否继续实施,并为演示阶段设定航母的性能、时间和成本目标。

演示阶段。逐步消除航母研制风险并确定生产的性能目标;确保最终选择方案与系统需求文件和用户需求文件之间的一致性;编制满足系统需求文件的合同;验证生成综合能力的可行性。

生产阶段。负责在进度和成本要求范围内交付满足军事需求的航母;进行系统验收,证实航母性能与系统需求文件和用户需求文件内容相符。

服役阶段。负责证实航母可提供确实有效的作战能力,达到主决策点要求,宣布服役日期;为航母的前线作战提供有效保障;根据合同规定的参数维持航母的作战性能,同时降低航母服役期内的年度维护成本;根据合同为航母进行改进、改装和附加采购。

退役阶段。负责安全有效地完成航母退役和解体工作。

b. 组织管理

CVF 的采办工作由航母一体化项目小组和国防装备与保障总署(2007 年 4 月由国防采办局和国防后勤局合并而成)联合执行。一体化项目小组的成员由国防装备与保障总署工作人员和企业代表组成,他们负责国防部与工业部门之间的沟通,评估和审查工业部门提交的航母设计方案。在航母的采办过程中,一体化项目小组代表国防部与航母项目中的重要工业伙伴共同组成了航母联盟,共同推动航母采办工作的顺利进行。

航母联盟于 2003 年 1 月成立,最初由国防部、BAE 系统公司和泰利斯公司组成,后来由于首选主承包商的变动使组成有所改动。2005 年 12 月形成的航母联盟成员主要包括国防部、BAE 系统公司、KBR 公司、泰利斯公司、VT 集团和巴布柯克(Babcock)公司。其中国防部扮演了用户和合作伙伴两种角色。

c. 采办历程

英国 CVF 航母采办项目虽然采用了"精明采办"方法,但是由于该项目的复杂性和特殊性,1998—2006 年间在航母设计、承包商选择以及国际合作等方面出现多次变化,因而在具体实施上产生了较大的变动:评估阶段由于设计的变更和法国的介入共分为 4 部分;主决策点也根据需要增设至 2 个,除原来的主决策点

外,在演示阶段与生产阶段之间还新设置一个主决策点。英国 CVF 航母项目的采办历程主要包括:

1996—1998 年　航母项目进行概念阶段的研究,其研究目的是根据战略环境转变以及英国的外交和安全策略进行 CVF 航母的需求研究。研究结果:确定建造一级新航母是最具效费比的选择。

1998 年 12 月　项目达到初始决策点,英国政府正式批准 CVF 航母项目,认可了用户需求文件,并在 1999 年 1 月向 6 家公司发出了招标邀请。然而,在截止时间 1999 年 5 月,国防部仅收到 BAE 系统公司和泰利斯公司(当时为汤姆逊 - CSF 公司)送交的竞标方案。1999 年 11 月,国防部与两家公司签订合同,正式启动评估阶段的工作。

1999 年 11 月—2001 年 6 月　英国国防部国防采办局(DPA)分别与两个工业小组(分别由 BAE 系统公司和泰利斯公司领导)签订 5 900 万美元的竞争合同,开始第 1 阶段评估工作,对两个小组的设计方案进行评估。该阶段的工作对航母的成本、能力、风险和概念开发进行了初步研究,考虑了多种航母方案,包括常规起降型、短距起飞/阻拦降落型、短距起飞/垂直降落型三种,同时也为国防部的舰载机选择提供了重要参考。

2001 年 11 月—2002 年 12 月　英国国防部分别与 BAE 系统公司和泰利斯公司签订为期 12 个月、价值 3000 万英镑的合同,开始进行第 2 阶段评估工作,为航母方案的详细设计、建造和保障工作进行降低项目风险研究以及成本/能力平衡研究。这一阶段改变了上一阶段主要考虑航母性能的做法,转而将是否能在预算范围内严格控制航母成本和达到所需性能作为衡量设计方案优劣的重要指标。

2003 年 9 月—2004 年 3 月　在经过了多种方案的评估后,英国国防部采用了泰利斯英国公司的短距起飞/垂直降落方案,但选择了 BAE 系统公司作为 CVF 的主承包商,CVF 项目进入第 3 阶段评估工作,开展设计和降低风险研究。在这一阶段,工业界和一体化项目小组与 BAE 系统公司合作,共同完善由泰利斯公司和 BMT 公司提交的航母设计、降低风险、确定成本等重要工作。2003 年 12 月,国防部决定选用"德尔塔"设计作为航母新的基型设计。在第 3 阶段评估工作结束后,由于在成本和建造工作安排方面与国防部存在较大分歧,因此 BAE 系统公司被取消了首选主承包商资格。

2004 年 7 月—2005 年 3 月　航母项目进行第 4 阶段评估工作,该阶段的主要任务是:完善航母联盟的结构,确定关键供应商和合作伙伴,并最终确定航母建造策略;降低航母技术和供应链安排方面的风险(包括为子系统和设备挑选供应商);由航母联盟进一步完善航母设计,确保性能、成本和进度的成熟度,使项目能够顺利过渡到主决策点。评估阶段即将结束前,国防部决定不再采用主承包商的方式,而是由航母联盟中的主要成员分别承担航母各部分的建造工作,并确定由 KBR 公司作为航母集成商。

2005 年 12 月　航母项目达到主决策点 1,英国国防部宣布:VT 集团和巴布柯克公司新增为航母联盟成员;批准航母的建造和总装计划,将航母 60% 的生产工作分配给 BAE 系统公司、VT 集团和巴布柯克公司这 3 家英国本土企业,并由巴布柯克公司完成航母的总装工作;批准国防采办局在主决策点 2(批准签订航母合同)前进行部分材料和设备的先期采购;投资 3 亿英镑用于开发能够投入实际生产的航母设计。

2006 年 1 月　英国和法国达成共识,决定共同研制一种通用型的航母基型设计。这种新的基型设计是英国航母联盟在 2003 年确定的"德尔塔"设计的放大版本。英国官方确认的航母参数为:排水量 65 000 t,全长 280 m,宽 70 m,吃水 9 m;航母的飞机搭载数量为 40~50 架,具体类型包括 F-35 联合攻击机(JSF)、"默林"反潜直升机以及海空搜索和控制机;该级舰最大航速超过 26 kn。

2006 年 4 月　英国国防部与航母联盟签订总价值 1.43 亿英镑的合同,CVF 航母项目正式进入演示阶段。

2007 年 7 月　英国 CVF 航母获得进入建造阶段的许可,这 2 艘 6.5×10^4 t 级的航母分别被命名为"伊丽莎白女王"号和"威尔士亲王"号。

2007 年 10 月　英国国防部 CVF 航母项目的第一份生产设备合同与塞莱克斯通信公司签订。该公司将负责设计和生产先进敌我识别电子系统。

2007 年 12 月　英国国防部分别与瓦锡兰等几家公司签订价值 2 800 万英镑的合同,为两艘 CVF 航母订购柴油发电机和其他重要设备。这些合同的签订是英国 CVF 航母项目的又一个重要里程碑。合同内容主要包括:制造 8 台柴油发电机组,每艘航母 4 台;研制 1 套新型综合导航与舰桥系统;研制飞行控制室;研制先进视觉辅助降落装置,用于引导攻击机和直升机在甲板上着舰。

2008 年 5 月 20 日　英国国防部正式批准 CVF 航母进入建造阶段。7 月 3 日,英国国防部与航母联盟签订建造两艘 CVF 航母的合同,合同价值约 30 亿英镑。

2009 年 7 月　"伊丽莎白女王"号航母举行"钢板切割"仪式。

2010 年 7 月　"伊丽莎白女王"号航母的建造工作已通过多个里程碑式的项目节点。BAE 系统公司朴次茅斯造船厂于 7 月 31 日已将第一套动力和推进系统主要部件安装到航母上。

2011 年 5 月 26 日　英国皇家海军第二艘伊丽莎白女王级航母"威尔士亲王"号在 BAE 公司克莱德港高文船厂开工建造。

2011 年 6 月　在 BAE 系统公司位于朴次茅斯的大型造船车间内,"伊丽莎白女王"号航母两个船体分段实现合拢。接下来将完成管路、缆线、通风管道、机械系统的对接,然后在 2012 年 4 月运往罗塞斯船厂。

②采办费用

英国两艘 CVF 航母的建造费用最初确定为 22 亿英镑,具体分布见表 1.14。

2001年11月初,英国官方宣布,CVF航母的成本极有可能在26.54亿英镑到33.63亿英镑之间。2003年1月,总承包商BAE系统公司最初估计的成本为40亿英镑,远高于国防部的预算。国防部要求对设计方案进行修改,以缩减成本。最终采用方案的预算约为39亿英镑(2艘)。2008年5月,英国国防部确认,CVF的成本达到42亿英镑。然而,2009年7月,英国航母联盟的一份备忘录显示,CVF项目的费用上涨了约25%,两艘航母的采办费用为52.7亿英镑(包括购置费和前期的评估论证费),平均每艘航母约26.35亿英镑,是"无敌"号的14.2倍、"卓越"号的11.98倍。英国2008—2009年度国防预算为350.47亿英镑,每艘CVF航母的采办费用占同时期国防预算的7.74%,远远高于美国。

表1.14 英国CVF航母采办和服役期费用分布

代码	项目内容	百分比
X1-01	人员	26.3%
P0-07	主承包商利润和管理储备金	5.9%
J0-01	支持合资公司的费用	4.6%
X1-02	燃油	4.4%
J0-02-05	训练	3.4%
K1-02-XX-02-622	内部和外部涂装	2.7%
P0-09	增值税	2.4%
A1-01-01	燃气轮机交流发电机组	2.2%
T1-01-03	通信	2.1%
T1-01-05	通信中转基础设施	2.0%
K1-02-XX-01-04	甲板结构	1.9%
P0-01	项目管理(项目控制)	1.8%
T1-01-01-11	多功能雷达	1.8%
T0-01	信息系统综合	1.8%
T0-02	作战系统岸上实验设施	1.5%
P0-04	设计授权(技术管理部)	1.5%
K0-01-04	整舰设计	1.5%
K1-02-XX-05	电气	1.5%
T1-01-06	导航/综合舰桥系统	1.3%
T1-01-01-09	内层导弹系统	1.2%
所有其他		28.2%
总计		100%

数据来源:英国国家审计署。

a. 施工设计费用

2008 年 7 月 3 日，英国国防部正式签订两艘 CVF 的建造合同，其中授予泰利斯英国公司 4.25 亿英镑，用于 CVF 航母设计与工程。

b. 建造费用

据 2005 年兰德公司分析，CVF 航母的建造费用构成如图 1.3 所示，其中劳动力费用与管理费用占 40%；设备和材料费用为 60%，包括政府采办设备和船厂材料与设备，如钢材、阀门、泵、结构件、管路等。

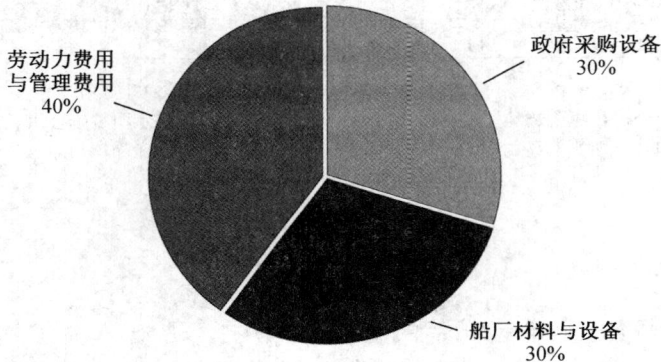

图 1.3　CVF 航母建造费用构成

英国把 CVF 航母划分为几个大型分段，在不同的船厂建造，最后在罗塞斯船厂组装，表 1.15 及图 1.4 分别列出了 CVF 大型分段建造费用及策略。

表 1.15　CVF 航母部分大型分段的建造费用

内容	合同授出时间	费用/亿英镑
两艘航母的大型分段(下部分段 2、4)	2008 年 7 月	13.25
两艘航母的大型分段(下部分段 3)	2008 年 7 月	3
两艘航母的船艏分段(即下部分段 1)；两艘航母的总装	2008 年 7 月	6.75
两艘航母的中央大分段	2009 年 3 月	1.5
累加		24.5

c. 基础设施建设投入

2008 年 3 月，英国国防部与巴布科克海事公司签订一份 CVF 航母建造设施改进的合同，合同金额 6 500 万英镑，其中 5 000 万英镑用于船坞改造、1 500 万英镑用于购买大型龙门吊和绞缆装置。

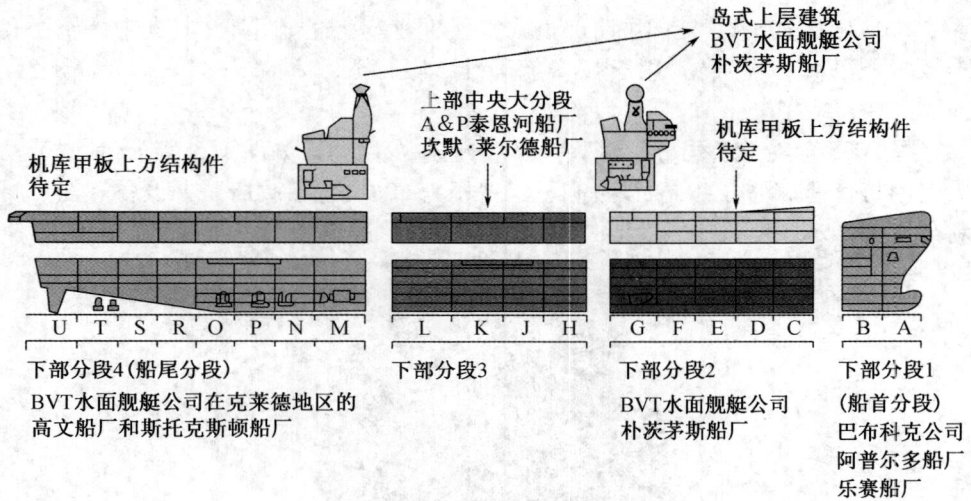

图 1.4 CVF 航母建造策略

d.《防务与安全战略审查》后的费用调整

英国在 2010 年《防务与安全战略审查》中作出关于 CVF 的重要决策:两艘伊丽莎白女王级航母中的第 1 艘闲置或出售;第 2 艘安装弹射器和阻拦装置,搭载 F-35C 常规起降飞机。2011 年 4 月 28 日,英国国防部和财政部表示,如果一艘航母改装搭载 F-35C 战机,其项目总花费可能超过 60 亿英镑,而按原计划建造两艘垂短起降型航母的总费用预计为 52.7 亿英镑。最终的费用增加取决于是安装传统的蒸汽弹射器还是安装电磁弹射器(蒸汽弹射器相对便宜),也取决于是在 1 艘还是 2 艘航母上安装弹射器与阻拦装置。如果改装 2 艘,CVF 项目总费用将达 70 亿英镑。

③采办特点分析

a.CVF 航母方案论证自始至终在顶层规划的指导下进行

航母的论证是一个漫长而复杂的过程,其中需要考虑的因素有很多,而在论证过程中受到的干扰因素也很多,因此顶层规划就起到一个方向指导的作用,并决定最终结果。20 世纪 60 年代,由于航母项目未能得到政府的支持,因此大型航母 CVA-01 的建造不仅被取消,还使得在这种逆境中发展的无敌级航母在作战能力上存在先天的不足。英国 1998 年《战略防务审查》明确提出要实施 CVF 航母项目。此后,英国海军又根据航母的作战使命、任务和作战对象,对 CVF 航母的作战能力提出 9 项关键需求,即要求 CVF 航母具有互操作能力、集成能力、部署能力、持续作战能力、空战能力、生存能力,以及可用性、灵活性和通用性。在顶层规划的指导下,CVF 航母方案的论证目标明确、论证充分,并尽量采用先进技术以建造一艘最适合英国海军的航母。在概念阶段,放弃商船和无敌级航母改装方案的主要原因是这两种方案的作战能力仍然与无敌级航母相似,没有根本性的提高,不能满足英国海军未来作战的要求。在评估阶段,CVF 航母方案排水量由于经费的问题由大变小,但英国考虑到小排水量的方案并不具备足够的作战能力,因此又重新对大排水量的方案进行论证。2012 年 5 月,英国国防部宣布禁用 BAE 系统公司的 F – 35B 型 STOVL 方案,给两艘航母安装滑跃式甲板。CVF 航母是短距起飞/垂直降落型,搭载作战性能远远在"鹞"式飞机之上的 F – 35 联合攻击机,因此,CVF 航母具有很强的作战能力,可以在一段时期内满足英国海军的需求。为了适应未来英国战略的变化,CVF 航母可以改装成常规起降型航母,并在 CVF 航母设计上,预留了未来加装电磁弹射器的空间,以确保 CVF 航母的作战能力得到进一步提高。

b. 舰载机迟迟不能确定是导致 CVF 航母选型曲折的主因

舰机适配性是航母方案设计最核心的问题。舰载机的形式直接决定航母的选型。CVF 航母的方案论证是在没有确定舰载机的情况下开始的。从 1996 年提出 CVF 航母发展规划开始到 2001 年确定 F – 35 联合攻击机作为舰载机的 5 年时间里,英国一直在进行着短距起飞/垂直降落、常规起降、短距起飞/阻拦降落、混合和改装方案的权衡。而在选定 F – 35 后,又因为没有确定采用短距起飞/垂直降落型还是常规起降型而不得不进行并行设计。舰载机选择的问题导致英国不能集中力量对一种方案进行设计和优化,不仅延长了 CVF 航母的设计时间,还需花费大量经费进行方案论证。

c. 资金限制是 CVF 航母选型遇到的一大障碍

英国国防部对 CVF 航母的采办费用一直采取控制态度。从 CVF 航母具有可改装性的特点可以看出,英国并不是不需要常规起降型航母,只是因为这种航母的初期采办费用以及相关的基础设施建设费用过于昂贵,超出了英国国防部的承受范围。从 2005 年到 2020 年,英国国防部进行的海军计划除了 CVF 航母项目外,还有未来水面舰艇项目、军事海上抵达和保障项目、联合医疗船项目、机敏级核潜艇建造项目、沿海巡逻舰建造项目、45 型驱逐舰建造项目和辅助船坞登陆舰项目等。由于英国国防部不可能把全部经费投入到建造 CVF 航母中,因此 CVF 航母只能选择方便以后改装成常规起降型航母的短距起飞/垂直降落方案,以节省初始采办经费。

d. 国际协作在 CVF 航母论证过程中发挥重要作用

从第二次世界大战至今,英国与美国无论在经济还是军事上一直进行着密切合作。在 CVF 航母论证过程中,英国参与了美国 F – 35 联合攻击机的研制项目,并获得了自主使用权。如果 CVF 航母改装成常规起降型航母,需要加装电磁弹射器,搭载更先进的预警机,则还要与美国进一步展开合作。

e. 建立航母联盟成为降低航母研制风险的一项重要措施

一直以来,英国航母研制主要是交由主承包商进行设计和建造。为降低 CVF

航母研制风险,英国通过建立航母联盟,改变了过去将风险和管理权授予主承包商的做法,充分调动了联盟各成员的积极性。

（2）CVF航空联队

①F-35B舰载机

CVF能搭载30架F-35B飞机。F-35B飞机是美国主导研制的联合攻击机项目的其中一种型号,为短距起飞/垂直降落型,其性能明显优于英国现役航母上搭载的"鹞"式舰载机。F-35B的单架费用约为1.216亿美元。

②"海王"直升机

CVF将搭载4架"海王"直升机,用于海上监视与侦察,单价640万美元。

③"默林"直升机

CVF将搭载6架"默林"直升机,用于早期预警,单价613万美元。

④1个航空联队飞机总费用

30架F-35B、4架"海王"直升机和6架"默林"直升机的总费用约为37.1亿美元,与1艘CVF采办费用相当。

1.3.3　法国

1.法国"戴高乐"号航母及舰载机

（1）"戴高乐"号航母

"戴高乐"号航母是法国海军唯一的现役航母,该航母的建成使法国成为世界上第二个拥有核动力航母的国家。"戴高乐"号航母满载排水量42 000 t,采用2座K15型压水堆,2台蒸汽轮机,总轴功率61 MW,人员编制1 908人。该航母于1987年11月24日开工建造,1989年4月14日铺设龙骨,1994年5月7日下水,2000年9月28日交付海军,2001年5月18日服役,整个过程历时15年。

"戴高乐"号航母的研制过程不仅超时而且严重超支,该航母在20世纪70年代酝酿时曾估价40~50亿法郎,20世纪80年代可行性论证后增至80亿法郎,1997年,其总成本据估计已高达184亿法郎,其中设计和建造准备费54亿法郎,建造费用约130亿法郎。按领域划分,船体建造占36%,电气、机械部分占21%,核动力部分占18%,舰载电子、武器系统占25%。总承包商布勒斯特地区造船技术局的合同总额为65亿法郎,其中一半用于支付员工工资。

"戴高乐"号航母建成后还暴露出许多设计和质量方面的问题,如舵振动、发动机故障、隔音不完全、核反应堆耐压壳龟裂等,因此短期内经历了约100多项修改工程。

"戴高乐"号航母的采办费用大大超出了最初预算,有以下几方面原因:

①根据1989—1991年出台的《军用项目法》,在整个国家预算上延长了工期,加之连年财政拨款不足,又迟迟不能到位,致使建造周期延长了约42个月,这成为费用超支的主要因素。

②在建造过程中由于技术发展,以及更改原设计,提出了不少加装改装工程,例如,增加反应堆的防核辐射屏蔽,导致全舰排水量增加。

③设计和建造质量上的缺陷,导致"戴高乐"号航母的返工次数较多,从而产生较大成本。例如,在 1999 年海试中发现该航母斜角甲板短,导致预警机不能安全降落,军方最后决定将斜角甲板向舰首方向延伸 4.4 m,按全宽加焊一段整体钢结构。为此,"戴高乐"号航母不得不于 1999 年 10 月返回造船厂,进行为期 6 个月的改装。2000 年 11 月,该航母在北大西洋进行首次远洋试验时,一只螺旋桨桨叶突然断裂,掉落大西洋,迫使该航母不得不以 14 kn 的航速返回港口进行检修。而"戴高乐"号航母螺旋桨是一种特殊的低噪声桨,采用全新的设计,制造工艺十分复杂,加工时间长,单个造价高达 600 万法郎。

④外购装备价格、通货膨胀和汇率波动等因素的影响。

(2)"戴高乐"号航母舰载机

"阵风"飞机是法国达索公司为满足空、海军要求研制的战斗机。"阵风"系列飞机包括技术验证样机"阵风"A、空军型"阵风"B/C 和海军舰载型"阵风"M。

"阵风"系列飞机的研制始于 1979 年,首架"阵风"M 样机于 1991 年 12 月 12 日首飞,1993 年完成首次航母弹射起飞试验,1995 年 10 月定型,试验过程历时 4 年。不过,定型后由于政治和经济因素,直至 1999 年"阵风"M 才正式生产,首批 10 架"阵风"M F1 标准的舰载战斗机于 2004 年部署在"戴高乐"号航母上。

①"阵风 M"舰载机

研发费用为 70 亿法郎(约合 13.56 亿美元),不计研发费用,每架"阵风 M"舰载机的制造费用为 6 790 万美元,计入研发费用后,每架采办费用为 1.457 亿美元。

②E-2C"鹰眼"预警机

购自美国,美国海军 E-2C 的采办单价为 9 305 万美元。

2. 法国在研 PA2 航母

PA2 航母计划是法国政府重要的武器装备采办项目之一。2008 年 5 月,时任法国总统萨科奇宣布推迟 PA2 航母的建造,使得法国海军 2015 年装备该航母的希望落空,也引发世人对该航母计划的未来发展及采办过程中有关问题的关注。

(1)研制背景

法国政府早在 1980 年就决定建造一艘新型航母,以维持法国海军承担的全球战略投送、战略威慑使命任务。但是由于"戴高乐"号航母的建造周期长达 15 年,最终的造价达到了 184 亿法郎,为此法国政府延后了新航母研制项目。尽管遇到了各种困难,但法国政府始终没有放弃新型航母 PA2 的研制工作。

2000 年 5 月,法国海军正式启动了 PA2 航母可行性研究,并开始寻求与英国共同建造航母的可行性。2002 年,法国总统希拉克下令开始实施 PA2 航母计划,并将其纳入法国《2003—2008 年军事计划法》。2004 年 2 月,通过对作战效能、经济可承受性、本国航母制造技术基础等方面的因素进行综合考虑,法国政府宣布PA2 航母将采用常规动力,排水量约 75 000 t,搭载约 40 架飞机(包括固定翼飞机和直升机),并根据本国战略需要装备武器系统。

但是,由于 2008 年《法国防务与国家安全白皮书》将未来国防优先发展的领域侧重于情报和侦察能力建设,再加上国防预算紧张以及与英国 CVF 航母合作项目进展缓慢等因素,法国总统萨科奇在 2008 年 5 月宣布将 PA2 航母计划的建造决议时间推迟到 2011—2012 年。尽管如此,《法国防务与国家安全白皮书》仍然强调建立必要的兵力投送能力,并计划在 2020 年以前购入 1 ~ 2 艘航母,因此法国政府并不会放弃 PA2 航母计划,只是将建造计划延后而已。

(2)采办管理

①航母采办项目管理

法国航母采办项目管理主要分为 5 个阶段,即:准备阶段、设计阶段(可行性分析阶段和定义阶段)、实施阶段(研制/工业化阶段和生产阶段)、使用阶段和退役处理阶段。

a. 准备阶段

由海军参谋部根据实际情况提出需求。在这一阶段,为完善已进行的调查和研究,需要进行初步作战或技术研究,确定研制风险;进行需求的初步功能分析,以及加强和调整航母项目所需新技术的研究;同时要利用各种费用评估和作战效能模型获得初步数据。这部分工作主要由参谋部和武器装备总署(DGA)联合完成。参谋部与作战设计官一起提出航母作战与技术、作战研究的平衡表,详细说明作战需求,并提供一个初步的所需作战特性的优先顺序表。武器装备总署提交一份技术和工艺的综合分析报告,评估航母项目研制风险,以及研究控制风险的解决方法;对航母物理和功能结构提出建议,给出一个初步的费用范围和实施阶段时间表,以及作战使用费用估计;提供可行性研究阶段的所有有用数据,特别是要考虑与舰上其他系统的接口。相关文件经兵力系统与远景规划局确认、常设执行委员会审查后,由国防部长决定将项目从准备阶段推进到设计阶段,也就是正式开始启动航母研制项目。

b. 设计阶段

此阶段又分为可行性设计阶段和定义阶段。从这个阶段开始,组成一体化项目小组(IPT)进行后续工作。这一阶段主要是寻求可能的航母设计方案和评估航母是否满足军事需求。可行性研究阶段的结果被纳入定义文件,该文件由一体化项目小组汇总,经有关"兵力系统"作战协调官认可,并由武器装备总署批准开始启动定义阶段。

定义阶段进一步定义航母系统,并细化军事需求、保障、环境问题、训练、技术规范、进度、费用和进入实施阶段的工业基础条件,具体而言,就是完成航母的总体设计,这一阶段的工作主要由 MOPA2 航母联盟(由法国舰艇建造局和泰利斯公司组成)来完成。

c. 实施阶段

在这一阶段,将进行航母有关装备及其保障系统的详细设计、施工设计,并开展航母的建造和相关系统试验。这一阶段主要由一体化项目小组汇总航母项目启动文件,经参谋部签署并由常设执行委员会审查后,由武器装备总署批准启动。建造过程中的合同涉及法国舰艇建造局的所有职能部门。为平衡工作压力,法国舰艇建造局的工业事务部可能会将任务分配给下属的各个船厂。

d. 使用阶段

武器装备总署和参谋部验证航母能够提供有效的作战能力后,作出"投入作战使用"决定,并正式批准航母加入现役。

退役处理阶段。负责安全有效地完成航母退役工作。

②采办组织管理

PA2 航母的采办工作由武器装备总署(DGA)和武器系统局(DSA)海军武器系统管理局第一分部联合组建的一体化项目小组(IPT)负责。项目一体化小组由武器装备总署项目主任、管理专家(管理、采购、质量、风险控制等专家)、技术专家(建造、测试等专家)、海军航母项目官员与专家,以及企业代表组成。项目一体化小组负责处理航母项目的各项事务,优化项目开支和执行效率,节约项目经费,并与工业企业协调处理航母项目执行过程中遇到的各种问题。在 PA2 航母采办过程中,这种由多学科专家组成的一体化管理团队为确保航母采办管理工作的顺利进行提供了有效保障。

(3)采办历程

法国 PA2 航母项目采用了与英国 CVF 未来航母项目合作方式,采取"共同设计,模块化建造"的策略。2002 年以来,PA2 航母的采办历程主要包括:

2002 年　法国总统希拉克正式宣布建造 PA2 航母,并计划于 2003 年 6 月确定舰型、动力装置和具体性能参数,2014 年加入现役。

2004 年 2 月　法国总统希拉克宣布 PA2 航母将采用常规动力。未采用核动力的原因主要包括以下方面:

第一,英国正在设计建造两艘 CVF 未来航母(采用常规动力),法国可以与英国合作共同承担航母设计费用,并进行联合采购,以降低 PA2 航母的采办费用;

第二,对常规动力航母来说,建造的总花费要比核动力航母低 10%,长期维护费用也相对较低;

第三,2050 年以前,常规动力航母足够满足法国海军的任务需要。

2004 年 6 月　法国舰艇建造局和泰利斯公司开始组建 MOPA2 航母联盟,负责法国 PA2 航母的设计和建造。

2005 年 1 月　法国国防部长宣布,法国海军 PA2 航母进入设计阶段。与此同时,MOPA2 基础合同办公室在 2005 年初对法国 PA2 航母项目和英国 CVF 航母项目进行了对比研究。结果表明,CVF 航母设计方案经过必要的修改后能够满足法国海军对 PA2 航母的作战能力要求。

2006 年 1 月　法国和英国政府就 PA2 航母和 CVF 未来航母设计费用分担问题达成正式协议,并计划签订关于航母设计细节和建造的主合同。

2006 年 7 月　MOPA2 对英国 CVF 未来航母的设计进行了相应修改。修改后的航母设计方案为:PA2 航母长 283 m;排水量 75 000 t;能够搭载 40 架飞机;武器方面包括 2 座"席尔瓦"垂直发射装置和 1 座 20 mm 或 30 mm 舰炮;4 台电动机、2 台燃气轮机提供动力,航速 25 kn;人员编制包括 900 名舰员、650 名航空人员和 100 名旗舰人员。

2007 年 11 月 15 日　法国 PA2 航母联盟 MOPA2 与英国 CVF 未来航母的计划承包商(BAE 系统公司、KBR 公司、泰利斯公司、VT 集团和巴布柯克公司等)签署航母合作协议。根据此项航母合作协议,为降低航母研制费用,法国和英国将联合建造航母。此外,该合作协议还详细规定法国 PA2 航母计划和英国 CVF 未来航母计划在航母设计、建造和全寿命周期保障方面的合作总则。

2007 年 12 月　法国最终决定以英国 CVF 未来航母设计方案作为法国 PA2 航母的设计基础,并向英国政府支付了 7 000 万英镑(约 1.45 亿美元),用于购买英国 CVF 航母的设计方案。

2008 年 5 月　出于经济可承受性、军事战略等方面的考虑,法国总统萨科奇宣布,将是否建造 PA2 航母的决议推迟到 2011—2012 年,从而导致法国海军期望 2015 年左右获得 PA2 航母的希望破灭。

(4)采办有关问题分析

①从技术基础、经济可承受性等角度考虑,进行航母选型

"戴高乐"号核动力航母曲折的建造过程和服役时所出现的各种问题促使法国国防部重新审视 PA2 未来航母项目。首先,"戴高乐"号航母自服役后不断发生如方向舵振颤、发动机故障、K – 15 核反应堆耐压壳推进器龟裂和螺旋桨叶片断裂等故障,因此从技术角度来看,目前法国不具备设计和建造大型核动力航母的成熟技术和经验。其次,从经济角度来看,"戴高乐"号航母的建造历时 15 年,导致法国其他武器装备研发经费不足;法国武器装备总署通过对核动力和常规动力航母运营成本的估算结果表明,以航母服役 40 年计算,同级别的常规动力航母比核动力节省 13% 的费用。此外,为节省航母全寿命周期费用,法国政府要求新航母必须具备比"戴高乐"号航母更高的自动化性能和作战能力,航母舰员控制在 950 人左右。因此,法国国防部对 PA2 航母设计方案的选择采取了十分审慎的态度,进行了反复论证,充分考虑经济可承受性、本国航母工业技术基础、满足作战使用等多方面的因素,最终在 2004 年确定 PA2 航母采用常规动力。

②国际协作在 PA2 航母论证过程中发挥重要作用

在 PA2 航母设计方案论证过程中,法国十分注重与英国之间的合作。自 1999

年起,双方政府就对新航母的研制进行了广泛接触。2005 年初,法国与英国航母联盟对新航母研制合作进行了可行性研究。研究结论认为,通过与英国 CVF 航母计划展开合作,可以大幅节省法国 PA2 项目设计和建造费用,法国只需支付 CVF 设计费用的三分之一便能够获得新航母的设计方案,并使航母的建造成本降低到 20 亿欧元以下。但是,考虑到本国的航母建造能力和航母作战使命,法国对英国 CVF 航母设计方案作出一些调整,例如,PA2 航母将采用弹射方式起飞舰载机(CVF 采用滑跃起飞);搭载"阵风 M"常规起降型战机(CVF 搭载 F－35B 短距起飞/垂直降落型飞机);将排水量增加到 75 000 t(CVF 排水量为 65 000 t)。从总体上来看,通过与英国开展广泛的合作,CVF 航母设计方案为法国 PA2 航母设计方案的最后确定提供了重要参考。

③重视与国防部其他部门和工业界的合作

为确保 PA2 航母项目顺利实施,降低航母研制风险,法国航母采办部门十分重视与国防部其他部门和工业界的合作。例如,负责 PA2 航母采办的一体化项目小组由武器装备总署和海军航母项目官员、艾克船厂及法国舰艇建造局等企业代表、设备采购和风险控制等方面的管理专家以及航母建造和测试等方面的技术专家共同组成。通过建立国防部内部以及与工业界之间的合作关系,充分发挥了一体化项目小组各成员的优势,有利于很好地解决航母研制过程中出现的各种问题。

④经费压力是导致 PA2 航母项目延期的主要原因

尽管在 PA2 航母采办过程中,法国国防部通过与英国开展合作,大幅降低了航母建造费用。但随着众多开发多年的项目开始进入批量生产和交付阶段,法国国防预算非常紧张。而且在 2008 年公布的《法国防务与国家安全白皮书》将优先权倾向于空间侦察与预警系统建设,天基侦察卫星和无人侦察机的经费投入将成倍增加。由于经费的限制,法国政府已无力为 PA2 航母提供充足的资金支持,因此法国政府于 2008 年 5 月决定推迟 PA2 航母建造计划。但是,根据《法国防务与国家安全白皮书》,在 2020 年前法国国防部将采购 1～2 艘航母,为缓解资金压力,法国可能会适当削减其他水面舰艇项目的经费来支持航母计划。

⑤英国不明朗的合作态度,导致 PA2 航母项目存在着多种不确定性

从 1999 年法国表达出与英国进行合作的意向以来,两国之间的合作并不顺利,英国方面的回应始终有所保留,认为两国之间最佳的合作层面应限于厂商对厂商,即技术上的合作。而且,两国在航母建造方案上存在约 15% 的不同之处,导致英国担心 PA2 航母会拖累 CVF 计划。另外,美国也警告英国,如果让法国主导未来航母计划,那么美国为了避免 F－35 技术外泄,将取消 F－35 的技术转让。由于英国方面存在众多顾虑,使得英国在新型航母合作上并不十分积极,这种不明朗的合作态度也在一定程度上影响了 PA2 航母计划的顺利实施,增加了未来 PA2 航母计划的不确定性。

1.3.4 俄罗斯

"库兹涅佐夫"号航母是俄罗斯唯一现役航母,在建造时,计划号码为"1143.5号计划重型航空巡洋舰"。该航母于 1976 年开始论证,1983 年 2 月在黑海船厂上船台,1985 年 12 月下水,1990 年 12 月服役,从论证到服役经历了 15 年时间。2号舰"瓦良格"号于 1985 年开工,1993 年完成工作量的 70% ~ 80% ,由于苏联解体后乌克兰无力承担后续建造费用,1999 年以 2 000 万美元的价格出售给澳门一家旅游公司。

苏联解体后,"库兹涅佐夫"号航母划归俄罗斯海军。该航母满载排水量59 000 t,使用 8 台锅炉、4 台蒸汽轮机,总功率为 147 MW(20 万马力),人员编制2 600 人。

库兹涅佐夫级航母是苏联时期建造,采办费用数据属于保密资料,加之苏联解体后乌克兰独立,2 号舰归乌克兰所有,具体数据无从获得。

1.3.5 印度

1. "维克拉玛蒂亚"号航母及舰载机

"维克拉玛蒂亚"号航母前身为苏联海军的"戈尔什科夫"号航母,由黑海船厂建造,1978 年 2 月 17 日动工,1982 年 4 月 1 日下水,1987 年 12 月 11 日服役。该舰满载排水量 45 000 t,使用 8 台锅炉、4 台蒸汽轮机,总功率 147 MW(20 万马力)。

2004 年 1 月,印度与俄罗斯签订合同,购买"戈尔什科夫"号航母,由俄罗斯进行该航母的改装。合同价值 15 亿美元,其中航母升级改装费用 9.74 亿美元;购买16 架米格 –29K 舰载机的费用为 5.26 亿美元。

但此后,随着改装工程的进行,俄罗斯方面一再提价,从最初的 9.74 亿美元提到 21.74 亿美元,2009 年 1 月,俄罗斯提出航母的改装费要再涨 7 亿多美元,最终,2010 年 5 月,俄印达成协议,"戈尔什科夫"号航母的改装总价为 23 亿美元[①](表 1.16)。

表 1.16 "维克拉玛蒂亚"号航母改装费用变更一览表

时间	2004.1	2007.4	2007.11	2008 年初	2009.2	2010.5
俄报价/亿美元	9.74	10.87	16.24	21.74	约29	23

2. "维克兰特"号国产航母

印度从 20 世纪 70 年代就开始研究国产航母的设计建造。1999 年,印度议会

① 参见 PTI 网站 2010 年 5 月 15 日报道。

批准了国产航母建造计划,称为"防空舰"(ADS)计划,2003 年 1 月,印度为该计划拨款约 7 亿美元,更名为"国产航母"(IAC)计划。"维克兰特号"航母满载排水量 40 000 t,使用 4 台通用动力 LM2500 燃气轮机,总功率 80 MW,人员编制 1 400 人。

2005 年 4 月 11 日,印度国产航母首舰"维克兰特"号切割钢板,2009 年 2 月 28 日铺设龙骨。目前,"维克兰特"号还在建造中,实际采办费用额度要等到其服役后才能最终确定。

1.4　航母全寿命周期费用分析的意义

任何国家在研发武器装备时,都想花最小的代价,获得尽可能高的效能,这就涉及了效费比的问题。然而,事实却总不能尽如人意,第二次世界大战之后,各类新式武器装备不断涌现,性能得到快速突破和提高,但与此同时,武器装备的花费也迅速增加。美国国防部曾对 20 世纪 70 年代初新旧两代战斗机的 13 项主要性能进行对比分析,发现其性能每提高 1 ~ 2 倍,研制费用就增加约 4.4 倍,其购置费用在 1960—1980 年的 20 年间的平均年增长率为 9% ~ 10%,远远超过性能提高的速度,而且在所有的这些花费中,用于武器装备使用和保障的费用所占的比例越来越高。从 20 世纪 50 年代中期开始,美国国防部平均每天用于武器装备维修的费用高达 2 600 万美元,每年 90 亿美元,占国防总预算的 25%,其 5 年间军事武器装备系统的维持费总额甚至达到该系统采购合同的 10 倍之多,这也是许多国家始料未及的。先进武器同时也成为"烧钱机器",成为各国军费的沉重负担,困扰着各国军事装备的发展之路。

这种情况下,不断发展成熟的全寿命周期费用理论引起了美国国防部决策层的高度重视。作为从武器装备的长远经济效益出发,并对武器装备的设计研发、建造、作业、维持、保障、报废等全部费用综合考虑和科学计算的管理方法,全寿命周期费用理论对于追求一定费用制约条件下武器设备最大的效能(或在保证一定的系统效能条件下,使全寿命周期费用最小)提供了最优的理论基础和决策依据,费用 – 效能分析(简称费效分析)由此逐渐成为武器装备系统分析中的重要内容。在国防采办方面,建立在全寿命周期费用和费效分析基础上各种法规、指令不断颁布和实施,在短短的十余年内就取得了很大的成效。有资料表明,1960 年美国国防经费占国家财政预算的 46%,而 1976 年则降至 26%;装备使用与维修费在 20 世纪 50 年代中期还高达 25%,而到了 20 世纪 80 年代中期后,则大致稳定在 11% 左右。其成功经验之一就是把全寿命周期费用和费效分析作为决策的重要依据。而在 1983 年 9 月美国总统签署了有关"全寿命周期费用"法令后,美国新的武器系统中大约只有 10% 的系统费用增长超过了 50%,小型武器系统中 2/3 的系统费用增长小于 20%,由此可见,"全寿命周期费用"不仅节省了大量的军事费用,使武器装备的效费比得到了进一步的提高,而且,对于国防采办管理和国防武器装备配置结构的改革具有深远意义。一大批具有高效费比和实际应用价值的先进装备脱颖而出,使一定经费限制条件的军队战斗力得到大幅提高。

"全寿命周期费用"在国防和经济领域的成功应用使其成为对航母结构性能的设计、建造、维持等进行综合科学决策和费用管理的最合理方法。如今,各国家在设计建造航母之前,都要首先对航母的"全寿命周期费用"进行估算和分析。如,英国在建造伊丽莎白级航母之前,对每英镑都作了精打细算,以支撑作战需求部门制订计划,其目标包括:对航母的费用和能力进行衡量;确定有应用价值的先进技术;制定采购策略;确定可行性研究阶段的工作范围;确定计划和经费要求等。根据这些目标和要求,有关部门确定了设计原则,对航母的形式和系统尽量作最小改变。同样,航母的设计原则和作战指挥等也要建立在对"全寿命周期费用"的综合衡量基础上,结合实际进行概念创新,充分利用已有的研究成果,反复衡量费用和效能的关系,确定舰载机以及指挥、控制和通信系统等性能指标。

一般来说,人们平时对航母费用关注更多的都是它的采购费用或全寿命周期费用。大中型航母一生中从设计建造到服役,再到维持和报废等各阶段的总花费常常高达数百亿美元,常常令人叹为观止。但惊讶之余,对于航母的这份巨额账单,我们却很少去考虑它究竟值不值得我们去买单,也不会将航母及其战斗编队所带来的巨大军事效能或经济效益考虑在内,即不从费用-效能或费用-效益的角度进行综合分析。这里所说的效益是能用金钱来衡量的,而效能是难以标价的这一类效果,二者虽然在分析程序上基本相同,但对于费用-效能分析采用了"使金钱变得最有价值"的原则,使其对难以标价的产出物的领域更为有效。

如果从效费比角度考虑,就会发现许多航母虽然造价十分高昂,但从它所产生的军事效能或效益去衡量,仍然非常值得去建造和使用。例如,在航母的作战效能方面,有一种算法,一个航母编队可以控制 $300 \times 10^4 \ km^2$ 的海域或空域,而用驱逐舰控制这 $200 \times 10^4 \sim 300 \times 10^4 \ km^2$ 的海域,就需要 25 艘驱逐舰,其成本远超出建造航母的费用,这说明在海域的保卫和控制方面,航母的效费比要远高于驱逐舰。

还有另一种算法,从 1996 年到 2002 年,美国整个国防费加起来将近 2 万亿美元。在同时期,像英国、法国、意大利、日本和西班牙加起来可能是 1.36 万亿美元,投入比例是 1:0.68。但是这 5 个国家海军加起来的作战能力还不及美国的一半,这就明显反映出各国海军装备和作战能力方面效费比的差距。即使单从军事效益方面来讲,美国每次发动战争前,也都算好了经济账,力图使航母这台"烧钱机器"转变成为"印钞机"。美军利用航母战斗群在伊拉克发起海湾战争,甚至对其进行石油换食品行动,便从中攫取了大量石油,经济上赚了很多。当然这是在战争条件下的掠夺行为,不符合效费比分析的本意。

不仅如此,从经济方面来看,航母的"全寿命周期费用"投入虽然非常大,但是获得的回报也非常高。像航天工业一样,航母的建造会带动多个国民经济领域和行业的进步与发展,包括航空工业、飞机制造业、电子产业、高端钢铁、机械制造业、化学、武器装备等一系列相关产业链的发展。例如,航母甲板和舱室对于高性能钢就有特别需求,建造航母首先就要提高冶金工业和钢铁制造工业水平。而对于各产业链的衍生链,包括相应的服务体系、社会保障体系、物流配套体系、后勤保障体系等一系列配套体系,也都会产生拉动作用。

第2章 国外航母全寿命周期费用超支影响因素

放眼世界,肩负着军事雄心和政治目标,各国航空母舰游弋于大洋之中,背后则是对国家政治、经济实力和国防建设等重大战略利益的通盘考虑,同时也考验着各国的智慧和国力。航母的全寿命周期费用作为航母决策和开发过程中关键的因素,对航母的成败有着重大影响。从目前情况来看,各国航母在设计、建造及日常维护方面的费用,都不同程度地存在超支现象,有的甚至因超支严重而影响到后续航母的建造,对国民经济和军队战斗力产生严重的影响。

2.1 美国航母建造费用增长情况

2.1.1 美国航母建造费用增长的总体情况

美国是世界上建造航空母舰最多的国家,但是,从近年美国海军公布的预算情况来看,"里根"号(CVN-76)航母、"布什"号(CVN-77)航母(尼米兹级和福特级之间的过渡舰)和"福特"号(CVN-78)航母(福特级航母首制舰),这3艘航空母舰都经历了严重的建造费用增长问题。其中"里根"号(CVN-76)航母的建造费用与最初的预算44.76亿美元相比,增长了2.52亿美元,增幅达到5.6%;据美国国家审计署(GAO)的报告,"布什"号(CVN-77)航母的建造费用与最初的预算49.75亿美元相比,将超支4.34~5.86亿美元,增幅达到7.4%~11.78%;而"福特"号(CVN-78)的建造费用将达到130亿美元,远远超过其他各型航母的建造费用。图2.1为美国海军现役航母的设计建造费用增长情况。

按照相对价格,美国现役航母的采办费用增长也十分惊人,按照美国国防部公布的换算标准,将不同时期航母的采办价格统一折算到2009年之后,航母的采办价格总体上仍呈现明显的上涨走势。

航母的建造成本主要是由工时费用、建造材料成本、建造管理成本和海军供应设备成本等四部分构成,如表2.1所示。

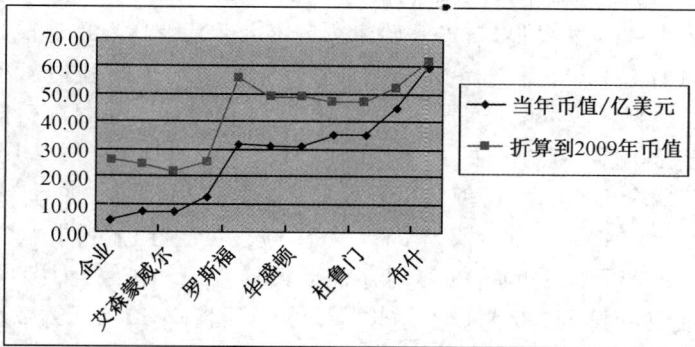

图 2.1　美国海军现役航母的设计建造费用增长情况

表 2.1　美国海军航母建造成本构成

类别	分项成本描述
建造材料成本	用于采购航母建造材料(钢材、铜和钛金属等)、建造工具、各种部件(管路、电缆)的费用
工时费用	根据航母建造所消耗的工时计算出的成本
管理成本和劳务费	包括工作人员保险金、退休金、假期补助、设施维护和使用费以及各种税费等
海军供应设备成本	在航空母舰建造过程中,由海军采购并提供给船厂的各种设备所花费的资金,这些设备包括航母武器系统、电子系统、推进系统等

　　为分析近年航空母舰建造费用大幅增长的原因,更好地管理和控制航母建造成本,美国国防部(DOD)分别在 2005 年和 2007 年委托美国国家审计署对航母建造过程进行了全面评估。从政府问责署的评估结果来看,造成航母建造费用大幅增长的主要原因也集中在上述四个成本构成,对于"里根"号航母和"布什"号航母,建造工时费用增长占其建造费用增长的 40%,材料费用增长约占其建造费用增长的 40%。海军供应设备(包括核动力推进系统和航母上装备的武器系统、指挥与控制系统等)采购费用减少,使其建造费用减少约 3%,管理成本增加约占建造费用增长的比例为 23%。与上述两舰不同的是,"福特"号航母的海军供应设备成本不降反增,其电磁弹射系统和搜索雷达等设备延迟交付,使其建造成本增加。

2.1.2　航母建造材料成本增长

　　一直以来,美国新建航空母舰的材料技术要求主要是依据同级别航母首制舰建造材料清单来制定,并以此为基础估算航空母舰的建造材料成本。由于这种计算方法未充分考虑建造过程中的诸多不确定因素,造成实际的航空母舰建造材料成本远超过最初的估算成本。例如,对于"里根"号(CVN-76)航母建造过程来说,在2002年4月("里根"号航母开始建造7年之后),船厂发现建造材料成本比最初的预算高出了3 200万美元。"布什"号(CVN-77)航母建造过程也经历了较大幅度的建造材料成本增长问题。根据纽波特纽斯船厂(是目前美国唯一承建大型核动力航母的船厂)的说法,由于"布什"号(CVN-77)航母建造周期被压缩,使得船厂在完成全部"布什"号航空母舰设计之前,就开始编制"布什"号航母建造材料预算。因此,在签订"布什"号(CVN-77)航空母舰建造合同时,对于建造材料的成本估计与实际的采购价格之间存在较大的差距。最终,为满足"布什"号(CVN-77)航空母舰建造材料成本增长的要求,美国海军追加了约2亿美元的投资,如图2.2所示。

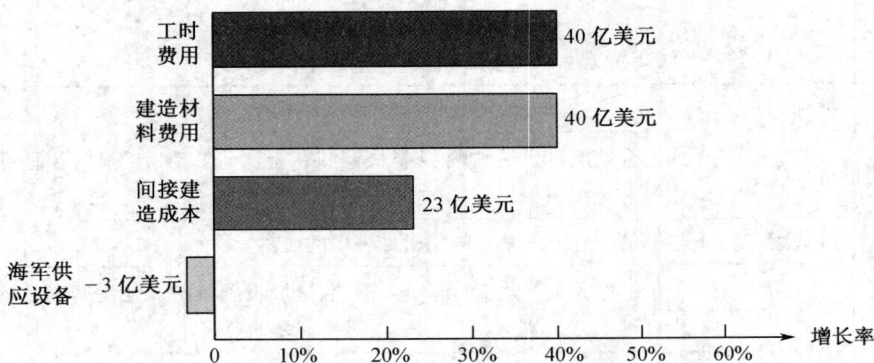

图2.2　美国海军"里根"号和"布什"号航母建造费用增长原因

　　航空母舰建造材料成本大幅增加的另外一个原因是,供应商基础逐渐削弱以及物资价格不断上涨。在"里根"号(CVN-76)航母和"布什"号(CVN-77)航母建造期间,市场上钢板价格增长了约15%,大幅增加了这两艘航空母舰的建造材料成本。此外,在航母建造过程中需要大量特种钢材,而这些材料通常仅有一家供应商能够提供。由于在这些航母建造材料领域缺乏足够的市场竞争,无法通过竞标方式压低采购价格,导致航空母舰建造材料成本难以得到有效的控制。

　　除了上述导致建造材料成本增长的原因之外,以下几方面的因素也在一定程度上推动了航母建造材料成本的增加。例如,在"里根"号(CVN-76)航空母舰的建造过程中,1997年末船厂投入了2 000万美元开展航母非核设备的工程研制工作,在建造计划中期,又投入了5 000万美元用于材料管理信息系统的开发,这些新增加的投入都在一定程度增加了航空母舰的材料成本。

　　对于"布什"号(CVN-77)航母,由于采用了大量商业流行设备,为了测试这些设备所使用的材料能否满足军用标准的要求,美国海军又拨付了大量资金用于相关的评估工作。

对于"福特"号(CVN-78)航空母舰,在建造合同签订之前,美国海军已完成大部分设计工作,而且与以前的航母相比,船厂签订了更多的材料采购合同,并收到了材料供应商更多的真实报价,这为准确估算"福特"号(CVN-78)航空母舰建造材料成本提供了数据支持。但是,仍然有71%的航母建造材料成本无法进行准确统计,这部分材料价格受到市场波动的影响,有可能增加最终的航母建造材料采购费用。

另外,美国国防合同审计局(DCAA)在评估船厂材料管理系统过程中,发现船厂材料管理系统存在严重的缺陷,可能导致航空母舰建造材料成本进一步增加。例如,DCAA发现,在确定航空母舰建造所需的材料之前,船厂过早采购了航空母舰建造材料,如果航空母舰设计参数发生变更,将造成先期采购材料的浪费;此外,DCAA还发现,在不同的舰艇建造项目之间,建造材料存在不恰当的变更使用情况,这也使得航空母舰建造材料成本进一步增加。图2.3为美国海军航母建造合同签订前的材料成本确定情况。

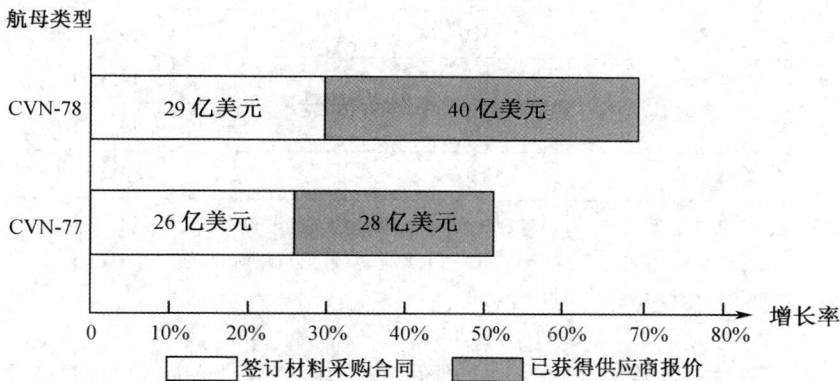

图 2.3　美国海军航母建造合同签订前材料成本确定情况

2.1.3　航母建造工时费用增长

航空母舰建造所需工时的不断增加,是造成航空母舰建造成本大幅增加的一个重要因素。例如,在"里根"号(CVN-76)航空母舰建造完工时,共耗费了4 500万建造工时,比船厂最初的估计多出了850万工时。

从美国国家审计署对航空母舰建造情况的分析结果来看,造成这一问题的一个重要原因是船厂过低地估算了航空母舰建造所需的工时。例如,"里根"号(CVN-76)航空母舰,最初船厂提出的建造工时为3 900万工时,仅比"杜鲁门"号(CVN-75)航空母舰建造工时多250万工时。但是,美海军当时同时采购了"斯坦尼斯"号(CVN-74)和"杜鲁门"号(CVN-75)两艘航空母舰,"里根"(CVN-76)航空母舰为单舰采购,从美国航空母舰的建造历史情况来看,单艘航空母舰的建造效率要远低于同时建造两艘航空母舰的建造效率。此外,在完成"里根"(CVN-76)航空母舰55%的建造工作量时,美海军和船厂已增加了200万建造工时,但船厂仍依据"里根"(CVN-76)航空母舰的建造工时,估算"布什"号(CVN-77)航空母舰也将消耗同样多的工时。结果,到2005年初,"布什"号(CVN-77)航空母舰建造工时已超出了400万工时,完成整舰建造时所耗费工时必然进一步增加。表2.2为美国航母建造消耗的工时情况。

表2.2 美国航母建造消耗的工时情况

航母型号	耗费的总工时 /($\times 10^4$ h)	与前一艘舰相比 工时变化情况/($\times 10^4$ h)	采购数量	合同签订时间
CVN-70	3 640	0	1	1974年4月
CVN-71	4 430	790	1	1980年9月
CVN-72	4 270	160	2	1982年12月
CVN-73	3 820	450	2	1982年12月
CVN-74	3 690	130	2	1988年7月
CVN-75	3 650	40	2	1988年7月
CVN-76	4 500	850	1	1994年12月

注:CVN-70,尼米兹级"卡尔文森"号航母;CVN-71,尼米兹级"罗斯福"号航母;CVN-72,尼米兹级"林肯"号航母;CVN-73,尼米兹级"华盛顿"号航母;CVN-74,尼米兹级"斯坦尼斯"号航母;CVN-75,尼米兹级"杜鲁门"号航母;CVN-76,尼米兹级"里根"号航母。

造成航空母舰建造工时增加的另一个原因是,船厂的其他造舰项目占用了大量劳动力资源。在"里根"号(CVN-76)航空母舰建造过程中,大约100万工时被调到"尼米兹"号(CVN-68)航空母舰的换料与大修(RCOH)工作中。美国海军认为,大修的航母需要尽快返回舰队执行作战任务,因此航空母舰的换料大修比新航母的建造具有更高的优先级,从而造成大批的资深技术人员转向航母换料大修工作,仅剩余较少的工人继续建造航母。由于缺乏足够的劳动力,"里根"号(CVN-76)航空母舰的建造进度被迫延后。"尼米兹"号(CVN-68)航空母舰大修工作完成后,为加快"里根"号(CVN-76)航母的建造进度,大批船厂工人被要求延长工作时间。然而,政府问责署的研究表明,在超负荷工作状态下,这些工人的工作效率明显降低。

此外,建造材料的延迟交付也导致了"里根"号(CVN-76)和"布什"号(CVN-77)航空母舰建造工时的增加。当某些航母建造材料无法按时运抵船厂,船厂只能等待或从事航母其他部件的建造工作,对航空母舰的整体建造效率造成严重影响。例如,在"布什"号航母建造过程中,关键的管路系统材料延后一年交付,迫使船厂只能重新调整建造流程。

除了上述导致航母建造工时费用增长的原因之外,以下几方面的因素也在一定程度上造成了航母建造费用的增加。其中,对于"里根"号(CVN-76)航母建造过程来说,船厂在1999年经历了4个月的工人罢工,许多关键建造领域缺乏足够的技术人员,导致建造工时大幅增加。罢工结束后,为消除罢工对建造进度的影响,美国海军新增了5 100万美元的投资。

对于"布什"号(CVN-77)航母建造过程来说,美海军要求同时进行航母设计、规划、材料采购和舰体建造。为消除航母设计变更带来的材料和建造问题,船厂需要投入大量的劳力,这也使得"布什"号(CVN-77)航母建造成本增加和进度延后。此外,美海军要求"布什"号(CVN-77)航母大量使用大尺寸钢板,迫使船厂重新规划了船体结构,这不仅耗费大量的设计工时,而且需要大批技术人员完成更小尺寸钢板的装配与焊接工作。

对于"福特"号(CVN-78)航空母舰建造过程来说,由于是福特级航空母舰的首制舰,因此,美国海军估计"福特"号(CVN-78)航空母舰将会比尼米兹级航母消耗更多的建造工时。虽然,船厂已实施了一系列计划,试图降低"福特"号(CVN-78)航空母舰的建造工时,例如,将通过建立新的生产模型使航空母舰管路系统建造减少40万工时,以及通过提高建造设施的能力来提高航空母舰建造效率。但是,政府问责署通过对过去航空母舰建造项目成本增长情况进行分析,认为仅通过这些未经验证的技术改进措施,经常会过低的估算航空母舰建造工时。此外,目前,"福特"号(CVN-78)航空母舰已经历了电磁飞机弹射系统(EMALS)、体搜索雷达、推进系统部件等关键系统的延迟交付问题,这些航空母舰建造设备的延迟交付也进一步增加航空母舰的建造工时。

2.1.4　航母建造管理费和人员成本增长

从政府问责署的评估结果来看,航母建造成本增加的第三个原因是,建造过程管理费用和船厂工人的人员费用不断增加。其中,在"里根"号(CVN-76)航母建造合同执行过程中,总的管理费用和人员费用共增长了1.19亿美元。而在"布什"号(CVN-77)航母建造合同执行过程中,截至2004年3月,总的管理费用和人员费用已比最初的预算增长了1.13亿美元。

美国海军认为,造成"里根"号(CVN-76)航空母舰建造管理费用增加的主要原因是,自1994年签订航空母舰建造合同以来,对"里根"号(CVN-76)航空母舰的成本会计方法进行3次重要变更,这导致"里根"号(CVN-76)航母建造管理费用大幅增加。而对于"布什"号(CVN-77)航空母舰建造管理费用增加的主要原因,船厂认为是船厂工作人员的医疗保障费用和各种津贴的大幅增加。

在航空母舰建造人员人员费用增长问题方面,船厂认为"里根"号(CVN-76)航空母舰的人员费用增长的主要原因是船厂在1999年经历了4个月的工人罢工,而且工人复工后,罢工期间的工作量主要是通过加班人员费用方式来支付,这些费用远高于正常工时的工资水平。另外,美海军官员称,在"里根"号(CVN-76)航空母舰建造过程中,大批技术工人被抽调到航空母舰的大修工作中,为保持"里根"号(CVN-76)航空母舰的建造进度,在 2003 年,"里根"号(CVN-76)航空母舰 30%~40% 的工作量主要是技术工人在加班时间内完成,因此使得当年的航空母舰建造人员人员费用大幅增加。

对于"福特"号(CVN-78)航空母舰来说,政府问责署认为船厂工作人员不稳定的工作负荷导致了航空母舰建造管理费用和人员费用大幅增加。纽波特纽斯船厂在建造"福特"号(CVN-78)航空母舰期间,同时承担了尼米兹级航空母舰大修以及弗吉尼亚级核潜艇的建造工作。另外,在过去十多年里,美海军弗吉尼亚级核潜艇的采购进度和采办策略已变更了十余次,而且美海军仍在考虑对该级核潜艇的采购策略进行调整,因此,航母大修以及弗吉尼亚级核潜艇的建造进度变更,在一定程度上影响"福特"号(CVN-78)航空母舰建造技术人员的调动和管理,从而增加了航空母舰建造管理费用和人员费用用的支出。

2.1.5　海军供应设备成本变化

影响航空母舰建造成本的第四个原因是,海军供应设备成本发生变化。

对于"里根"号(CVN-76)航空母舰来说,航空母舰推进系统设备的采购费用降低了 1.45 亿美元,这在一定程度上降低了海军供应设备成本。而对于"布什"号(CVN-77)航空母舰建造过程来说,自 2001 年以来,海军供应设备成本已增加了 1 亿美元。造成海军供应设备成本增加的主要原因是,"布什"号(CVN-77)航空母舰集成作战系统项目的采购方式发生了变更。根据"布什"号(CVN-77)航空母舰总的建造合同,集成作战系统包括新的相控阵雷达,并由纽波特纽斯船厂进行采购和安装。然而,这种新的相控阵雷达未能按照进度交付,导致美海军取消了该航母集成作战系统的采购经费,并通过海军采购方式在"布什"号(CVN-77)航空母舰上安装了传统的雷达系统,从而使得海军供应设备的成本大幅增加。

从政府问责署的评估结果来看,"福特"号(CVN-78)航空母舰也面临了海军供应设备成本增长的问题,主要原因是计划装备"福特"号(CVN-78)航空母舰的大量关键系统技术仍处于较低的技术成熟度,并出现了进度延后问题,因此无法对这些关键系统的采购费用进行准确的估算。例如,"福特"号(CVN-78)航空母舰电磁飞机弹射系统开发进度延后了 15 个月;先进阻拦装置(AAG)研制进度落后了 5 个月;此外,在联合精确进场与着舰系统(JPALS)研制方面,关键的雷达设备也出现了接口问题,海军必须在下一个预算年度进一步增加了开发经费。

2.2　国外航母全寿命周期费用超支原因分析

2.2.1　国防工业基础能力因素

美国一些分析认为,与中小型航母相比,大型航母更具效费比。各国在建造航母时,除了考虑航母性能和费用因素外,还常常根据本国工业力量和基础设施的建设情况对建造航母的船体大小和性能进行限制。系统复杂的大型航母对工业能力和基础设施的要求更高。若尚不具备相应能力,则需要投资发展,而这些投资都需要计入航母研制建造费用。为了保护本国的工业基础,有时甚至会需要牺牲航母某些性能或增加资金的投入,进而影响到航母的研制、建造费用。

合理地安排采购、建造和维护周期能够保证航母工程项目的持续开展,有利于维持本国相关的工业基础,防止工业能力萎缩。美国的航母建造一直保持比较稳定的周期,防止航母工业能力出现波动,这也是其航母采购具有较高效费比的原因。而英国在比较集中的时间内采购两艘新航母后,又将面临一个较长时间的航母建造空白期,势必影响下一代航母的研制、建造费用。

2.2.2　论证与设计因素

航母的前期论证和设计对航母的全寿命周期费用影响非常之大,可以说,航母的类别、大小、采用的武器装备和技术手段等在很大程度上都取决于它的前期论证和设计。一个国家的航母战备目标是什么,航母的排水量是多少,采用什么型号的舰载机,起降方式如何,采用何种动力装置,采用什么体系,人员编制是多少,可改装性和可维修保障性如何,这些都是在开工建造前要进行充分调研和论证的,而设计者应对这一系列问题有充分的把握并进行精心设计,否则一旦哪个方面出现问题,都将会对整个航母的研制进展和费用产生重大影响。

例如,英国在论证和设计新一代伊丽莎白级航母时,争论最多的是该航母搭载什么型号的舰载机,各种舰载机的数量和比例是多大。在经过反复比较后,提出了总舰载机在15～40架的5种设计方案,包括短距离起飞垂直降落方案、常规起降方案、短距离起飞阻拦着舰方案、延寿改装方案和集装箱船改装方案等。通过英国国防部研究院和设计承包商对各种方案的评估,发现延寿改装和商船改装方案虽然可行,但其工程风险和技术风险都很大,效费比低。

在对伊丽莎白级航母动力推进装置进行设计论证时,英国本打算采用和无敌级航母一样的燃－燃联合动力装置,通过倒顺车减速齿轮箱驱动。但在研究期间,英国国防部发现采用电力推进更有优势,因而对推进系统方案重新进行了修改,并倾向于选择威斯汀豪斯公司和罗尔斯·罗伊斯公司正在联合研制中的冷换热燃气轮机 WR21 作为原动机,通过 4 台 WR21 燃气轮机带动发电机发电,所产生的高压电力通过变压器和蒸馏器向推进电机供电,以驱动螺旋桨,而不用传统的燃气轮机通过齿轮箱进行传动。所选用的电机则是另一项发展计划中研制的永磁推进电机,其功率密度比目前的电机高得多,所占用的空间却很小。在此基础上,英国伊丽莎白级航母采用综合电力推进系统,即推进用电和舰用电来自同一电源,且在整个航速范围内都采用电力推进。这种系统的好处是原动机能以更有效的方式运行,省去了部分工况航行时的动力辅助系统,大大减少了维修工作量和维修人员,从而有效降低了人员维持费用。

此外,为进一步降低伊丽莎白级航母的全寿命周期费用,英国在伊丽莎白级航母的设计上尽可能遵循无敌级航母的设计风格,把主要财力放在舰载机方面,同时对人员编制、复合材料等都做了大量细致入微的工作。为规避风险,在设计过程中对 WR21 燃气轮机、永磁电动机和复合材料等几个重要项目采取了独立提供经费开展研制的方式。这些项目如果进展顺利,则可以比较小的代价应用于该航母。

当然,各个国家在新建航母时都乐于采用更多的新技术和高技术,以提高航母的作战性能,并保持其服役期间的先进性。但过多地采用新技术将使设计和建造费用显著增加,而且增大了技术和资金风险,因而采用新技术的比例应当适度且要相对成熟。英国伊丽莎白级航母在作战系统中利用 T23 和其他一些新兴技术成果,并尽量采用比较成熟的商用成果,可谓精打细算,从而使伊丽莎白级航母的全寿命周期费用达到最低。

航母的设计论证是一个非常科学严谨的过程,很小的改动或差错都有可能使航母的花费增加很多,况且这在航母的设计过程中并不稀奇。例如,法国的"戴高乐"号航母在设计和建造过程中由于技术的发展,对原始设计作了一些改动,补充提出了不少加装工程,如增加反应堆的防核辐射屏蔽,导致全舰排水量和相关费用的增加。

在 1999 年的海试中,又发现该航母的斜角甲板长度不够,导致从美国购买的 E-2C 预警机不能安全降落,于是决定在原有斜角甲板的基础上向舰首方向延伸 4.4 m。这些问题本该在设计阶段解决,但最终"戴高乐"号航母又不得不重新回到船厂,进行了为期 6 个月的飞行甲板加长改装,导致建造费用增加。2000 年 11 月,该航母在北大西洋进行首次远洋试验时,一只螺旋桨桨叶突然断裂掉入大西洋,迫使该航母不得不以 14 kn 的航速返回港口进行检修。"戴高乐"号航母螺旋桨是一种全新设计的特殊的低噪音桨,制造工艺十分复杂,加工时间长,每只造价高达 600 万法郎。

可见,航母上采用新技术和高设计固然可以提高航母的某些性能,但也同时引入了许多质量漏洞和技术风险,一旦问题显现将导致费用大幅增加。

不仅如此,论证和设计工作的时间安排也会对航母费用产生重要影响。如果对航母各系统的设计,尤其是对一些关键技术的设计开发在航母建造之前提前完成,显然可以为航母的全寿命周期费用节省很大一笔开支。

2.2.3　研发和建造进程因素

航母研发或建造进程对费用的影响显而易见,当进度安排不合理、技术变更等各种问题导致研发建造进程推迟时,必然会造成建造成本上涨。如果军方急于获得新技术或新装备,超出了相关部门的研发能力和建造进度能力,成本也肯定会上涨,至少厂商会索要加急费;而当航母的建造时间过长时,增加的工时和人力成本以及长期占用船坞,也会使费用上涨。

然而,要真正全方位控制好航母的研发和建造进程却非常困难。通常来讲,航母在设计建造时,都是按照理想状态和最佳工序进行的,这种建造工序最节省费用。最佳建造工序包括:从船底往上建造舰船;将建造任务最大限度地在船厂车间内或陆地上完成;将在水中完成的建造任务量减到最小,因为往往在水中完成建造任务时的花费要比在陆地上高得多。但如果有一项设备或技术没有按时提供,造船厂就不得不空出该技术的空间和时间,进行其他的外围工作,这可能需要增加更多的工时和更高的费用。如果航母的一些区域需要重新设计,不仅建造进程会拖延,建造费用也会相应增加。在世界各国航母的设计和建造过程中,由于各种原因而导致的航母研发和建造进程推迟,进而造成相关费用超出预算的情况十分普遍。

英国在建造伊丽莎白级航母时的实际成本便远远超过了最初预算。2008 年 12 月,英国国防部希望在未来几年内减少该航母的设备和采办费用,以应付预算缺口,决定延迟该航母项目,但推迟之后反而使相关费用进一步增加,由此产生的超支费用占总超支费用的三分之二。法国"戴高乐"号航母在整个研制建造过程中也发生了严重的超时超支问题,其中很重要的一条就是法国军方根据 1981—1991 年出台的"军用项目法",在航母的整个国家预算上延长了工期。军方在建造初期便推迟工期 30 个月,使得厂家要求进行利益补偿的理由更加充分。这是因为花费更长的时间制造同一物件,生产率下降了,而如果不遵守已经签订的合同,国家还要罚款,再加上该航母的财政拨款连年不足,经费迟迟不能到位,致使"戴高乐"号航母的建造周期延长了约 42 个月,这成为超支 16% 的主要影响因素之一。

"福特"号航母的设计被分为 423 个"独立设计区域"(75 个用于推进装置,348 个用于船体平台)。具体每个"设计区域"在绘制"建造图纸"前均经过三个阶段的产品模型设计:概念设计、方案设计和详细设计。后一个阶段在前一个阶段的基础上构建,不断增添更多的设计细节。详细设计阶段完成后,就开始制作建造图纸。一旦建造图纸完成,建造航母的工程就可以开始了。

"概念设计"阶段的工作为确定某一"设计区域"的初步构造,其中包括结构、板材、梯子以及通道等。

"方案设计"阶段增加了该区域设备的形状、尺寸与功能,包括管道与电缆。该阶段的数据收集起来后用以进行原材料评估,并作为制定生产周期较长的原材料的订购时间表。

"详细设计"阶段为航母的所有"设计区域"加入具体属性,包括零件编号、通风孔、排水孔以及其他细节情况等。在该阶段,设计人员可以确定购置的所有必需的建造材料。

海军负责对各设计模型进行阶段性审查,包括在"方案设计"阶段最后的关键设计审查,以及在"详细设计"阶段对重大设计更改的审查。此外还可通过已建立的设计进度表来跟踪各个"设计区域"的实际进展情况。承包商可以通过产品设计模型评估一个设计阶段延误对其他设计区域或对整个航母建造过程的影响。

通过这种方法,承包商可完成约67%的航母设计工作,包括几乎全部的推进动力设计工作。尽管部分关键技术设备的质量增加了,但质量、稳定性与舰载机出动架次率的设计仍控制在最低质量要求的范围内。根据承包商的说法,虽然产品模型提高了设计的效率,但是如果进度不推迟1年,想让设计工作赶上建造的进度可能会更加困难。

2.2.4 通货膨胀与原材料成本上涨因素

由于近些年世界经济普遍不景气,再加上全球金融危机的影响,各国的财政赤字压力加大,通货膨胀现象突出,从而引起了原材料价格和劳动力成本上涨,这是导致航母经费预算超支的一个十分普遍的原因。

美国的尼米兹级和福特级航母、英国的伊丽莎白级航母、法国的"戴高乐"号航母等在建造过程中,都出现了因通货膨胀引起的原材料价格上涨现象,这已经成为航母建造费用增加的另一个重要原因。例如,美国尼米兹级航母首舰的建造费用不到41亿美元,而到了第10艘"布什"号航母时,建造费用已经达到了61.9亿美元。除去采用的新设备和新技术外,很大一部分原因是由于通胀造成原材料成本一路上涨而导致的。由于承包商对原材料需求和成本估计不足,甚至在建造新航母时,对原材料的报价都是根据前一艘航母建造时的材料消耗来确定的,也使材料报价和预算存在很大的不精确性。通胀的后果是严重的,一艘航母由几十万种零部件组成,每个涨一点儿,加在一起就是一个庞大的数字。建造一艘航母需要几千万个工时,劳动力成本的逐年上涨又进一步增加了建造费用负担。对于尼米兹级最后两艘航母"里根"号和"布什"号而言,其材料方面的经费投入比预计的增长了15%。

2.2.5 航母需求量及环境影响因素

一个国家对航母数量、技术指标及作战任务的需求情况,会直接影响到航母的各项费用。一般国家通常只能保持1～2艘航母的规模水平,每隔十几年或几十年才会造下一艘航母。那么对于航母的设计、建造、人力等各方面所产生的费用都要分摊到这一两艘航母之中,平均每艘航母的费用自然就高。

而美国对航母的需求旺盛,各航母建造的平均间隔时间只有几年,甚至同时进行,而美国军方的采办策略则是激励企业自己投资研发新技术,军方投给他们用于研发技术的资金较充裕。在这种情况下,各军工企业对航母新技术的研发热情很高,甚至在未得到承包合同时就提前自己垫资去开展研究,以增加中标的机会。一旦获得承包权,参与研发的承包商便可从中获益,这就大大降低了国家在航母研发过程中的实际投入资金。企业如果投入研发的资金很少,自然中标的可能性也小。因此,许多企业为了生存和获得项目,每年都从盈利中至少拿出 5% 作为技术研发资金,而已经研发应用的新设计和新技术也很有可能在建造下一艘航母时继续使用,或仅做一定程度的改进便可以使用,这对降低每艘航母的设计、建造和人力资源费用都有很好的作用,也有利于使技术研发和节省航母费用形成良性循环。

同样,在完成一艘航母的初步论证和设计后,军方在航母建造过程中也会对许多细节和技术指标提出各类需求,并不断进行修改,尤其是对一些关键技术的性能指标,提的要求越多、越高,则进行的改装、试验和建造周期就越长,航母的建造费用也就越高。

海军建造的两艘尼米兹级核动力航母"杜鲁门"号(CVN-75)航母和"里根"号(CVN-76)航母,分别在 1998 财年和 2003 财年交付。在 2001 财年,海军开始建造最后一艘尼米兹级核动力航母"布什"号(CVN-77),耗资超过 44 亿美元(当时年美元)。美国"尼米兹"号(CVN-68)航母在 1998 年财年开始其 3 年的换料和综合检修,费用为 21 亿美元(当时年美元),之后美国"艾森豪威尔"号(CVN-69)航母在 2001 财年检修,费用为 23 亿美元(当时年美元)。

CVX 的新型航母正式设计过程开始于 1996 年。CVX 项目在 1998 财年获得了 4 570 万美元,1999 年已要求 1.902 亿美元。当时预计从 2006 年开始建设第一艘新型航母 CVX-78,2013 年计划调试。这个航母项目的目标是开发一艘 21 世纪级别的航母,可以保持海军航空兵的核心能力,提高航母力量的承受能力,整合变革架构。另一目标是将生命周期成本降低 20%。尽管 CVX-78 的推进动力类型尚未决定,但在未来 30 年大部分海军航母将是核动力。

2.2.6　工程建造因素

采用不同的设计建造手段进行航母建设,会导致研制建造成本的不同。一般系统的研制往往要经过反复的研究、设计、试制和试验。而航母不但系统复杂,且研制建造费用巨大,很难进行试制,因此一旦设计缺陷没能及时发现,不仅会造成经济损失,还会延误进度。不同的设计手段所需的人力、物力都不相同,其设计的精确程度也不一样。更精确的设计有利于航母研制建造的顺利进行,能够减少返工导致的额外费用。采用科学合理的建造手段并运用新的建造技术和建造方式，如分段建造、预舾装、虚拟建造等，可以大大降低航母建造的工作难度，提高建造效率，缩短建造周期，有效降低建造成本。

航母采购时间间隔和建造工期长短也会对航母的采购成本造成影响。采购时间间隔变化会造成不同时间段内航母建造工作量的变化，使生产商对工人数量的需求产生波动，造成劳动力熟练度降低，还可能影响到船厂其他项目的相关管理费用。航母建造往往需要占用大量的设施和场地来进行材料和设备的存储、管理、生产和建造，较长的建造工期必然要花费更多的使用管理费用。延长建造时间还可能导致日工作量的减少，从而增加对劳动力的管理费用。推迟工期还会因物价上涨造成的原材料成本上升和劳动力报酬的提高进一步增加建造成本。较短的建造工期会超出正常工作强度，这时往往需要通过延长日工作时间或增加劳动力数量才能满足进度需求，同样会使建造成本增加。

劳动力水平是衡量生产商生产能力的一个重要标准，也是影响航母建造的重要因素。劳动熟练度会影响航母的建造效率。技能熟练、富有经验的劳动者具有更高的工作效率，而一些需要技能而又缺乏相应劳动力的岗位，需要进行人员培训才能增加劳动力，满足生产建造需求。船厂工作量的波动会导致劳动力的流失，从而降低劳动效率，增加相关成本。劳动力的工作环境和工作强度决定了其报酬的高低，也影响了劳动力成本的开支。较差的工作环境往往需要更高的相关补助，而改善工作环境也需要资金的支持，作为生产商往往要权衡费用投资来作出决策。

第3章 国外航母全寿命周期费用管理与控制

针对航母费用存在的一系列突出问题,各国政府和军方都非常重视,尤其在对全寿命周期成本费用的评估、控制和使用上,通常都需要做大量的前期调研和评估工作才进行最终决策,以尽量避免各项费用超出预算,同时还要避免顾此失彼而导致失衡。各国在对航母费用进行管理和控制时所采取的措施或策略中,既包括一些共性的东西,也有各个国家根据自身实际状况而采取的独特办法,正是这一系列手段及方法的不断实施和完善,才保证了航母这个复杂系统的长期稳定运行,并最大限度上使航母的费用维持在预期目标范围内。

3.1 采办过程管理与控制策略

3.1.1 探索实践先进采办方法

1. 渐进式采办

任何国家都希望本国航母具备尽可能强大的作战能力,但作战能力往往与先进且成熟的技术密切相关,若想一步获得理想的航母,则需要巨额的资金投入和较长的研制时间,这种代价往往使发展航母的国家面临尴尬的局面。

在其他武器装备发展上,这种矛盾也普遍存在,为了缓解这一矛盾,出现了渐进式采办策略。即不求一步到位,装备服役时允许有部分系统未达到理想状态,在服役过程中对其不断改进,最终达到理想状态。

2. 精明采办

为了能够在保证航母性能的前提下降低采办成本,美英等国对新型航母项目采用了"精明采办"和"精明采购"的方法,并在一定程度上取得了成效。

(1)英国伊丽莎白女王级(简称 CVF)航母的"精明采办"

英国国防部在 CVF 采办过程中采用了"精明采办"方法。该方法将开始进行航母概念研究到最终退役的整个过程视为一个采办周期,共包括 6 个阶段和 2 个关键决策点。6 个阶段分别是:概念研究阶段、评估阶段、演示阶段、生产阶段、服役阶段和退役阶段;2 个关键决策点分别是:概念研究阶段与评估阶段之间的初始决策点、评估阶段与演示阶段之间的主决策点。各阶段和决策点分别承担不同的任务,主要目的就是尽量缩减系统的全寿命周期费用。不同于原先通过由基层关注和由领导层决策决定的采办方法,"精明采办"通过相对较小的一体化项目小组(IPT)来执行,相比一系列受限的条令规定,这种方法可以允许在制计计划和程序时有较大的自由度。

(2)美国"布什"号航母的"精明采购"方案

在美国过渡型航母"布什"号的采办过程中,诺·格公司纽波特纽斯船厂在1997年提出了"精明采购"方案。根据这种方案,美国政府从1998财年开始为"布什"号航母提供经费,而非政府计划中的2000财年。通过提前启动供资和建造程序,可以缩短该舰与"里根"号航母的采办间隔,从而使"布什"号航母的采办成本降低约6亿美元(包括1.5亿美元的通货膨胀)。

3.1.2　强化采办组织管理

1. 实施有力的采办组织管理

对于航母这类大型先进武器装备项目的采办,国外普遍会成立专门的组织机构,负责整个项目全寿期的采办管理,使之成为成本控制的有力保证。

(1)法国"戴高乐"号航母的工程组织领导机构

"戴高乐"号航母从论证阶段就成立了由法国海军参谋部、国防部总装备部、造船技术局、航空技术局、法国原子能委员会联合组成的工程组织领导机构。下设3个工作组,即联合组、协调组、核反应堆管理组。这3个工作组是项目的执行组织管理者,统一指挥、协调、指导航母总体以及各相关系统研究组开展专项研究或具体研制工作。这种组织机构的设立保证了采办过程的顺利进行和成本控制措施的有力推行。

(2)英国CVF航母的"精明采办"组织

为贯彻"精明采办",英国CVF航母的采办工作由航母一体化项目小组和国防装备与保障总署(2007年由国防采办局和国防后勤局合并而成)联合执行。一体化项目小组的成员由国防装备与保障总署工作人员和企业代表组成,负责国防部与工业部门之间的沟通,评估和审查工业部门提交的航母设计方案。该小组随着航母研制的进度,分别归属装备能力局(初期)、国防采办局(评估阶段)、国防后勤局(服役后),伴随航母全寿命周期过程。

在航母的采办过程中,国防部与航母项目中的重要工业伙伴在2003年共同组成了航母联盟,经过扩展后成员主要包括国防部、BAE系统公司、泰利斯公司、KBR公司、VT集团和巴布柯克公司,其中国防部扮演了用户和合作伙伴两种角色。组建航母联盟的好处在于国防部负责联盟的管理,参与者共同承担研制风险,并可充分调动参研企业的积极性,便于各企业间的协调管理。而许多国家的一般做法是将风险和管理权全部授予主承包商,军方在建造过程中只负责监督,不参与管理。英国国防部试图通过这种模式尽可能降低采办费用和研制风险。

2. 加强国家政府机构过程审查和评价

在航母项目的采办过程中,为降低研制风险,避免周期延长和成本超支现象的出现,各国相关政府机构都会加大对项目的监督和审查,发现采办进程中出现的问题并提出解决方案与意见。

英国对 CVF 航母项目的过程审查包括国家审计署每年发布的《国防部主要项目年度报告》,其中对航母系统的进度和费用进行阶段性评估,并提出改进建议。

3.1.3　实施技术和制造风险控制统一标准

美国在包括航母在内的武器装备系统采办过程中已经广泛应用了技术成熟度(TRL)的概念,将其作为度量和描述风险信息的工具,深入判断技术和设计潜在的问题和风险,对改进项目管理和减少项目延迟起到了重要作用。

近年来,美国针对武器装备研制项目中的制造风险,又研究制定了制造成熟度等级(MRL)标准,意图在采办中提高管理"制造风险"的能力。国防部认为制造成熟度对采办非常重要,因此将 MRL 反映在其采办策略中。

如图 3.1 所示,将制造成熟度和技术成熟度结合使用,能够帮助处理产品技术和制造技术存在的风险;制造成熟度还可用来验证并促进新技术成功应用到武器系统中,对装备采办和科研项目都很重要。2008 年 12 月颁布的最新国防采办指令 DODI 5000.02,明确指出了加强技术成熟度管理和制造成熟度评估。

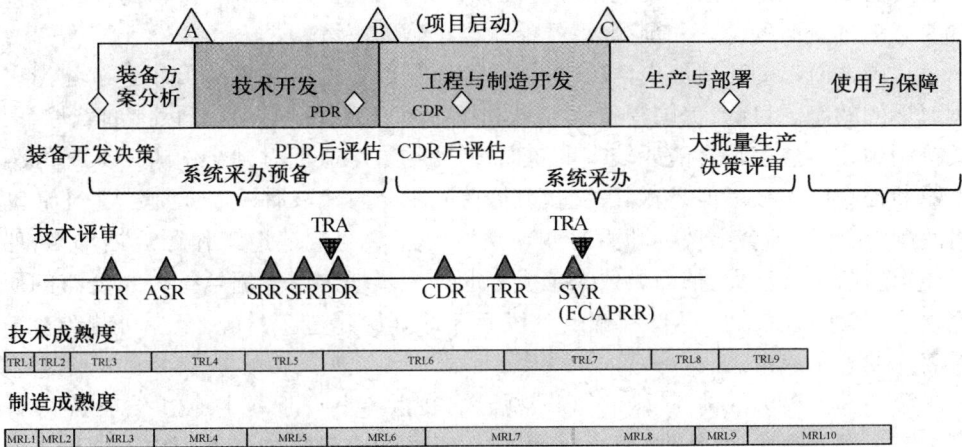

图 3.1　技术成熟度、制造成熟度、采办周期和技术评审的关系

美军武器装备采办周期分为"装备方案分析""技术开发""工程与制造开发""生产与部署""使用与保障"5个阶段,整个周期中有3个重要的里程碑节点(A,B,C)。结合技术成熟度、制造成熟度和采办周期,加强各项技术评审,能够在很大程度上避免技术风险和制造风险,提高技术的可实现性,减少制造期间因设计改动等因素造成的进度拖期和费用超支。在美国国家审计署等政府机构对航母项目进行审查时,也广泛采用了制造成熟度和技术成熟度的概念。

3.2　论证阶段费用管理与控制策略

航母项目方案论证是一个复杂的过程,需要考虑飞行甲板设计、机库设计、航母运动、主要舱室设计、弹药存储、整体设计方案等诸多方面,例如,英国CVF航母的论证就经历了长达4年零2个月的时间。在这个过程中,除了保证航母作战性能的要求,方案的经济性也是论证的决定因素,无论是总体设计方案的确定还是主要武备的选择(包括舰载机),都要以费效比作为重要依据。

3.2.1　严格控制研制规模

一个国家配备航母的规模和数量,一方面取决于海军战略的需要,另一方面又受到经济实力的制约。在航母研制方针的问题上必须采取务实的态度,必须重视航母研制方案论证阶段的技术经济性分析工作,对战术、技术、经济等各个方面都要有一个全面的论证和预测,以便能做出正确的决策。

从国外航母的建造历史情况来看,单艘航母的建造效率要远低于连续建造多艘航母的效率。目前,美国福特级航母和英国CVF航母均是全新设计的航母,因此首制舰建造过程将会消耗较多的工时,2号舰的建造工时则会由于工人熟练程度不断提高而缩减。但是,如果完成航母首制舰分段建造后,2号舰建造工作启动时间延迟,船厂则会出现劳动力过剩现象。而且,2号舰建造工作延迟启动后,船厂需重新组织劳动力,从而导致人工成本的进一步增加。根据兰德公司公布的研究报告,如果在完成航母首制舰的分段后随即开始建造2号舰,至少可节约上千万美元的人工成本。

第二次世界大战前,英国海军非常强大,在世界上处于霸主地位,并在全球开拓了多个海外殖民地,俗称"日不落帝国"。英国也在航母的发展历史上做出过许多重要贡献。但在第二次世界大战后,由于经济大幅萎缩,英国不得不退出了传统航母建造的竞争,而转向新概念航母和新型舰载机的开发。英国的无敌级轻型航母所载舰员只有666人,外加航空兵366人,在英阿马岛战争中,同样发挥了很好的作用。

英国在航母研制上实事求是的态度以及他们开发的垂直短距起降飞机和轻型航母开辟了航母发展的一条新路。从那时起,许多国家都从本国实际情况出发,效仿英国形成了研制轻型航母的新潮流。

法国虽然也承认大型攻击型航母有更高的作战效能,但他们在发展航母的过程中,仍然从本国的作战需求出发,坚持自己的方针。经过论证,法国把航母的使命任务限定为防御性的,人员在 2 000 人左右。确定航母的主尺度时,不仅考虑容纳 40 架飞机的战术要求,也同时考虑必要的限制,使位于布勒斯特的海军造船坞和位于土伦的海军修船坞都不必扩建就可以满足建造新型航母的需要,从而大大减少了工程建设开支。最后选定航母的长度为 261 m,满载排水量为 36 000 t,选择 40 架起飞质量 15 ~ 20 t 的舰载机,可以携带 20 种不同型号的弹药 550 t。法国海军通过这些措施有力地控制了航母的研制规模。

由此可见,根据作战需求和承受能力两个方面来确定合适的方案,并用控制研制规模的方法将航母的投资限制在一定的范围内,对于一个国家成功地发展航母是十分重要的。如果单纯强调作战使用的需要,而忽视经济上实现的可能性,往往会适得其反,既达不到原定的目标,还会造成骑虎难下的后果。

3.2.2　充分论证与妥善安排

1. 重视早期科学论证

美国武器研制的经验证明,武器系统发展中最重要的阶段是在研发工作开展之前的早期论证阶段。尽管这个阶段所需费用仅占整个武器系统计划费用的 3% 左右,但对该系统全寿命周期费用的影响却达到了 85% 左右。因此,在美国尼米兹级和福特级航母、英国 CVF 航母的采办过程中,均力求做到论证的科学化,以降低采办成本(图 3.2)。

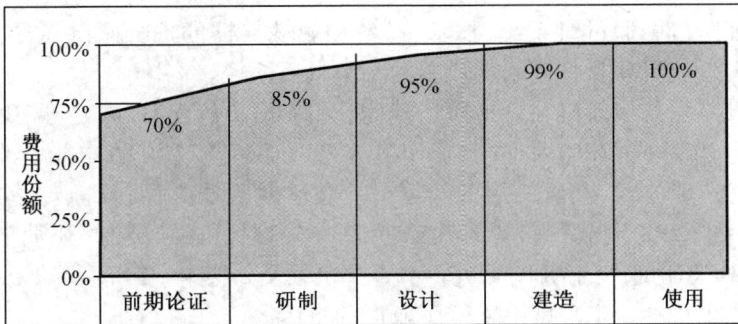

图 3.2　航母研制各阶段对全寿命周期费用的影响

2. 妥善安排规划

对于大型舰船等项目,在研制进度上必须量力而行,充分酝酿。必须从组织上保证计划的连续性和研制队伍的稳定性。对于某些研制阶段中出现的费用投入高峰,应该从经济实力出发,妥善地加以安排,必要时可进行调整或分批予以实现。这些都是改善大型舰船投资状况的有效策略。

英国在无敌级航母建造时,成立了一个既有从事设计又有从事其他工作的多专业专家组,专门负责对整个工程进行规划。这个规划专家组由一名设计规划主任和若干名从事总体设计、机械设计、电气设计、武器系统设计人员,以及设备试验、生产、供应、合同、成本和财务方面的规划员组成。

这样就把受过多种训练、能控制各方面工作的权威专家集中起来,由规划主任领导,并授之以职责和权力,保证建造中出现的各类问题得到充分及时的协调,保证在规定的时间内,按规定的成本达到设计意图。规划主任有较充裕的时间与建造厂、设备承包商以及航母研制过程中涉及的国防部、使用部队等各部门共同协调出现的各类问题,以保证建造目标的实现。

法国自1972年到1983年对"戴高乐"号核动力航母进行了长时间的酝酿。从整个周期来看,前期决策、论证、研究设计的时间最长,海上试验和鉴定也用了较长的时间,而真正用于建造的时间只有5年多。由于时间十分充裕,专家组进行了充分的风险分析和可行性论证,直到1984年才由法国国防部长审定了核动力航母的技术方案。1985年又进行了航母深化技术方案论证、平台和配套系统设计,还同步研究制定了"建造大纲",编制了"费用估算"表,直到1986年初再次经国防部长批准预算,并于当年3月和布勒斯特海军船厂签订总承包合同,1987年10月24日开工建造。

3.2.3 科学抉择系统、技术和设备

1. 强化系统、技术、设备和武器选择

在论证阶段中通过对系统、技术、设备和舰载武器的选择来降低全寿命周期费用也是国外航母项目控制采办成本的一个重要途径。

印度维克兰特级航母在论证阶段确定,为降低采办费用,该航母70%以上设计由印度自主完成,70%部件产于印度本土,而建造阶段的本土化程度达到100%;在建造船体时,全面使用国产钢材。在舰载武器方面,新航母建成后将搭载12架米格-29K舰载机、8架印度产的LCA轻型战机(或英制"海鹞"短距起降战斗机)、10架印度产的ALH先进轻型直升机以及2架卡-31预警直升机。武器装备国产化也将在一定程度上降低了航母的费用。

法国"戴高乐"号航母在论证时,舰载机的选择主要集中在美国F/A-18"大黄蜂"战斗攻击机和法国自行研发的"阵风M"战斗机上。但由于法国国内强烈反对购买外国舰载机,且考虑到引进费用很高,最终采用了国产战斗机。

2. 开展国际协作

自第二次世界大战以来,英国和美国无论在经济上还是在军事上一直进行着密切合作。英国在CVF航母论证过程中,参与了美国联合攻击机项目研制,并获

得了自主使用权。如果 CVF 航母改装成常规起降型航母,需要加装电磁弹射器,搭载更先进的预警机,则还需要与美国进一步展开合作。此外,英国 CVF 航母采用了法国泰利斯公司的设计方案,并将其纳入航母联盟。法国 PA2 航母计划采用与英国相似度很高的设计,并曾考虑与英国联合进行航母建造,以降低成本。

3.2.4　控制系统、技术风险

1. 提高系统、技术的通用性

航母与其他舰艇存在非常明显的区别,发展其他舰艇时建立的工业基础无法完全满足研制航母的需求,必须专门为航母的研制进行工业和技术准备。航母相关的一部分工业基础和技术仅适用于航母,不能产生其他效益,拥有并保持这些工业基础和技术的成本将全部转嫁到航母的研制费用、建造费用、维修保养费用中,这是造成航母费用持续高昂的重要原因之一。如蒸汽弹射器、液压阻拦装置等只用于航母,在民用、其他军事领域均没有应用前景,维持其生产线的经费将全部转嫁到航母费用中。

为了改变这一现象,美国海军正在努力削弱航母相关技术和工业基础的独特性,增加航母技术和工业基础与民用、其他军种、海军其他装备的通用性,让航母的相关设备生产、技术研制、维修保养费用能够被更多的装备、军兵种分担,从而减轻航母费用上涨的压力。美国海军联合空军、海军陆战队研制 F-35 战机(海军型为 F-35C),与空军、陆战队共同研制联合精确进场着舰系统(航母上为舰载机着舰引导的系统),用电磁弹射器、先进阻拦装置等有广阔民用背景的系统取代蒸汽弹射器、液压阻拦装置等,都是美国海军这一努力的具体体现。

2. 提高技术成熟度

技术风险对航母的研制费用上涨有较大的影响,原因是,面临风险的技术可能需要加大经费投入,这些风险也可能对航母研制进度产生影响,甚至导致对当前设计方案进行局部修改,从而使费用上涨。美国海军新一代驱逐舰 DDG1000 也遇到了经费大幅上涨的问题,采用过多先进技术,导致技术风险严重偏高是重要原因之一。

为此,适当采用成熟技术,将技术风险控制在合理范围内是确保航母研制经费不过分上涨的有效手段之一。美国海军在总结以往成功经验时承认,采用成熟技术是确保进度、费用可控的重要手段之一。

例如,英国 CVF 航母的采办过程中,柴油发电机组、变压器、舵机、系泊锚泊设备等都在现有成熟产品中挑选;同时该航母的研发也借鉴了其他舰艇设计的技术和经验,如空中交通管制系统来源于目前的海军航空站、舰上指挥系统和编队属舰的远程雷达,经过改进以适应航母的需要。

成熟技术的缺点在于它不是最先进的技术,可能会较快被淘汰,从而影响航母的技术性能,解决这一问题的办法有两个:一是不断进行技术研发,保持成熟技术的先进性;二是尽量采用开放式体系结构,确保新技术成熟时,能以低成本植入或替换旧技术。

3. 提升装备通用性

除了航母专用的特殊装备外,通用装备可尽量借用其他舰船、其他兵种、甚至民用企业投资研制的现成设备,以后再逐步更新,这样就可以在很大程度上减轻或减缓航母研制的开支压力。

冷战结束后,各国海军都开始压缩军费、节省开支。美国海军提出了提高装备通用性来改善舰船建造和使用维护期承受能力的革新措施,并在工业界的支持和帮助下,设计和开发了一批模块化、标准化设备和过程简单化的系统,说明开展装备通用性研究对降低费用是很有潜力的。

法国"戴高乐"号航母的核动力装置就采用了与其核潜艇一样的动力装置。虽然核潜艇的核动力装置功率不够大,使得"戴高乐"级航母的航速只有 25 kn,但却省下了专门为航母开发核动力装置的费用。而美国在发展核动力航母过程中,首先建造了"企业"号(CVN – 65)航母,但"企业"号(CVN – 65)航母的核动力装置无论在费用上,或是体积、质量指标上都不怎么成功。尼米兹级航母核动力装置是吸取了"企业"号的经验而研制成功的。法国海军没有走这样的弯路,总的来说,法国既节省了航母的研制费用,又在一定程度上满足了航母研制的最低需要,是一个成功的范例。

3.3　设计阶段成本管理与控制策略

3.3.1　完善设计

舰船的设计费用只占舰船全寿命周期费用的 3%,然而它的好坏却能够影响所有余下的 97%的费用。所以设计费用本身并不是主要问题,而应该考虑的是如何能通过设计来改善舰船的可生产性、可保障性和可改进性。

1. 提高初步设计效率

20 世纪 90 年代初,美国海军开始尼米兹级航母第 9 艘"罗纳德·里根"号的设计。虽然这是一个改型重复式设计方案,但船厂还是从最初设计阶段起就参与了工作。在这段时间里,海军海上系统司令部几百名工程师接受了现代舰船生产方法和可生产性设计方面的训练,使舰船在初步设计阶段就制定了有创意的建造策略,以便协助设计人员从一开始就处理好可生产性的问题。

此外,舰船传统上是由设计人员提出满足规定要求和技术与计划上的约束条件的,因而在设计阶段往往不能十分注意可生产性、可维修性和可操作性之类的问题。美国海军提出了"平行工程"的概念,它的基本原则就是要设计人员从设计的最初阶段起就综合考虑建造、部署、作战使用乃至退役等全寿命周期的各方面问题。

对于舰船设计人员来说,他们有两个"用户",即"阶段用户"——船厂和"最终用户"——舰队。设计人员要让这些"用户"把建造和使用维修的要求尽早地落实到设计中去,使各种要求得到更好的满足。这些措施都会促使航母投资策略更加完善。

2. 提高设计可维修性

维修费用是航母全寿命周期费用的重要组成部分,若能减少维修次数、降低维修难度、缩短每次维修的时间——即提高航母的可靠性和可维修性,不仅能够降低航母的全寿命周期费用,还能提高航母的在航率。而可靠性和可维修性需要在设计阶段选择可靠性更好的设备、在总体设计上为方便维修进行更多的考虑等。

例如,在兰德公司的帮助下,英国国防部决定减少 CVF 航母的坞修时间。20世纪 90 年代末,英国三艘无敌级航母始终保持两艘在役,一艘坞修的状态,如图3.3 所示。由于无敌级航母设计的原因,大部分修理工作必须在干坞内进行。"无敌"号更换变速箱时,由于要把与变速箱相邻的锅炉、管路、通风口、排气装置甚至燃气系统管路全部拆卸,因此如此复杂的工程必须入坞实施。而 CVF 航母采用电力推进,没有像无敌级那样大型的变速箱,所以其变速箱的更换在其母港——朴次茅斯港即可进行,且不会影响舰上其他设备与管路。设计上的变化使 CVF 航母维修时更少依赖干船坞,维修时间大幅缩短,开支也将得到一定程度的削减。

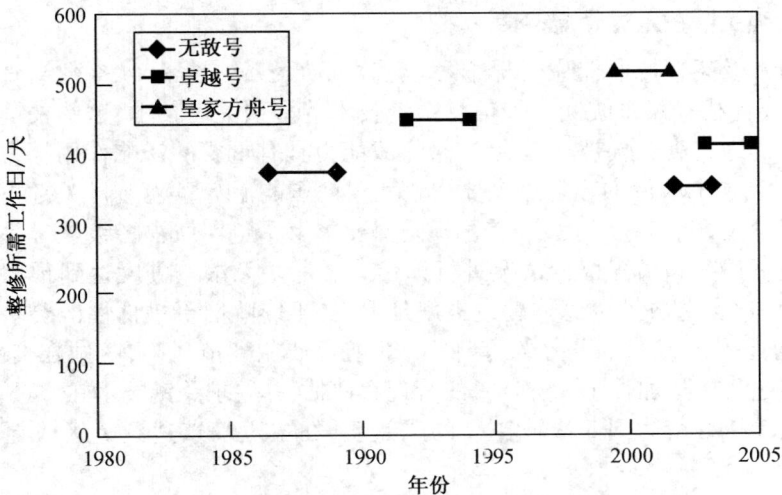

图 3.3　三艘无敌级航母入坞整修时间

另一方面,CVF 航母还将两台燃气轮机放在较高位置,直接置于两个分立的舰岛下方,这种设计的重要考虑之一就是方便整机吊出维修,以缩短该级航母发动机大修所需的时间,提高航母的在航率。

3.3.2　减少设计改动

1. 从制度上严控设计改动

航母设计极其复杂,常常会因为设计失误导致后续阶段对设计进行更改,从而造成成本增加和进度拖延。因此,美、英两国十分注意对设计方案的全面审查,改动航母设计必须经过严格审批才能执行。

美军认为,避免额外要求能够减少对舰船设计和建造方案的改动、防止成本上涨,是保证项目顺利进行的重要条件。在采办新一级航母时,美军要求对合同中设计的变化和后续舰设计的变化进行严格控制,只有在涉及安全、功能缺陷或设计更改后能够降低费用的情况下,更改才会被批准。

2. 从技术上防止设计缺陷

美军在采购福特级航母时要求舰队的技术人员和使用人员共同参加,并使开发人员和后期建造人员共同优化产品设计,以达到尽量减少后续阶段对原始设计的更改和提高项目进度的目的。美、英两国在设计新一级航母时,都大量采用了计算机建模仿真技术进行辅助设计。通过这种虚拟技术,不仅能够大大降低研发设计费用,而且可以增加产品设计的可视性,保证对航母进行精确设计和验证,更加高效、快速地完成航母设计,并减少舰船建造过程中的设计缺陷。

3. 加强关键技术成熟度评估

航母涉及船型技术、动力推进技术、舰载机助飞系统技术、航空数据管理控制系统技术、舰载武器系统和电子信息系统技术等多项关键技术,这些关键技术对于航母的建造进度、建造费用以及未来作战能力具有重要的影响作用。为确保关键技术满足未来航母的建造进度要求,美、英两国均十分重视航母关键技术管理与技术成熟度评估工作。其中,美国国防部要求海军定期对福特级航母关键技术的研制进展情况和预算执行情况进行评估。对那些无法按进度达到预期成熟度的技术,为避免造成航母总体建造进度延迟,在不影响航母最低性能要求的基础上,将寻求替代性技术。此外,为降低 CVF 航母研制建造风险,英国在 CVF 航母研制建造过程中也加强了关键技术的管理和评估,并要求关键技术在 CVF 航母计划初始决策点必须达到 3 级或更高的成熟度,在主决策点达到 7 级或更高的成熟度。

3.3.3　采用新设计技术

1. 应用限额费用设计

航母在设计时不仅要估算全寿命周期费用,力求使航母全寿命周期费用达到最佳状态,还应作出切实可行的费用使用规划,指导各个时期经费的使用。财务管理部门则可以此为依据,采取积极措施,对其严格控制并合理调剂。总的倾向是尽可能少用自有的投资资金,而更多使用固定利息的贷款。利润的增长可用一定的外部资金投入来达到。

美国在1973年提出限额费用设计的概念,并随即制定了专门指令和实施细则。该方法在论证设计阶段就将费用作为一个独立因素考虑,通过优化设计实现技术与经济相结合,力求做到在技术先进条件下的经济合理性和在经济合理的基础上追求技术先进性,把控制费用的观念渗透到每一项技术与设计措施之中。限额费用设计的目标是使全寿命周期费用控制在最低,它已经在包括尼米兹级和福特级航母在内的武器系统采办中取得了实效。

2. 采用数字化设计技术

数字化设计技术的采用可以大幅提高效率,通过虚拟仿真手段降低设计难度和周期,同时减少建造期间因设计导致的返工和修改设计问题,从而降低全寿命周期费用。美国航母的设计广泛采用了数字化技术,且成效显著。

"布什"号航母在三维设计过程中,引入了一个虚拟的工作人员(称为"VIVID先生"),以帮助测试设计时的各种设备是否便于操作,各种工作空间是否可以顺利进入。这是在舰船设计人机工程领域的一大创新。"VIVID先生"完全按照正常人的尺寸设计,可以在航母的三维虚拟设计中走、立、坐、蹲、爬,可以伸展胳膊操作各种设备,其关节可以像人类一样有旋转和弯曲限制。如果"VIVID先生"对某个设备无法操作或者操作困难,就意味着该处设计需要进行修改。该技术使"布什"号航母建造中的返工次数大幅降低。

为避免航母开工后出现设计修改、变更等问题,英国国防部要求航母联盟在建造未来航母前,须通过建模与仿真技术,充分论证航母建造生产规划的合理性,并在拟实环境模拟设计建造的全过程,验证航母建造技术方案的可行性。

3. 使用民用技术与标准

国外航母研制大量采用了军民两用技术,很多系统和设备使用民用标准,如MARPOL,SOLAS和船级社规范,这些民用标准和海军工程标准之间有很多相似之处。因此,在关键部位使用军用标准,不太重要的部分采用民用标准,是降低全寿命周期费用的可行方案。

为减少维护费用,英国CVF航母在垃圾处理系统、淡水生产系统、空调系统等方面采用民用技术和标准。兰德公司根据以往的研究经验分析认为,CVF采用民用标准能够为两艘航母全寿命周期费用节省约4亿英镑。

国外航母在建造中应用了大量新型材料,这些材料不仅本身具有性能好、质量小、成本低的特点,更重要的是其寿命长,有利于航母全寿期总成本的缩减。如美国"布什"号航母采用新的舰体涂料,该涂料使船体外涂层的寿命从8年延长到12年,并且可以抑制寄生物在舰体水面下部生长。

3.3.4 削减人员规模

1. 美国

航母的人员编制庞大,美国航母人员费用接近全寿命周期费用的一半。因此,减少航母人员数量对降低其全寿命周期费用意义重大。尼米兹级航母上的人员共有 5 480 名,其中舰员 2 930 名,航空联队人员 2 480 名,编队司令部人员 70 名。

减少人员对美国海军提高航母的居住性水平也有裨益。尼米兹级航母没有达到美国海军当前的居住性标准,福特级的人均舱室面积为 5. 202 6 m^2,比"里根"号航母大 25% ,满足了美国海军的最低舰艇居住标准。

2. 英国

英国为了降低 CVF 航母的全寿命周期费用,也在减少人员上下了很大力气。他们聘请兰德公司进行了专门研究,首先回顾了皇家海军以及最初的设计承包商泰利斯公司是怎样制定舰员编制的,然后分析了改进舰员编制的方案,最后通过这些研究提出并评估了多种精简舰员编制的方法与措施。

(1)对 CVF 航母舰员编制的评估

兰德公司认为,英国海军舰员编制制定过程没有系统评估改进的工艺与工作流程能否削减人员数量,所以舰员编制很大程度上受到人员素质以及一些过时政策与习惯方法的影响。而泰利斯公司从零开始对 CVF 航母舰员编制进行制定,评估舰上的工作,计算进行这些工作所必需的人员数量。泰利斯公司对制定 CVF 航母舰员编制的方法得出了一个与皇家海军不同的工作人员分类。

在进行舰员编制的过程中,泰利斯公司注意到以下几个方面的问题:

第一,削减 CVF 航母全寿命周期费用,缩减舰员规模;

第二,舰上的工作并不是一成不变的,有些工作与任务可以向岸上转移,或者仍在舰上但是需要对人员进行精简;

第三,军官的开支较大,且英国海军中军官比例高于美国海军;

第四,CVF 航母的某些系统将沿袭目前航母的系统,这些系统可能会为舰员编制的削减带来负面影响;

第五,由于前期投资的限制,对技术的投资以及削减舰员编制的计划会搁浅;

第六,航母指挥官也不愿意接受更小规模的舰员编制,较少的人员不足以应对突发事件(如扑灭火灾等)。

(2)对削减编制所采取措施的研究评估

兰德公司研究了 CVF 航母 57 种可行的舰员编制削减措施,其中 12 种对于削减编制具有较大的潜力和较好的效果,并且对于其他方面没有负面影响。在这 12 项中又有 6 项最有希望实施:

第一,利用先进技术如舱室遥感技术实现机械舱室无人化;

　　第二,合并职守岗位;

　　第三,使用核心/延伸的舰员编制概念;

　　第四,使用非军人员负责非作战性工作;

　　第五,提高舰员专业技能和训练水平,这样进行相同数量的工作时所需要的人员将会更少;

　　第六,使用带式传输机帮助舰员从岸上向舰上输送物资。

　　(3)对编制削减未来的展望

　　兰德公司的研究人员认为,CVF 航母舰员编制削减的前景是乐观的,其削减目标能够达到。当然研究人员也认识到,目前所存在的一些挑战也使编制削减的前进道路变得复杂起来,很多编制削减措施不是技术上的而是程序上的,所以在进行这些举措时会遇到很多制度上的阻碍。为了更好地削减人员编制,兰德公司为 CVF 航母未来的编制制定工作提出如下建议:

　　第一,认识到 CVF 航母的编制削减是对皇家海军人员建设的一次革命;

　　第二,随着 CVF 航母的设计进行,继续强调舰员编制的削减和人力系统的集成;

　　第三,重点关注人力集中型工作,并进行可能的削减;

　　第四,为不依赖大量人力就能运转的设计与系统选择设立奖金。

3.4　建造阶段费用管理与控制策略

3.4.1　应用新型建造理论

1. 实施建造过程数字化管理

　　美国"布什"号是第一艘整个建造过程完全使用数字化管理的航母。管理的项目非常多,包括几千名工人和工程师的分工与工资、工程进度与质量、各种设备的维护以及多达 6 万种零部件的订购等。虽然船厂员工对全程数字化管理一开始很难适应,但最终结果表明,应用这种技术使各部门的联络更加积极主动,而且系统会自动监控各个环节的事件和工程进度,提醒相关人员下一步要做什么,提高了建造效率、减少了浪费,从而降低了相关成本。

　　英国 CVF 航母通过建立联合数据库进行建造数字化管理。在 CVF 的分段建造过程中,采用共享数据环境(SDE)进行工程数据和相关接口的管理,能为位于英国 8 个不同位置的船厂工作站提供接口。共享数据环境既可对各船厂内部进程和工作模式进行掌控、对各船厂的设计和采购进行中央管理以融合船厂能力,又不会干扰各船厂的内部生产进程和设备。

2. 实施精益制造模式

　　美国海军采用精益方法提高舰载武器的安装速度。2006 年 10 月,在对"杜鲁门"号航母进行入坞检修过程中,在安装作战系统之前,采用了雷声公司的六西格玛方法和海军精益六西格玛方法,快速确定并优化了更新和改装项目。精益六西格玛工具的使用改进了整个安装过程。"杜鲁门"号航母安装"拉姆"导弹仅用了16周的时间,比预计时间提前了6个月。对舰艇检修文件、工作组、管理和执行过程的改善与改进,使"拉姆"导弹安装没有任何问题和错误,使测试阶段周期从6周减少为3周,建造成本也大幅下降。

自2003年1月起,纽波特纽斯船厂在精益企业战略上实行了三项基本措施:车间迅速改善、精益过程认证和六西格玛项目,并取得了良好成效。在车间迅速改善方面,船厂运用价值流图方法、车间迅速改善机会确认方法和精益战术实践方法对新航母建造和航母检修等项目进行了精益改善。公司精益计划取得了良好成效,所有预期目标都基本实现,车间存货减少了75%,场地空间占用减少了20%,生产提前期减少了90%;成本被有效控制,财务效用以每年超过10%的速度提高。

3.4.2　采用先进建造工艺

美英等国在航母建造过程中采用的先进建造工艺,也能够有效降低成本,缩短建造周期。

1.大分段模块化建造

模块化造船方法首先将船体分成大段进行建造,在分段建造的过程中就开始舾装,并在分段上预留机械、电子、缆线和管道等接口。整个模块建造中包含所有应配备的部件后再吊入干船坞进行总装。

美军在建造"布什"号航母时就贯彻了这种"超级分段"的思想,大大减少了航母的总装工时。英国的CVF项目一体化小组要求采用更加优化的舾装技术,把电器、管路、取暖、通风、空调等设备安装在组成舰体的单元模块内,在模块建造阶段完成80%以上的舾装作业。据兰德相关报告分析,通过采用先进的舾装技术可以降低20%～50%的劳动工时,而航母建造中舾装所花费的时间占总建造时间的一半以上,所以采用这种模块化造船技术能够有效提高航母建造效率。

"布什"号航母是美国第一艘使用"超级分段"建造方式建造的航母,基于模块化建造思想,钢板切割后先在各车间焊接成1～100 t重的子模块并进行预舾装,然后子模块在干船坞旁边吊装并焊接成多个质量超过100 t的"超级分段",再用巨型起重机将这些分段吊入船坞中进行总装。"布什"号航母共有161个"超级分段",最重的是865 t的飞行甲板分段。这种方式提高了建造效率,缩短了建造周期,同时也有效降低了建造成本。

美英在建造新一级航母时还都配备了超过1 000 t的起重设备,以满足采用该技术所需的大块船体分段的吊装。

2. 先进加工工艺

（1）焊接工艺

在焊接工艺方面，美国通过控制厚板焊接变形来提高焊接质量、减少返工。例如，美国诺·格公司纽波特纽斯船厂将"厚板焊接变形预测"项目的成果应用于实践，取得了显著效果。该项目旨在通过开发厚板焊接变形预测工具来降低舰船（主要是尼米兹级和福特级航母）建造成本。项目主要应用商业软件对厚板焊接过程进行变形预测。过程模型和仿真工具根据过程参数来分析多种情况下的焊缝，直至得到最佳结果。通过仿真得出的最佳方案使舰船建造过程的返工次数和实物模型减少，从而降低建造成本。此外，美国海军金属加工中心开发的原型装配系统，已于 2007 年 1 月直接应用于"福特"号航母首个分段建造中。由于可减少厚板焊接中的变形，该技术可使厚板焊接量减少 22%，从而使单个舰体节约成本约 14 万美元。

（2）涂装工艺

在涂装工艺方面，美国正在为福特级航母"福特"号航母和"肯尼迪"号航母开发更为有效的航母表面处理技术，在涂装前更经济高效地去除舱室和孔表面存在的导电污物。预计该成果的应用可缓解由氯化物导致的成本增长和进度风险，成本预计节约 26.5 万美元。此外，可同时控制大量舱室的环境，提高喷砂和涂装的效果，保持 50% 湿度环境时可节约 65.3 万美元，保持 85% 湿度环境时可节约 53.6 万美元。另外，美国正在研究激光涂层去除技术在尼米兹级航母检修时内部空间船板涂层去除过程中的应用。预计该技术可减少舰船全寿命周期费用并消除污染。与现有工艺相比，可降低涂层去除成本 10% ~ 95%。该项成果于 2012 年用于纽波特纽斯船厂。

（3）舾装工艺

在舾装工艺方面，CVF 航母采用更先进的舾装技术，特别是在电气、管路、取暖、通风、空调等设备的安装方面，将这些设备划分为多个模块单元，每个单元由小型单位或组件构成，先进行模块的建造，而后在干坞内将模块单元进行组合构成整舰。舾装主要包括如下作业：

①结构建造：安装设备机座、门窗、梯子、舱口；

②管路：安装焊接管路，包括管道与连接设备；

③配电：安装配电系统，包括牵引布置电缆、安装局部配电盘以及备用电力设备；

④取暖、通风、空调：安装空气处理组件、管路以及备用设备；

⑤舱室：安装住所（如住舱）、餐厅、食品操作间、会议室及其他行政活动的舱室等；

⑥喷漆：用涂料对航母建筑物以及设施进行涂覆。

3.4.3　统筹新技术应用

1. 统筹考虑新技术对全寿命周期费用的影响

美、英两国在新一级航母中应用了很多新技术,某些新技术不但提高了航母的作战性能,还大大降低对人力和维护、保障工作的需求。

美国海军认为推进装置费用是舰船系统中全寿命周期费用最高的部分,福特级航母将配备新型核动力装置,该装置结构更加简化,具有更高的输出功率,并采用先进的计算机控制技术,减少了人员需求和维护保障费用。而蒸汽弹射器系统复杂,组件制造精度要求高,维护工作量大,难以精确控制且弹射力弱、效率较低。

英国的 CVF 航母上采用的综合电力系统具有油耗低、操作人员少、维护方便等特点,该系统能够使航母运行中油耗降低 15% ~ 19%,并减少人员和维护的费用支出。

2. 提高自动化和信息化程度

提高自动化和信息化程度成为降低航母人员费用的有效途径。美军从第三艘尼米兹级航母"卡尔文森"号开始,在航母上配备高速局域网以提高通信和信息处理能力,并由此发展了航空燃油自动化、综合工况评估、机械工况分析、先进损管控制、库存控制与存储、消防管道信息等系统,大大提高了航母自动化水平,减少了人力的使用。

美军新一级航母的作战指挥、飞机支持、弹药处理将全部实现自动化,并最大限度地实现维护和行政管理的自动化,以尽量减少维护和行政管理工作。通过提高系统自动化水平和自我检测功能,能够大量减少用于工程、损管、作战系统、舰船维护和三级警戒的人员。

英国的 CVF 航母除了采用自动化技术减少人员需求外,还计划通过采取合并值班岗位、雇用平民舰员等优化舰员配置措施降低对人力的需求,使 6.0×10^4 t 级的 CVF 航母人员编制降低到与无敌级航母相当的水平。

3. 借鉴采用成熟民用技术

美英在航母建造中采用的一些成熟技术和民用技术也降低了航母的建造成本。成熟技术能够保障项目进度,节省研制开发费用。为了减小新技术对设计的影响,美军在发展新技术的同时,也寻找一些备用的替代系统。当这些新技术无法按节点交付时,可以进行舍弃而采用备用的成熟技术,防止其影响航母建造进度并造成额外费用的大幅增加。

美英两国新航母都沿用了老一级航母的舰载机起降方式,这对于他们的舰载机飞行员来说,可以省掉一大笔重新训练的费用。美国的福特级航母仍然沿用了尼米兹级航母的舰体,这使新航母可以继续使用原来的码头、消磁站及其他维护保障设施,而不必再进行大规模的升级和改造。一些不会影响航母性能的系统,特别是生活系统,采用民用技术具有很好的经济性。

美国国防部鼓励在装备采办中采用民用技术和产品。有研究表明,民品价格比政府特制的同类产品低 30% ~50%。据兰德报告估计,在"布什"号航母上采用民用垃圾处理技术可以节省 3 500 万美元的费用。CVF 项目中也采用了军用标准和民用标准相结合的方式,其在航母开发初期就部分采用了民用的"劳氏海军舰艇标准"进行设计,而在关键部位如抗毁性、损管控制等方面则采用"军用标准"。兰德报告分析认为,采用民用标准能够使两艘航母节省约 4 亿美元。

3.4.4　控制生产成本

1. 降低材料和设备采购费用

材料和设备费用占 CVF 航母采购费用的 50% 以上。美国在建造福特级航母时也认为材料和设备费用是费用超支中最大的一项。美英两国采取了一些措施来降低该项费用。

(1)CVF 项目中参与建造工作的船厂将集中进行原材料、设备和器件的采购以削减相应的费用。为了节省材料费用,英国海军甚至将船体钢板厚度减少 20%,通过牺牲性能换取费用降低。美国海军在建造福特级航母时,为了降低相关费用,雇用了供应链管理专家研究最佳的材料采购策略,并计划把建造"福特"号航母超量采购的材料用于"肯尼迪"号航母,以减少材料浪费。同时采购多艘航母可以提高费用利用效率,降低工程、材料和设备方面的成本,还可以在重复生产方面节约费用。

(2)原材料与设备的集中采购模式。参与 CVF 航母建造的四家甚至更多的船厂每家都需要采购电子元件、泵、建筑原料以及其他多种原材料与设备,通过对这些原材料与设备进行集中采购,可以利用产供销定量的购买方式削减开支,同时各原材料与设备的标准也能够在不同船厂中达到统一。美国海军 DDG 51 项目以及英国防部 45 型驱逐舰项目都采用了原材料与设备集中式采购模式,开支削减达到了 10% ~20%。

2. 同时采购两艘航母

兰德公司报告认为,与每次采购一艘航母相比,双舰采购能够使原料和设备费用降低 15%。美军在采购尼米兹级航母时已经采用过双舰采购的方式来降低成本。实践证明,双舰采购能够有效减少航母建造的平均时间。图 3.4 显示了 8 艘尼米兹级航母采购所用工时的变化情况。

当前美军正在考虑对"肯尼迪"号航母和"企业"号航母采用双舰采购的方式。美国国家审计署认为,美国海军在 1983 年和 1988 年对"林肯"号航母、"华盛顿"

号航母和"斯坦尼斯"号航母、"杜鲁门"号航母进行双舰采购时节省费用超过了5.6%,虽然"肯尼迪"号航母的建造工作已经开始,但采用双舰采购的费用仍然不会比单舰采购更贵,如果能够节约1983年采购节省费用的1/3,就可以降低4.7亿美元的费用。

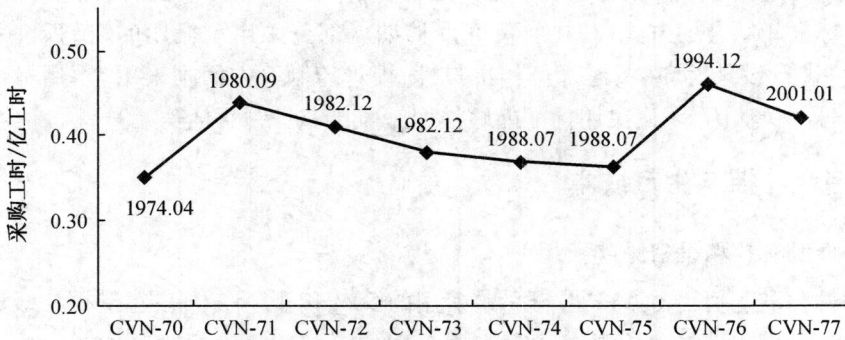

图3.4　8艘尼米兹级航母采购所用工时的变化情况

注:①CVN-70,尼米兹级"卡尔文森"号航母;CVN-71,尼米兹级"罗斯福"号航母;CVN-72,尼米兹级"林肯"号航母;CVN-73,尼米兹级"华盛顿"号航母;CVN-74,尼米兹级"斯坦尼斯"号航母;CVN-75,尼米兹级"杜鲁门"号航母;CVN-76,尼米兹级"里根"号航母;CVN-77,尼米兹级"布什"号航母。

②CVN-72与CVN-73双舰同时采购;CVN-74与CVN-75双舰同时采购。

3. 精简效率不高的设备

美军现役的大多数航母都设置了4根阻拦索,而从"里根"号航母开始则只布置3根,去掉了第4根使用率很低的阻拦索。在建造福特级航母时,美军去掉了使用率不高的舰尾部飞机升降机。美国海军海上系统司令部和船厂还对航母性能进行审查和鉴别,取消了原设计中的一些费用负担大而对性能贡献小的系统,如去掉一个废物处理系统。这些设备的取消几乎没有损失航母性能,但却节省了大量的设备采购和安装费用,并降低了对设备维护保障的需求。

4. 采用低成本材料

国外航母在建造中应用了大量新型材料,这些材料不仅本身具有性能好、质量小、成本低的特点,更重要的是其寿命长,有利于航母全寿期总成本的缩减。例如,美国金属加工中心将 HSLA-115 钢(最小屈服强度达到 115 MPa)用于福特级航母,预计可使单舰上部结构质量减小 100~200 t,采购费用由于焊接质量的提高而降低 100 万美元;美国"布什"号航母采用新的舰体涂料,该涂料使船体涂层的寿命从 8 年延长到 12 年,并且可以抑制寄生物在舰体水面下部生长。

5. 提高材料利用率

航母承建厂在建造过程中,必须尽量提高材料的利用率。因为造船费用在很大程度上取决于航母建造中使用各种材料的物化劳动。这些材料包括:轧制钢板、型材、管材、涂装和热绝缘材料等。航母消耗的材料要远远多于一般舰船,材料的消耗定额是根据航母的舰体结构方案、生产条件和建造工艺来决定的,而材料费用是根据材料消耗定额而来的。所以必须搞清节约材料的源泉、途径和经济效果之间的相互关系,以保证舰船建造过程中所需的材料费用处于最低值。

6. 民用设备取代军用设备

在对作战与安全无不利影响的前提下,考虑使用民用系统与设备取代军用标准设备。军用设备一般具有更加严格的抗毁损标准,但这也增加了其成本,并且由于相对民用设备来说军用设备成熟度较低,其改动频率远高于民用设备,开支随之增加。而且军用设备的改动一般处于舰船建造的后期,对成本增加带来的压力更大,如图 3.5 所示。

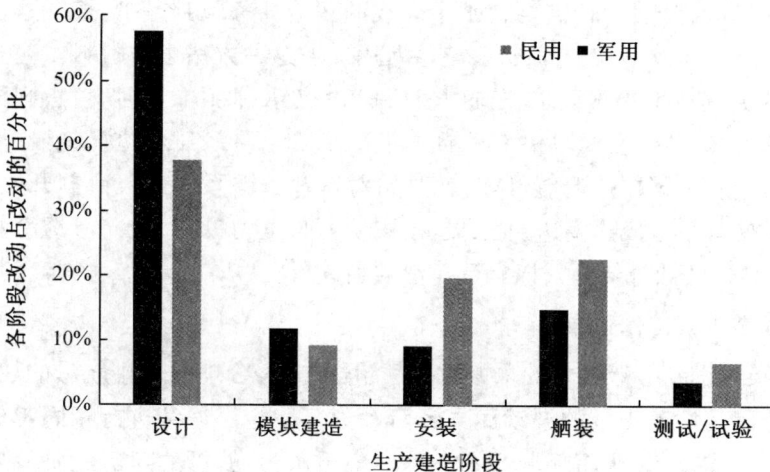

图 3.5　改动造成的开支情况(民用设备与军用设备比较)

3.4.5　提高建造效率

1. 进行更完善的建造准备

航母建造周期长、过程复杂,完善的建造准备能够更加精确地评估对材料和部件的需求,更好地保障后续工作的顺利开展。"布什"号航母的建造准备时间只有 28 个月,而船厂在"福特"号航母建造前花费了 44 个月进行详细设计和准备工作,包括在建造前完成 75% 的设计工作和采购生产周期较长的材料和部件。到合同批准前,船厂已完成了约 13% 的部件,而"布什"号航母只完成了 3%。作为福特级航母的第二艘舰,"肯尼迪"号航母要求完成产品设计模型和 95% 的建造图纸才能授权采购,这比授权时只完成了 30% 的首舰更容易开展后续工作。

2. 采用虚拟建造技术

为降低航母建造风险,节约建造费用,美英两国在未来航母设计建造过程进一步加强了建模与仿真技术的应用。美军在航母采办过程中充分发挥计算机技术带来的优势,除了进行虚拟设计外,还采取了虚拟制造、虚拟试验等手段,大大减少了对物理模型的需要,降低了生产成本,加快了采购进度。为了提高工作效率,他们还通过召开远程电视会议等方式,召集不能参与实地工作的专家和机关人员及时参与审查。美国海军估算,通过采用更高效的设备,利用计算机模型进行设计,并采用高效的建造方法可以节省约 200 万工时。

3. 优化航母建造顺序

福特级航母按照从船底往上的顺序进行设计建造,并尽可能地把建造工作安排在船厂车间完成,而把需要在水中完成的建造任务降到最少,按照这种方法可以提高建造工作效率和进度,节省建造费用。但这种方法也对材料供应和影响建造顺序的关键技术提出要求,若这些材料和关键技术不能及时交付,则会影响其他设备的安装,甚至需要对相关区域进行重新设计,导致工作进度拖延,增加工时和建造费用。美军在建造航母前,就开始对这些关键系统进行研制开发,并预留时间尽量使其技术成熟度达到要求(如核动力与电力设备、反向渗透海水淡化系统、65 号高强度低合金钢),以保证建造顺利进行。

4. 提高工人工作效率

美、英两国新一级航母的采办数量都超过 1 艘,合理的安排航母的建造时间,可以防止因船厂工作量的波动而导致劳动力不稳定。连续进行相同工作可以提高劳动力工作效率,从而降低成本。兰德公司认为,航母的建造经验效果能够达到 95%。他们通过分析发现 CVF 项目原计划的建造时间会出现 3 个季度的工作量空隙,这期间会出现船厂人员过剩,需要减少工人数量。而再开始建造第二艘舰时,则需要重新雇用劳动力。这种波动对工人熟练度和船厂管理都出现负面影响,从而会增加相应费用。美军在延长采购间隔时,已经考虑了因此带来的成本增加问题,并计划采取先期采购和先期建造等措施来降低由此产生的影响。美军还采取了鼓励船厂之间合作、雇用临时工人等措施来加快新航母的建造进度。另外,美军为了提高工作效率对工作环境也进行了改善,增加了一些临时或永久的有遮盖的工作区域,包括修建有屋顶的模块化装配车间,使航母上较大的部件也可以在室内进行装配。

3.4.6 控制劳动力与管理费用

CVF 航母项目建造费用中劳动力与管理费用占 40%,政府提供设备费用占 30%,船厂的材料与设备费用占 30%,所以首先将重点放在削减劳动力与管理费用上来。主要措施是研究确定第二艘舰的建造开始时间。

该举措目的是使各船厂建造大型模块时总的劳力开支达到最小化。CVF 航母的建造计划中指定了 4 家独立的船厂同时进行不同模块的建造,而后运送至另一家船厂进行最后的装配与测试直至交货。按照原计划,在第一艘航母的模块建造期间各船厂承担着繁重的工作任务,而在第二艘航母的模块建造工作开始之前各船厂工作任务出现了空白。这样在第一艘航母建造结束与第二艘航母建造开始之间的时间段内出现了为期大约 3 个季度的建造工作真空期,在这段时间内各船厂的工人出现了过剩,船厂不得不减少雇用工人的数量,而后在开始建造第二艘航母时又要重新将工人组织起来,劳动力数量的波动将会增加劳动力开支并对工人的熟练度产生负面影响。

为了削减劳动力费用,兰德公司对第二艘航母开始建造的时间进行了分析。从图 3.6 及图 3.7 可以看出,第二艘航母的建造开始时间若提前 3 个季度,能够节省劳动力开支 2 000 万英镑。

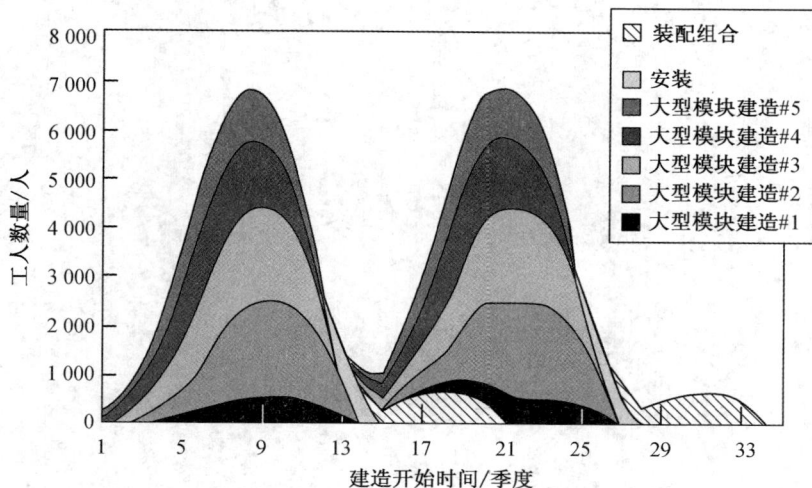

图 3.6 英国海军伊丽莎白女王级航母建造所需劳动力随时间的变化

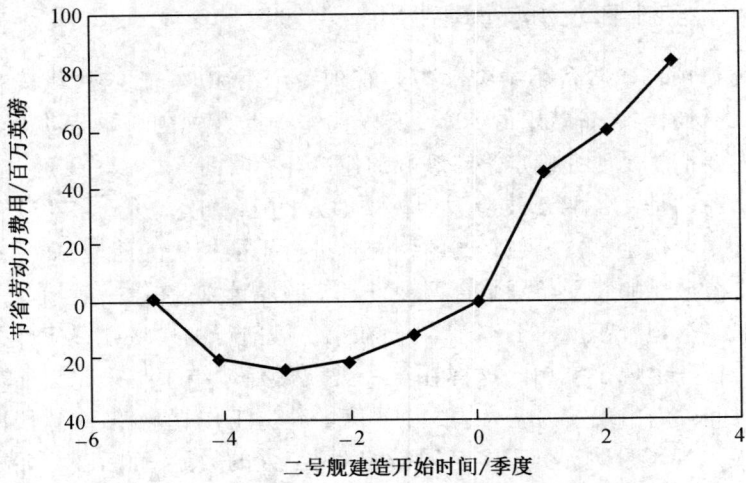

图 3.7 英国海军 CVF 二号舰建造开始时间对费用的影响

第4章 福特级航母案例分析

4.1 福特级航母背景介绍

"福特"号航母于 2013 年 10 月 3 日下水,2017 年 5 月 26 日服役。在此之前,美国海军航母舰队有 10 艘核动力航母,均为于 1975—2009 年服役的尼米兹级航母。"布什"号航母是最后一艘尼米兹级航母,于 2001 财年正式建造,并于 2009 年 1 月 10 日投入服役。21 世纪以来,尽管美国尼米兹级航母不断升级改造,但面对新形势和新技术仍暴露出许多问题,如隐蔽性差,行踪易暴露;核动力装置的性能落后,功率小;舰上武器难以应对超低空反舰导弹的打击;蒸汽弹射器日益显现出的性能不足等。美国国防部认为,尼米兹级航母是半世纪前设计的旧型航母,很快将难以适应未来战争的需求,因而在 1995 年 5 月 9 日,美国国防部正式提出了研发、设计、建造性能超越尼米兹级的新一代航母,作为 21 世纪的主力航母。该级航母将采用全新的构思和设计,大量应用新技术来提升自身的综合性能,计入考虑的新技术包括:舰体特征降低技术(舰体隐身性)、新动力系统、全舰式资讯网站、新概念飞机起飞与着舰回收装置,以及减少航母工作人员的相关设计等。

2002 年 12 月,美国国防部和海军宣布将 CVNX - 1 和 CVNX - 2 合并为 CVN -21(美军 21 世纪海军航母,即福特级)航母计划,大部分原定在 CVNX - 2 上才采用的先进技术被提前应用到 CVN -21 舰上。相比尼米兹级航母,福特级航母在设计上有不少改进,如每天可出动飞机架次大幅增多,所需舰员大幅减少等,这使得其全寿命周期内的操作和维持成本显著降低。在美国海军计划中,需要建造至少三艘福特级航母——CVN -78,CVN -79 和 CVN -80。

2009 年 1 月,随着美国海军最后一艘尼米兹级核动力航空母舰"布什"号的服役,新一代的"福特"(Gerald R. Ford)级航母便获得了更多关注。福特级航母是美国继尼米兹级之后,面向 21 世纪作战需求的新一代核动力航空母舰,首舰 CVN - 78 于 2007 年 1 月 16 日正式命名为"福特"号,于 2008 财年获得拨款,计划于 2015 年取代"企业"号航母正式开始服役,后经多次进度延期,最终于 2017 年 5 月 26 日正式服役。2009 年 4 月 6 日,美国国防部部长罗伯特·盖茨在 2010 财年国防预案提案中提出了多项修改意见,其中之一就是将航母的采办周期延长至五年一次。通过这一修改,CVN - 79 的采办时间从 2012 财年推迟至 2013 财年,CVN - 80 的采办时间也从 2016 财年推迟至 2018 财年。

福特级航母在电磁弹射技术、核动力技术及舰载机性能方面都有重大突破。例如,在舰载机方面,该级航母将主要搭载 F-35C"闪电Ⅱ"战斗/攻击机,并保留部分 F/A-18E/F"大黄蜂"战斗/攻击机,也可能搭载一定数量的 F-22"猛禽"战斗机。美国甚至还计划在下一代航母上装备电磁轨道炮、高能激光、高能射线等新概念武器,以获得更强的打击力量。如果两型第五代战机能够上舰,再加上无人战斗机、无人侦察机、更先进的 C4ISR 系统(指挥、控制、通信、计算机与情报、监视、侦查系统)技术和自动化设备,福特级航母的整体性能将得到质的飞跃。舰载机的高隐身性、超音速巡航、非常规机动、全方位侦查、超视距多目标攻击等一系列先进性能将大幅提高福特级航母的作战能力、防御能力和执行多任务能力,确保美国航母在全世界继续保持顶尖水平。

就现役海军装备而言,美国海军无论在质量、数量还是投资费用方面都遥遥领先于其他国家。美国海军舰艇总吨位约为 454×10^4 t(2008 年),而英、法、德、日、印等主要海军国家加起来才 170×10^4 t(其中英国总吨位 35×10^4 t,法国 33×10^4 t,日本 54×10^4 t,印度 40×10^4 t,德国 8×10^4 t),实力相差悬殊,而在海军的投资效益上,美国海军也高于以上五国。根据《世界主要国家(地区)军费管理概况》的数据统计,1996—2002 年,美国的国防费用累计投入 19 928.7 亿美元(按 1998 财年的不变美元计算),而同期英、法、德、日、印等五国的累计投入为 13 694 亿美元,美国与五国的军费投入比是 1:0.68,但五国的三军实力与综合作战能力不及美国的一半。而从美国海军和五国海军的主战装备的对比情况来看,数量上,航母 11:4,战略核潜艇 14:8,攻击型核潜艇 53:15,驱逐舰 53:72,显然美国的投资效益要高于上述五国,其投资策略和费用管理更为成熟。

4.2 福特级航母的费用估算

"福特"号航母于 2008 年正式开始建造,计划于 2015 年服役,后因多次进度推迟,最终于 2017 年 5 月 26 日正式服役。2008 年,国会批准了 4 年(2008—2011 财年)的追加资金。美国国会预算办公室(CBO)在 2008 年 6 月的报告中预估的"福特"号航母成本费用高于海军的估算数额,并指出:如果"福特"号航母和海军过去 10 年间所采办的舰船一样,需要面临成本的增长,那么"福特"号航母的成本将会超支很多。美国审计总署指出,福特级航母的新型电磁弹射系统、双波段雷达和先进阻拦装置在其研发过程中面临的问题影响了航母的建造进度和建造成本,海军对成本的估算太乐观。2011 财年,海军申请了 17.313 亿美元的采办资金用于最终完成海军的预期采办计划,并预计"福特"号航母的采办成本达 115 亿美元。

美国各方对于"福特"号航母的最终花费的估算并不一致。根据海军提交美国国会的报告,"福特"号航母加上研发费用的话,海军估计其总采办(即研发加采办)成本将超过 137 亿美元,这个数字包括了到 2013 年为止的大约 33 亿美元的研发成本和大约 105 亿美元的采办成本。105（104.57）亿美元采办成本的依据是 2009 财年的预算，其中约 24 亿美元为整个福特级航母的细节设计费用和非经常性工程成本费用（DD/NRE），约 81 亿美元为"福特"号航母自身的建造费用（美国海军在制定航母预算时一贯将整个级别航母的 DD/NRE 费用包含在首舰的采办成本中）。在海军 2009 财年的预算申请中提出的研发成本为 33 亿美元，其中大部分属于该级航母的研发费用，于是"福特"号航母的总采办成本也上升至 137 亿美元。美国海军曾在 2004 年对"福特"号航母的全寿命周期费用做出初步预测分析报告，报告认为该舰的采办费用为 125 亿美元，但同期国防部进行的另一个独立费用预测给出的数据是 138 亿美元，两者相差 13 亿美元。可见，海军内部就存在着不同意见，而后者的预测更接近于实际。

根据 GAO 报告，"福特"号航母在 2012 年的采办费用预计为 139 亿美元，除去美国海军用于该舰设计和技术研发方面的约 34 亿美元经费（其中约 18 亿美元用于动力系统设计），整舰的建造费用为 105 亿美元，实际投入 128.29 亿美元（据 GAO 2014 财年总结预算）。

事实上，福特级航母早在 21 世纪初就开始了论证和前期设计工作，这是为了能够更早地开发新技术和解决关键技术难题，保证该舰获得超出以往航母的能力，避免因建造进程推迟而造成不必要的损失。福特级航母首舰"福特"号的先期建造合约在 2004 年就由美国海军和诺·格集团签署，合同总值达 27 亿美元，光是舰体部分（不含动力、作战装备和舰载机）就将近 14 亿美元。2004 年 8 月，美国国防部开始规划建造首批三艘福特级航母（舰号 CVN-78，CVN-79，CVN-80），而且计划到 2058 年，建造 11 艘福特级航母，这样一来，福特级航母的服役时间将达百年，但由于技术开发推迟和费用原因，美国海军不得不放缓后两艘航母的建造速度。首艘福特级航母"福特"号于 2005 年在美国核动力航母建造重镇，同时也是目前世界上唯一能建造大型航母的船厂——纽波特纽斯造船厂举行象征性的切割钢板动工仪式，并于 2007 年 1 月 3 日正式被命名为"福特"号。2008 年 9 月 10 日，美国海军正式与诺斯罗普·格鲁曼公司签订价值 51 亿美元的合同，开始在纽波特纽斯造船厂进行"福特"号航母的建造。美国海军在建造阶段开始前已经在核动力和电力装置等方面取得了很大的成果，但尽管准备工作比较充分，"福特"号航母在设计和建造过程中的三大关键技术：电磁弹射系统、双波段雷达和先进阻拦装置还是出现了一些问题，这无疑推迟了其研制进度，并影响了整个航母的建造费用。

根据 2008 年美国海军福特级航母首舰的审计报告，CVN-78"福特"号航母在开发新技术和系统方面的费用达 34 亿美元（其中约 18 亿美元用于该舰动力系统的设计），刷新了之前美国各航母在设计研究方面的费用纪录，如图 4.1 所示。而美国海军预计首舰的设计和建造费用约为 105 亿美元，包括 81 亿美元的建造费用和 24 亿美元用于此级航母的详细设计的海军造舰费用，其中 1/3 的经费在

2001 年前就已编列作为前期采办款项。而实际上,该航母的建造花费在不断攀升,这让美国海军有些不堪重负,不过从中也可以看出美国海军对"福特"号航母的重视程度。"福特"号航母在 2008 年前就已得到 37 亿美元的先期采办投资,而后海军在 2008 财年拨款 27 亿美元,2009 财年申请预算投资 41 亿美元,并在早期启动费用方面拨付了 3 亿美元。2009 年 11 月 14 日,"福特"号航母(CVN - 78)开始铺设龙骨。至于福特级航母的二号舰,2009 年 1 月 15 日,美国国防部与纽波特纽斯造船厂签署了"福特"号航母先期筹备工作的相关文件,总值 3.74 亿美元,并预定于 2013 年开工建造。同年 5 月初,美国海军与纽波特纽斯造船厂签署了先期备料的修正合约,总值 7 726 万美元,这项先期合约于 2010 年 10 月执行完成。CVN - 78,CVN - 79 和 CVN - 80 在 2009 财年的资金预算如表 4.1 所示。

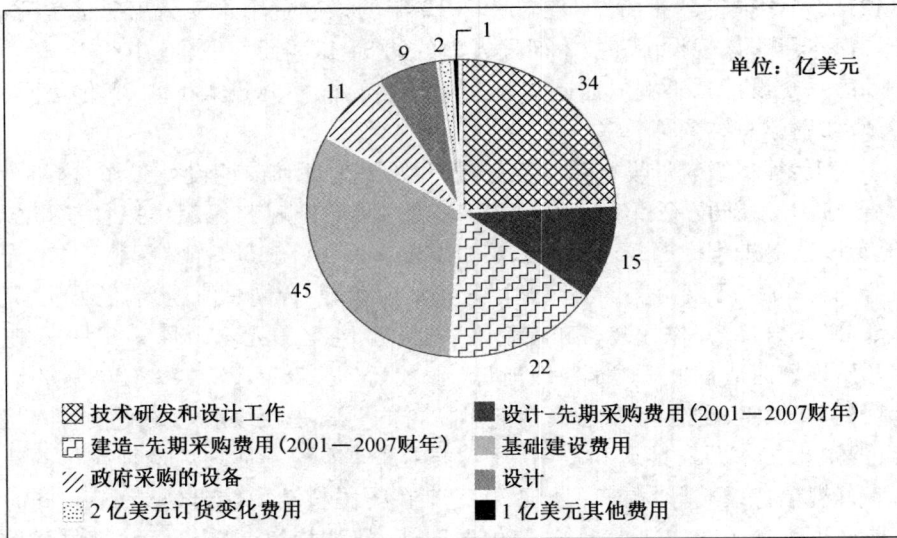

图 4.1 "福特"号航母费用分布图(GAO 报告)

在航母的全寿命周期费用中,建造费用通常只是其中的一小部分,使用保障和维持费用(航母动力花费、人员花费等)则占绝大部分。为节省这部分费用,福特级航母进行了更有效率的操作设计并大幅应用自动化技术,使该舰比尼米兹级舰减少 800 人的舰员编制,而且舰上的航空大队可再另外精简约 400 人(其中大部分是地勤人员),人员的工作负担也将较目前的航母设计更低。表 4.2 为尼米兹级航母人员编制参考表。根据估计,相对于尼米兹级航母,福特级航母预计能在 50 年的服役期内节省下大约 53 亿美元的费用,当然这些费用的降低大部分是直接或间接受益于舰上人员编制的精简。除此之外,福特级航母 50 年服役期内的总运维费用预估约为 268 亿美元,相较于尼米兹级航母的 321 亿美元具有明显优势。所以,福特级航母的一大亮点是"建造成本高昂,运营成本低廉"。

表 4.1 CVN-78,CVN-79 和 CVN-80 的资金预算(2009 财年)

单位:亿美元

采办(建造和改装,海军 SCN 数据)

CVN	97-00	01	02	03	04	05	06	07	08	09	10	11	12	13	截至 2013 年总额
78	0	0.22	1.35	3.95	11.63	6.23	6.19	7.36	26.85	27.12	6.88	6.79	0	0	104.57
79	0	0	0	0	0	0	0	0.53	1.24	12.14	8.07	4.65	23.12	22.86	72.61
80	0	0	0	0	0	0	0	0	0	0	0	0	2.01	8.86	10.87
小计	0	0.22	1.35	3.95	11.63	6.23	6.19	7.89	28.09	39.26	14.95	11.44	25.13	317.52	188.05

研发(研究、开发、测试和评估,RDTEN 数据)

CVN	97-00	01	02	03	04	05	06	07	08	09	10	11	12	13	截至 2013 年总额
78	3.08	2.31	2.77	3.17	3.06	0.35	3.03	2.84	2.02	2.23	1.53	1.09	1.07	1.06	32.76
79	0	0	5	0	0	0	0	0.17	0.27	0.38	0.39	0.3	0.19	0.17	1.92
80	0	0	0	0	0	0	0	0	0	0	0	0.42	0.48	0.48	1.38
小计	3.08	2.31	2.82	3.17	3.06	3.5	3.03	3.01	2.29	2.61	1.92	1.81	1.74	1.71	36.06
总计	3.08	2.53	4.17	7.12	14.69	9.73	9.22	10.9	30.38	41.87	16.87	13.25	26.87	33.43	224.11

表 4.2 尼米兹级航母人员编制参考表

人员类别	数量/人
飞机驾驶员和飞行军官	250
航空联队勤务保障人员(从行政到维修)	2 200
机库和飞行甲板	620
飞机重大维修人员	240
工程人员	420
战斗情报中心	125
甲板部门、航行补给和船艇维修	150
导航部	30
空中交通管制	35
食品服务	250
医生(含牙医)	65
供应人员	190
电子技术	140
武器操纵	210
负责安全警卫的水兵	85
杂务	300
反应堆	410
合计	5 720

  "肯尼迪"号航母于 2007 财年后每年会获得一笔先期采办资金,其中 2009 财年的先期采办资金约为 12 亿美元,海军在 2010 财年为该舰申请了 4.844 亿美元的先期资金。在海军 2009 财年的预算中,CVN−79 原定于在 2012 财年正式采办建造,但为了保障财政资金流通顺畅,减少航母每年的平均耗费,前国防部长盖茨在 2009 年提出了将"福特"号和"肯尼迪"号之间的采办时间间隔延长为 5 年,这样就将 CVN−79 的采办计划从 2012 财年推迟到了 2013 财年。CVN−79 从 2007 财年开始获得先期采办资金,于 2010 年 2 月 25 日在诺斯罗普·格鲁曼公司的纽波特纽斯造船厂举行了"首块钢板切割"仪式,标志着 CVN−79 的前期建造工作正式启动。CVN−79 在 2009 财年的预估成本约为 92 亿美元,去除通胀因素影响的话,建造 CVN−79 的成本比 2009 财年预算中 CVN−78 的预估建造成本(81 亿美元)要低一些。到 2012 财年预算时,该舰的预估采办成本已达到 103 亿美元。在海军 2009 财年预算中,预计 CVN−80 将于 2016 财年开始正式建造,并于 2023 年投入服役。但和 CVN−79 一样,由于航母的采办周期被延长至 5 年,CVN−80

的采办计划也被顺延两年至 2018 财年,先期采办资金将于 2014 年开始拨付。在 2009 财年预算中,CVN－80 的预估采办成本约为 107 亿美元(不过这个数字尚未考虑到计划推迟的影响),到 2012 财年预算时,该舰的预估采办成本约为 135 亿美元。

　　如表 4.3 所示,CVN－78,CVN－79 和 CVN－80 在海军 2011 财年预算中的采办成本估值比 2009 财年的估值分别高出 10.3%,11.5% 和 25.9%,而 CVN－79 和 CVN－80 在 2012 财年的估值又分别比 2011 财年的估值低 1.5% 和 0.1%。自 2009 财年后,海军预算中的 CVN－78,CVN－79 和 CVN－80 的预估采办成本逐年增加。根据美国国会研究处的分析,主要有以下四个原因:

表 4.3　CVN－78,CVN－79 和 CVN－80 的成本预算估值　　单位:亿美元

预算年度	CVN－78		CVN－79		CVN－80	
	采办成本估值	预定采办财年	采办成本估值	预定采办财年	采办成本估值	预定采办财年
2009 财年预算	104.579	2008 财年	91.916	2012 财年	107.168	2016 财年
2010 财年预算	108.458	2008 财年	未知	2013 财年	未知	2018 财年
2011 财年预算	115.310	2008 财年	104.131	2013 财年	135.770	2018 财年
2012 财年预算	115.310	2008 财年	102.530	2013 财年	134.949	2018 财年
2010 财年对比 2009 财年	+3.7%		未知		未知	
2011 财年对比 2010 财年	+6.3%		未知		未知	
2012 财年对比 2011 财年	无变化		－1.5%		－0.1%	
2012 财年对比 2009 财年	+10.3%		+11.5%		+25.9%	

来源:2009 财年、2010 财年、2011 财年美国海军预算申请。

注:1. 海军 2010 财年预算申请中未说明 CVN－79 和 CVN－80 的预估采办成本。

　　2. 海军 2010 财年预算申请中未说明 CVN－79 和 CVN－80 的预定采办时间。这里的日期是按照采办周期为 5 年推算出的。

　　第一,由于 CVN－79 的预定采办年份从 2012 财年推后至 2013 财年,其成本中就不得不额外考虑到一年的通胀影响,同样由于 CVN－80 的预定采办年份从 2016 财年推后至 2018 财年,两年的通胀影响需额外考虑进其成本中(图 4.2);

　　第二,每年预期通胀比率的上升;

第三,建造福特级航母的实际(根据通胀因素调整后)材料成本、实际工资率或工时的估值都有所增加;

第四,由于采办周期延长至 5 年,使生产学习效率降低而导致成本增加,间接成本也产生一定变化。

为了控制成本增长、降低财政风险,2007 财年的国防授权法案规定了 CVN-78 的采办成本上限为 105 亿美元,外加通胀(图 4.2)等因素导致的一些额外成本,另外规定随后的福特级航母采办上限为每艘 81 亿美元,也外加通胀等因素导致的额外成本。2010 年 2 月,美国海军在向国会国防委员会的报告中表示,CVN-78 的预估成本在计算了通胀等因素的影响之后,低于该舰的成本上限 2.24 亿美元。2010 年 4 月,美国海军在报告中表示,CVN-79 和 CVN-80 的预估成本均比该舰的成本上限低数亿美元。但是到了第二年的 8 月份,就有媒体报道:美国海军新一代航母"福特"号的建造成本已经超过当前合同价值的 11%。

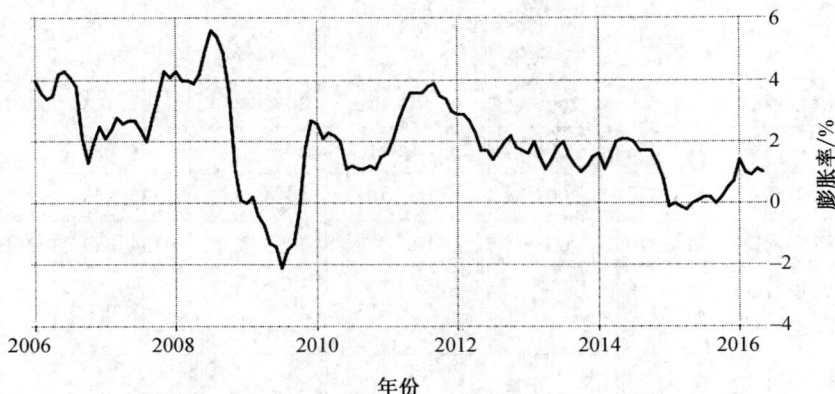

图 4.2 福特级航母建造期间美国通货膨胀率(待议)

前三艘福特级航母预计总耗资 360 亿美元,其中 317.5 亿美元为建造经费,43.3 亿美元为研发经费,成为美国海军有史以来造价最昂贵的舰艇。在全寿命周期费用方面,面对近年来逐年下降的国防预算比例,美国军方若想保持目前所拥有的航母战斗群数量和规模,必须降低每艘新舰在开发、制造、运行和维护阶段所需要的费用。因此福特级航母在设计理念上非常重视对成本的控制,各舰均是先接收数年的先期采办资金,所需其他建造成本以追加采办资金的形式分 4 年拨付。例如,"福特"号航母的资金中有 2001—2007 财年拨付的先期采办资金,以及随后 2008—2011 财年 4 年里拨付的追加采办资金(表 4.4)。

表 4.4　CVN-78,CVN-79 和 CVN-80 的采办资金　单位:亿美元

财年	CVN-78	CVN-79	CVN-80	总计
2001 财年	0.217(先期)	0	0	0.217
2002 财年	1.353(先期)	0	0	1.353
2003 财年	3.955(先期)	0	0	3.955
2004 财年	11.629(先期)	0	0	11.629
2005 财年	6.231(先期)	0	0	6.231
2006 财年	6.189(先期)	0	0	6.189
2007 财年	7.358(先期)	0.528(先期)	0	7.886
2008 财年	26.850	1.235(先期)	0	28.085
2009 财年	26.846	12.106(先期)	0	38.952
2010 财年	7.370	4.829(先期)	0	12.199
2011 财年(已申请)	17.313	9.083(先期)	0	26.396
2012 财年(已申请)	0	5.548(先期)	0	5.548
2013 财年(预计)	0	19.424	0	19.424
2014 财年(预计)	0	19.203	2.281(先期)	21.484
2015 财年(预计)	0	20.309	15.149(先期)	35.458
2016 财年(预计)	0	10.265	14.765(先期)	25.030

资料来源:2009—2012 财年美国海军预算申请。

4.3　福特级航母费用投入情况

4.3.1　设计费用

福特级航母是美国新一代航母,是美国最先进的武器系统之一,是美国在 21 世纪继续维持全球霸权,显示军事实力,配合国家政治、外交活动,干涉地区事务的重要工具之一。其设计方案对全寿命周期费用的影响巨大,因此在航母的全寿命周期费用中,设计和研发费用是决策者首先要考虑的,这其中包括前期的基础设计费用,由此开展的各类具体设计费用、关键技术和其他各项技术研发所产生的费用等。以美国最新的福特级航空母舰首舰"杰拉尔德·R. 福特号(简称"福特"号)为例,整个研发采办费用近 140 亿美元,其中设计费用就超过了 30 亿美元。

与常规船舶设计类似,设计费用作为最基本的设计研发支出同样贯穿"福特"号航母的整个设计流程,但作为最先进军用武器系统的"福特"号航母设计要求和难度更高,且在设计研发中涉及海军、造船厂和承包商等多方面,设计流程较常规更为复杂严谨,包括:首先由海军进行基础设计,相较于之前航母,其在建造合同

签订前的设计工作需要更加的深入和完善,在建造前所需做的工作也更多;至2004年,美国海军完成了"作战需求文件"的编制,描绘了该航母完成其任务必需具备的一些基本需求,之后进行了该航母的具体要求论证,明确了其必须满足的一些技术要求;论证完成后,该航母就处于一定的建造结构控制之下,任何的结构更改都必须得到海军管理部门的批准;2008年,"福特"号航母的基础设计工作的大体安排与模块/系统图纸已得到批准,内容包括船舱的位置、管道系统与带缆柱、甲板的高度等;最后,造船厂进行该航母的详细设计,绘制建造所需的各种图纸,至此设计工作框架初步完成,所述各环节均需要相应设计费用的支持。

各时代新型航母设计研发过程中往往会引入当下新的设计方法来指导设计,从而提高设计效率和质量,进而降低航母全寿命周期费用。航母设计研发中除了基本设计流程所必需的设计费用外,新方法的应用同样会在设计研发阶段产生一定费用支出,这其中包括新技术方法的开发、验证、应用和维护费用,以及相关技术人员的培训费用。虽然新技术方法的应用增加了设计研发阶段的费用,但从长远考虑,其使后续航母建造、使用和维护阶段更为高效顺利,大幅降低航母全寿命周期费用,甚至影响后续其他航母的建造,提高国家航母工业水平。"福特"号航母在设计过程中,造船厂采取了一种模块结构设计方法,能更快、更有效地进行航母的设计,首次使用计算机辅助设计产品模型开展整个航母的设计,有利于设计人员进行精确的设计,设计的产品可反馈到模拟的三维环境中,为设计过程增加了更多的可视性,设计人员可以通过虚拟的可视化空间"在航母中穿梭",对其设计进行试验,这就得以在建造之前对设计的各个部件进行检验,尽可能避免返工,保证航母建造进度,控制全寿命周期费用。图4.3为"福特"号航母剖视图。

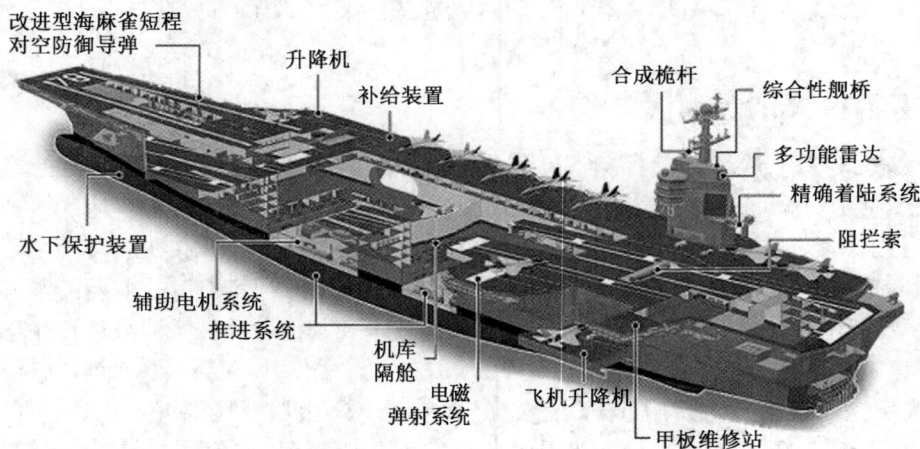

图4.3 美国海军"福特"号航母剖视图

4.3.2　关键技术的研发投入

作为首舰,"福特"号航母采用电磁弹射器、新型核反应堆、双波段雷达等十几项新技术,总体性能比尼米兹级航母有大幅度提升。

航母设计研发阶段的关键技术的研究进度直接决定了航母的建造进度和整体性能,进而影响其基本的成本费用。新一代航母设计为追求性能上的提升往往采用一些新技术,这对关键技术的研究质量和进度提出了更高的要求,其能否按时高质量完成对航母的设计和建造费用支出有重大影响。因此关键技术的研究一般置于航母建造前的设计研发阶段早期,技术研发费用的投入使得航母全寿命周期费用大幅降低,可谓利大于弊。为使新一级航母在性能上超过现役航母,而在排水量(大小、体积)上小于现役航母,"福特"号航母上采用了很多新技术。美国海军研究的新技术对该舰研制、建造、使用、作战各阶段都带来了积极的影响,其以新颖性、独创性等为依据,确立了 16 项关键技术,包括先进阻拦装置、先进武器升降机、双波段雷达、电磁弹射器、核动力与电力设备、增程海麻雀防空导弹、联合精确进场着舰系统、舰载武器装填装置等。虽然美国在航母研发和建造方面有着相当丰富的经验,但他们在建造航母前,海军还是会做大量的工作来减轻技术研发对建造过程的影响以及避免不必要的额外费用。由于前期的时间准备和经费准备均比较充足,美国海军所做的大量工作极大地降低了基础技术方面的风险,如核推进装置和电力装置等。即便如此,该航母在研发过程中仍存在一些技术风险,例如,在 2008 年美国海军福特级航母首舰的审计报告中指出,电磁弹射系统(EMALS)、先进阻拦装置、双波段雷达等三个系统在临近进度计划时间节点时,仍存在很多技术上的问题没有解决,进而严重影响了"福特"号航母的总体建造进度,并造成建造成本的大幅增加。由此可见,若关键系统的进厂时间迟于原计划的时间,将会使相关工期延长,平均工作效率下降,从而导致劳动力成本上升。电磁弹射系统和先进阻拦装置作为保证航母作战能力的关键技术,双波段雷达作为关系到新航母舰岛——上层建筑的体积能否小于现役航母的关键设备和提高飞行架次率的重要保证,这些系统的关键性试验必须按计划进行并按时交付船厂才能保证整艘舰的建造能够按照计划进度进行。因此,前期对关键技术研发投入较大比重的经费支持,使得研究成熟关键技术在航母建造时按时交付,对减少航母全寿命周期费用极为重要。此外,"福特"号航母在设计和研发中的关键技术及相关数据也是动态的,因为随着工程的进展,美国海军可能不再想采用某项技术,或关注一些新出现的、更好的其他技术。如在"福特"号航母的设计过程中,美国海军将"动态装甲防护系统"从设计方案中取消,决定将该项技术在其后续舰再开始研究,而考虑将电子战和指控系统列为"福特"号的关键技术,这些变化都会导致设计和研发费用产生重要变化。

"福特"号航母关键系统设备研发情况与费用在其成本构成中占据了不可忽

视的地位。

1. 电磁弹射器

（1）研发情况

电磁弹射器是利用直线电机产生的电磁力,带动飞机加速到起飞速度的装置。电磁弹射器的直线电机为感应直线电机,由长初级和短次级构成,如图 4.4 所示。其中初级为线圈绕组,而次级为金属导体。电磁弹射器工作时,由电力电子变换系统在控制系统的控制下,向直线电机初级通以交变电流,直线电机初级周围将产生变化的磁场,这种磁场诱导次级导体产生感应电流。次级导体有了电流,又处于初级绕组产生的磁场中,便会受到安培力的作用,并在力的作用下运动。为了将力传导给舰载机,把拖梭和直线电机的次级相连,在次级的带动下,拖梭拖动飞机沿弹射冲程加速到起飞速度,离开甲板升空。图 4.5 为对比尼米兹级航母与福特级航母飞行甲板与武器升降机布置图。

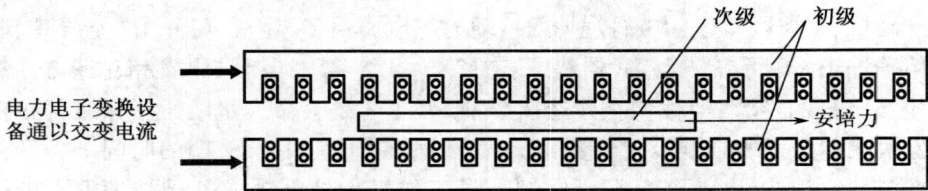

图 4.4　电磁弹射器直线电机构成

美国海军最早于 20 世纪 40 年代曾做过电磁弹射器(EMALS)的探索性研究。如图 4.6 所示,1982 年,重新进行电磁弹射器可行性研究。1988 年,美国开发出电磁弹射器的小比例模型。此后,美国进一步开展了设计研究、硬件演示和技术探讨,但由于经费问题,研究的范围和规模有限。20 世纪 90 年代后期,在美国论证未来航母过程中,正式将电磁弹射器摆上了议事日程。1999 年,美国海军完成了电磁弹射器的概念探讨和定义工作,并发布招标书,通用原子公司、诺·格公司参加了投标[①]。

美国海军在 1999 年完成概念定义和探讨时,相关技术的最先进水平并不能满足要求,电磁弹射器对相关技术水平的要求约为 1999 年最先进水平的 2～5 倍,2005 年,通用原子公司的演示系统已经达到了电磁弹射器所要求的水平。

---

① 实际上,通用动力公司也提出了电磁弹射器的提案,但美国海军在计划定义和风险降低阶段(PDRR)并没有与该公司签订合同。

福特级与尼米兹级航母飞行甲板上的武器升降机开口对比，舰尾阴影部分为福特级比尼米兹级在飞行甲板上扩大的面积。

"福特"号航母飞行甲板

"岛"式上层建筑　　福特级航母先进武器升降机　　福特级航母舷侧武器升降机

飞行甲板
吊舱甲板(03甲板)
02甲板
01甲板
主甲板
第2甲板
第3甲板
上层升降机
食堂/武器处理区
弹药库
下层升降机

飞行甲板
吊舱甲板(03甲板)
02甲板
01甲板
主甲板
第2甲板
第3甲板
上层"快递"升降机
专用武器处理区
弹药库
下层升降机

尼米兹级(左)和
福特级(右)航母
武器升降机布置对比

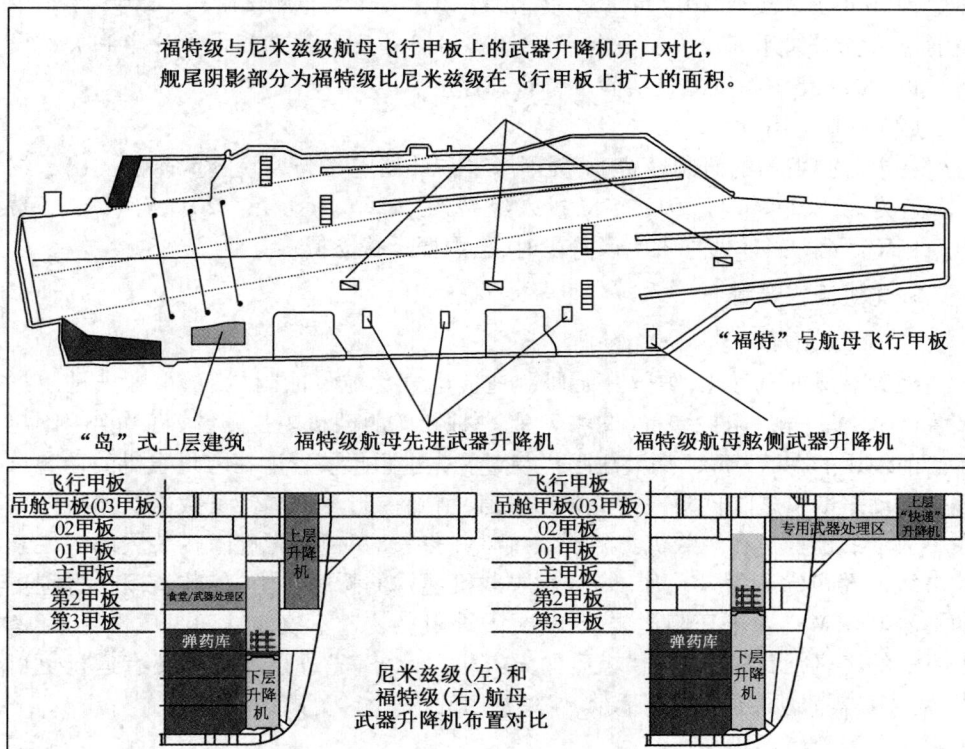

图 4.5　福特级航母飞行甲板与武器升降机布置(对比尼米兹级航母)

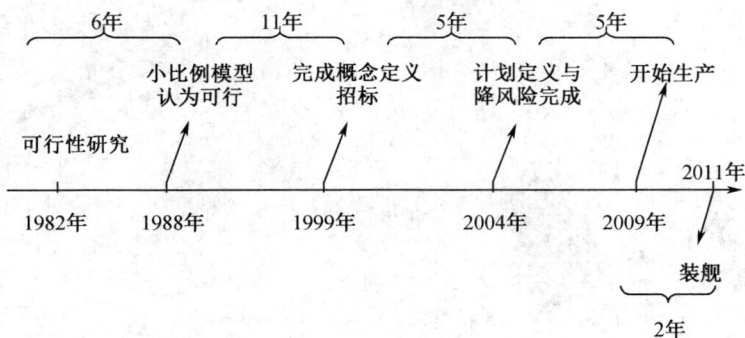

6年　　11年　　5年　　5年

小比例模型
认为可行

完成概念定义
招标

计划定义与
降风险完成

开始生产

可行性研究

2011年

1982年　　1988年　　1999年　　2004年　　2009年

装舰

2年

图 4.6　美国电磁弹射器研制进度

89

2011 年 1 季度到 2014 年 1 季度为系统设计、开发与测试阶段。2011 年 2 季度通过系统需求评审和系统功能评审,2013 年 3 季度通过初步设计评审和关键设计评审,2014 年 1 季度通过实验准备状态评审。

(2)研制费用

在电磁弹射器的研制经费上,美国海军在计划定义与风险降低阶段支出了约1.4 亿美元;2011 年和 2012 年已投入经费约 262.1 万美元。2013 年投入经费113.1 万美元。当计划进入生产阶段时,也需要经费支持。

2. 先进阻拦装置

(1)研发情况

随着航母的电气化,美国开始研制适应电气化航母的阻拦装置,即先进阻拦装置(AAG)。先进阻拦装置(图 4.7)是一种新的舰载机阻拦系统,将替换美国海军当前使用的 Mk7 Mod4 型液压阻拦装置。先进阻拦装置能在阻拦飞机的动态过程中主动采取措施降低阻拦索的张力峰值,精确控制飞机尾钩负载以及飞机停留在甲板上的位置。在舰载机与阻拦索接触并张紧的时候,先进阻拦装置的阻拦索冲击缓冲器可起到缓冲作用,降低对舰载机尾钩的瞬时拉力,使整个阻拦过程更加平缓。与 Mk7 型液压阻拦装置相比,先进阻拦装置不仅能够回收质量更重、速度更快的飞机,而且能够回收轻质的无人机。此外,先进阻拦装置还有运行更可靠、对人员需求少、维护工作量少、保障费用低、安全性更高等优点。

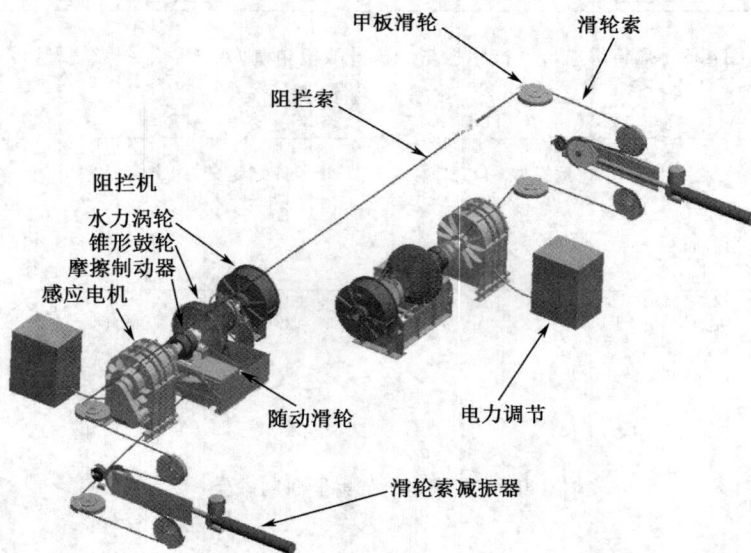

图 4.7 通用原子公司开发的先进阻拦装置

先进阻拦装置的概念与技术发展阶段开始于 2001 财年。2002—2003 年完成方案分析和技术成熟度评估等前期工作,2003 年 4 季度达到里程碑 A。2003 年 4 季度达到里程碑 A 后,签订技术开发合同。2004 年 1 季度通过系统需求评审、2004 年 4 季度通过初步设计评审,2003 年 4 季度到 2005 年 1 季度为技术开发阶段,2005 年 2 季度达到里程碑 B。2005 年 2 季度达到里程碑 B 后,签订系统开发与演示验证合同,2006 年 1 季度通过关键设计评审,2006—2010 年完成一套样机制作、完成陆基试验场准备,2011—2013 年在试验场开始各种内场测试。计划 2014 年准备着陆阻拦跑道试验场,开展飞机着陆阻拦试验。2015 年 3 季度达到里程碑 C。

2005 年 2 季度到 2015 年 3 季度为系统开发和演示验证阶段。

(2)研制费用

2002 年经费投入约 276.4 万美元;2003—2004 年经费投入约 2 822.7 万美元;2005—2014 年投入经费约 41 898 万美元。2002—2016 年投入经费 68 932.1 万美元。

3. A1B 型反应堆

(1)研发情况

核动力经过近半个世纪的发展,其技术已经比较成熟,目前航母用的核动力装置均为压水堆。全世界在役核动力航母共 12 艘,其中,美国"企业"号航母(CVN-65)采用 A2W 型压水堆,每舰 8 堆,4 轴,总轴功率约 206 MW(28 万马力);尼米兹级航母(CVN-68~CVN-76)采用 A4W/A1G 型压水堆,每舰 2 堆,4 轴,总轴功率约 206 MW(28 万马力)。法国"戴高乐"号采用 2 座 K15 型压水堆,每堆热功率 150 MW,2 轴,总轴功率约 61 MW(8.3 万马力)。

美国新一代航母福特级仍将采用核动力,二回路与尼米兹级航母相比变化较小,一回路将采用新的 A1B 型反应堆。福特级航母使用的 A1B 型反应堆布置更紧凑,而且功率比尼米兹级航母反应堆提高 25%,电力系统可提供 2.5~3 倍于尼米兹级航母的电力,满足电磁弹射器以及未来高能武器上舰的需求。

1998 年 5 月,美国海军决定新一代航母采用核动力,2000 年新一代航母正式立项。1998 年美国进行了 A1B 型反应堆的可行性研究,开始研制 A1B 型反应堆,1999 年开始概念设计,2000 年完成了初步设计,2001 年开始详细设计,2007 年底完成了 80% 的设计工作。目前该型反应堆的研制进展顺利,并于 2017 年 5 月 26 日随航母服役。

(2)研制费用

A1B 型反应的整个研制周期约 15 年,研发费用共约 14.8 亿美元(根据美国海军预算)。每座 A1B 型反应堆的堆芯采购费用为 3.3 亿美元,两座反应堆的堆芯共 6.6 亿美元。

4. 航空数据管理与控制系统

（1）研发情况

航母上的航空作业主要包括舰载机任务规划、调度、加油、挂弹、弹射、回收和维修等。在航母上有限的空间内,让航空作业高效而有条不紊地运行是发挥航母战斗力的重要保障。国外在使用航母的几十年中,发展了较成熟的航空作业管理设备和方法,但数据传递的准确性与速度以及各环节之间的协调还存在问题。例如,进行航空作业规划时,需要耗费大量人力,而且规划人员与其他决策人员的沟通可能不及时。

美国从20世纪90年代开始研发航空作业综合管理技术,开发了航空数据管理与控制系统(ADMACS),提高了舰载机出动架次率,同时提高了航空作业管理自动化程度,降低了人力需求。

航空数据管理与控制系统是一种实时信息管理系统,通过传感器、局域网、显示与控制设备,连接航空作业相关系统,包括光学助降系统、无线电空管和助降系统、弹射与回收装置等,在全舰范围内实现所有航空作业相关数据的融合、分发和控制,集成航空作业规划和执行功能,包括舰载机任务规划和执行、航空武器搬运和挂载卸载、航空燃油补给、航母维修、舰载机维修、舰载机调度、舰载机弹射与回收、飞行甲板管理等。航空数据管理与控制系统还与航母作战系统、导航系统和气象系统相连。

美国海军1991年开始航空数据管理与控制系统的概念设计。5个子系统独立开发,均成熟后进行集成。其中综合全舰信息系统(ISIS)1995年在"华盛顿"号航母上完成了先期开发模型评估,1998年10月在"罗斯福"号上完成技术评估,1998年11月在"罗斯福"号上完成作战评估;航空武器信息管理系统(AWIMS)1995年在"华盛顿"号航母完成安装并通过鉴定;进近与着舰可视图像系统(VISUAL)1999年6月完成第1阶段试验,2002年完成设计验证、环境适应性和电磁兼容性试验,2003年完成技术需求验证,2004年完成作战评估。

2011年2季度通过系统需求评审,2011年4季度通过初步设计评审,原计划,航空数据管理与控制系统Block 3,2013年3季度通过关键设计评审,2014年1季度通过实验准备状态评审。2014年1季度到2014年4季度进行接口测试。2014年1季度到3季度进行性能测试。由于Block 2在里程碑授权决策之前的相关测试中发现软件存在缺陷,对原计划进行了调整。2013年3季度完成航空数据管理与控制系统软件和软件代码开发的系统需求评审。2014年1季度完成初步设计评审和关键设计评审,2014年3季度通过实验准备状态评审,2014年完成软件和硬件开发。2015年1季度进行集成测试,2015年2季度完成作战测试与评估。

（2）研制费用

①航空数据管理与控制系统Block 0和Block 1的应用与费用

航空数据管理与控制系统Block 0主要搭建综合全舰信息系统和航空规划工

具,于 2001 年完成在美国海军所有航母上的安装。

航空数据管理与控制系统 Block 1 在 Block 0 基础上增加了部分飞行甲板/机库甲板管理、武器管理、弹射与回收设备管理等功能,于 1999 年达到第 3 节点,2000 年开始小批量生产,并安装到"华盛顿"号和"罗斯福"号航母上试用,至 2004 年在 9 艘航母上完成了安装。

航空数据管理与控制系统 Block 0 和 Block 1 的开发费用为 1 500 万美元,9 套系统的总采购费用(包括采购、安装和调试)为 3 432.5 万美元,合计 4 932.5 万美元。

②航空数据管理与控制系统 Block 2 应用与费用

航空数据管理与控制系统 Block 2 在 Block 1 的基础上增加了自动飞机跟踪和自动弹药跟踪等功能,于 2008 年完成系统开发与示范论证阶段,通过关键设计审查,达到节点 C,开始小批量生产和安装,并首先安装到"林肯"号航母上。

航空数据管理与控制系统 Block 2 的研发费用为 1 535 万美元,2008—2011 年间采购 9 套,总采购费用为 3 850.3 万美元,合计 5 385.3 万美元。

航空数据管理与控制系统 Block 3 在 2011 年和 2012 年已投入经费约 625.9 万美元,2013 和 2014 年投入经费 674.1 万美元,2011—2014 年共投入 1 300 万美元。

5. 联合精确进场着舰系统

(1)研发情况

舰载机自动进场着舰系统是航母最主要、最可靠的舰载机电子助降技术,一直受到美国海军的重视。联合精确进场着舰系统是以全球定位系统为基础的新一代精确进场着舰系统。它将替代几型过时的着陆系统,通过集成了一系列子系统,可为固定翼、旋翼、有人或无人机提供在快速部署、恶劣天气、不利地形等情况下全天候精确进场与着陆能力。可在固定或永久地面单位、军用平台和舰船上使用。

联合精确进场着舰系统主要包括舰载和机载两部分,舰载部分主要负责对飞机进行雷达跟踪、控制、信息处理及显示;机载部分处理大量信息、校准飞机下滑航线、向舰载部分下传大量有用信息以实现精确着舰。该系统所提供的助降指示信息精确度更高,而且可以实现原来必须由台战术无线电导航系统(TACAN)和 AN/SPN-46 雷达联合使用才能完成的电子助降引导;此外,它还能满足作战无人机的着舰引导需求。美国海军计划 2018 年将该系统装备福特级航母。这种最新的自动着舰系统将能够有效保障舰载机(包括无人机)稳定、精确、可靠地完成着舰任务。

联合精确进场着舰系统项目是为了响应联合任务需求声明中对精确进场着舰能力需求而制定的,并分别在 1994 年 7 月 28 日获得海军作战部长的批准和在 1994 年 8 月 8 日获得空军参谋长的批准。关于精确进场着舰能力的任务需求声明于 1995 年 8 月 29 日通过联合需求审查委员会的审查而生效。并纳入 1996 年 5 月 28 日里程碑 0 采办决策备忘录,并委托空军负责。2004 年 3 月关于精确进场着舰能力的任务需求声明转为初始能力文档,于 2005 年 9 月 19 日通过联合需求审查委员会的审查。2007 年 3 月 16 日精确进场着舰能力开发文档通过了 JROC 的审查,并委托海军负责。2007 年第三季度完成方案分析。2008 年 7 月 14 日达到里程碑 B,并将加 1 版分为加 1A 版(JPALS 的延续)和加 1B 版(针对舰载机的集成设计)。2010 年 1 月 19 日,为陆基系统研制的加 2 版通过 JROC 的审查并委托空军为其负责人。JPALS 1B 在 2014 年与 JPALS 1A 合并,该项目取消。

2012 年计划增加 JPALS 2 项目,2012 年 12 月出资开发加 2 版的任务由空军转到海军。2015 年 1 季度加 2 版达到里程碑。

(2)研制费用

JPALS 从 2002 年 4 季度到 2008 年经费投入约 15 285.2 万美元。2008 年到 2014 年经费投入约 66 912.5 万美元。2015 和 2016 年预计投入 13 336.5 万美元。2008 年到 2016 年共投入 80 249 万美元。2017 到 2019 年预计投入 10 170.9 万美元。2020 年预计投入 144.9 万美元。2008 年到 2020 年共投入 90 564.8 万美元。

6. 有源相控阵雷达技术

(1)研发情况

舰载雷达一直是现代舰艇作战系统的重要组成部分,是舰艇的"眼睛",舰载雷达性能的优劣,对现代海战的影响极大。目前,各国海军都在积极研制舰载有源相控阵雷达。光美国就已启动了多型舰载有源相控阵雷达计划,分别为 SPY - 3 和广域搜索(VSR)双波段雷达组、固态 SPY 雷达(SS - SPY)和 SPY - 1E 雷达计划,其中双波段雷达组技术已基本成熟并将在 DDG 1000 和福特级航母上进行装备。

双波段雷达组中的 SPY - 3 最早于 20 世纪 90 年代中期开始概念研究和降低风险研制,到 2002 年进入工程和制造研制阶段。由于技术风险和难度较大,原计划定于 2003 年进行的 SPY - 3 作战评估测试推迟到 2006 年。据 2008 年美国国防部部分武器项目评估报告,SPY - 3 雷达已完成了试验工作,技术已成熟,广域搜索雷达技术成熟度仍然较低。早在 1997 年,美国海军就谋划发展用来替换 SPS - 48 和 SPS - 49 的新型远程广域搜索雷达,但直到 2002 年第三季度才开始概念研究和降低风险研制,到 2005 年进入工程和制造开发(EMD)样机建造阶段,根据 2008 年美国国防部部分武器项目评估报告,由于样机研发和试验设施建造方面存在的问题,使搜索雷达的陆上试验工作推迟了一年多,到 2007 年。为保证舰艇建造进度,海军在另一试验场对广域搜索雷达进行了首次试验。2008 年开始进行雷达升级和技术改进。2012 年 3 季度到 2015 年 2 季度完成 CVN - 78 上双波的雷达战术训练模拟器的集成,2012 年 3 季度到 2017 年 4 季度完成 CVN - 78 上双波的雷达试验和鉴定。

（2）研制费用

美国海军研制的双波段雷达组将首先用于 DDG 1000 驱逐舰。其中的SPY－3 雷达从概念研究到技术成熟,美国海军共投入上亿美元。为了能够在美国海军下一代航母福特级（CVN－78）上进行安装,美国海军于 2008 年 10 月与雷声公司签订一份价值 2 350 万美元的合同,对双波段雷达组进行一定的改进。广域搜索雷达项目前已投入了约 2 亿美元。2008—2014 年投入经费约 7 576.8 百万美元。2015—2020 年预计投入经费约 3 601 万美元。2008—2020 年共投入 11 177.8 万美元。

7. 激光助降系统

（1）研发情况

1986 年,美国汉堡马丁研究实验室开始研制用于航母的激光助降系统;1993 年,美国成立了激光引导有限公司,开始制造激光助降系统,同年在美国海军各陆基训练机场进行了示范论证,所有航母着舰信号官均认为在航母上应用该系统是最重要的安全措施之一。

1994 年,激光助降系统安装到“星座”号航母上进行试用,用于第 2 航母航空联队（CVW2）训练。该设备经过试验后,获得了舰载机飞行员的广泛认同和接受。美国航母上许多飞行员在短期内就建立了对该设备的高度信任。另外由于以雷达为基础的无线电助降系统常出现故障,激光助降系统就成为唯一引导设备（除监视雷达外）。据舰载机飞行员表示,激光助降系统能显著改善飞行员空间感知,减少不确定性。

该设备原计划于 1998 年第三季度开始小批量生产,但由于稳定补偿平台遇到技术困难,并且系统还遇到了电磁干扰问题,导致推迟到 1999 年第三季度才开始小批量生产。

1999 年激光助降系统正式获得生产证书,开始在美国所有航母上推广应用,至 2003 年底安装完毕。表 4.5 为美国各航母激光助降系统安装时间表。

表 4.5　美国各航母激光助降系统安装时间

航母	安装时间	航母	安装时间
小鹰（CV－63）	2001 年 2 月	卡尔·文森（CVN－70）	2002 年 8 月
斯坦尼斯（CVN－74）	2001 年 6 月	企业（CVN－65）	2002 年 11 月
尼米兹（CVN－68）	2001 年 9 月	罗斯福（CVN－71）	2002 年 11 月
华盛顿（CVN－73）	2001 年 9 月	里根（CVN－76）	2002 年 12 月

表 4.5(续)

航母	安装时间	航母	安装时间
林肯(CVN－72)	2001 年 9 月	艾森豪威尔(CVN－69)	2003 年 06 月
杜鲁门(CVN－75)	2001 年 9 月	肯尼迪(CV－67)	2003 年 10 月

（2）研制费用

据估计,美国激光引导有限公司开发激光助降系统只花费了 240 万美元左右。该设备还可用于民用机场,具备军民通用性。2001 年之前美国海军订购了 10 套用于航母的激光助降系统,总价 220 万美元,平均每套 22 万美元;美国海军还订购了 4 套用于海航站训练的岸基型激光助降系统,总价 60 万美元,平均每套 15 万美元。

4.3.3 福特级航母关键系统设备购置费用

"福特"号航母的电子设备购置费用(表 4.6)为 3.081 57 亿美元,约占设计建造费用的 2.95%。表 4.7 为"福特"号航母电子设备购置费用表。

表 4.6 "福特"号航母电子设备购置费用表

重要系统与设备购置费用	2008 财年数据／亿美元	2009 财年数据／亿美元
综合打击计划与执行系统	0.265 28	0.191 29
移动式用户目标系统	—	0.035 45
AN/USQ－T46X(V)X 作战舰只战术训练系统	0.083 62	0.066 21
AN/USQ－123(V)通信数据链系统	0.085 71	0.033 81
计算机辅助导航设备(CANE)	—	0.173 18
AN/USG－2 协同作战系统	0.128 44	0.112 30
海军分布式通用地面站	0.071 02	0.023 98
特高频/甚高频超视距卫星通信数字化模块	—	0.085 67
AN/USQ－119(V)4 全球海上指挥控制系统	0.117 00	0.016 44
高频无线电组	—	0.035 39
AN/UPX－29(V)敌我识别系统	0.105 13	0.097 45
AN/USQ－153 C4I 系统,非密/机密综合舰载网络系统(ISNS)	0.128 40	
AN/SLQ－32(V)电子战系统	0.126 68	0.126 68

表 4.6(续 1)

重要系统与设备购置费用	2008 财年数据 /亿美元	2009 财年数据 /亿美元
AN/SPN – 41(V)进近控制雷达系统	0.052 43	0.034 18
通用指挥控制系统(C2)	—	0.897 31
AN/SRQ – 6/MCS – 21 舰艇信号辨析设备	0.074 24	0.093 75
舰艇信号辨析舱通信	0.044 51	0.041 10
AN/TPX – 42A(V)14 航空管制中心 – 高度与身份 数据显示系统	0.059 59	0.057 39
AN/SSN – 6(V)X BLOCK 4 导航传感器系统接口	0.043 38	0.043 38
TURNKEY 无线电通信系统	—	0.189 92
海军多波段终端	0.104 87	0.069 51
AN/SPS – 73(V)X 照射系统	0.036 81	0.036 61
AN/USQ – 155(V)1 战术多码转换	0.023 48	0.024 92
通用数据链管理系统	0.022 41	0.020 25
信息安全系统	—	0.026 41
桅杆上的海流测量仪升级	0.025 54	0.020 25
AN/URC – 141X(V)多功能信息分发系统	0.025 54	0.023 09
AN/SLQ – 25A DUAL 水面舰艇鱼雷防御系统	0.019 27	0.023 16
AN/UYK – 158(V)海军战术指挥保障系统	0.025 68	0.014 63
AN/SMQ – 11 气象/海洋学卫星接收器	0.016 52	0.012 14
舰载空中交通管制通信	0.021 01	0.020 99
试验与集成项目	0.028 28	0.035 95
AN/USQ – 162(V)3 无线电自动通信系统	0.011 54	0.013 29
AN/WSN – 7(V)3 环形激光陀螺惯性导航系统	0.041 19	0.024 11
分布式系统设计集成服务	—	0.048 37
C4I 集成与协同	—	0.098 25
海基联合精确进近着舰引导系统	0.033 74	0.026 37
联合战术无线电系统	0.231 41	
协同和 Turnkey 无线电通信系统	0.336 27	
分布式舰上录像系统	0.039 50	

表 4.6（续 2）

重要系统与设备购置费用	2008 财年数据/亿美元	2009 财年数据/亿美元
MK2 MOD1C 自防系统	0.995 46	——
分布式孔径系统,红外搜索与跟踪系统	0.083 33	——
热成像感应器系统	0.031 16	——
信息保证/电子键盘管理系统	0.056 68	——
AN/USQ – 144H(V)2 自动数字网络系统	0.014 24	——
AN/WQN – 2(V)X 多普勒声呐速度记录器	0.009 29	——
全球广播系统	0.012 40	——
其他项目	0.125 00	0.188 39
电子设备总费用	3.756 05	3.081 57

数据来源:美国海军部公布的 2008 财年与 2009 财年《海军预算书》,表中后一财年数据是对前一财年数据的修正;此类数据统计工作于 2008—2009 年进行,不随年份增长更新。

表 4.7 "福特"号航母军械弹药购置费用表

重要系统与设备购置费用	2008 财年数据/亿美元	2009 财年数据/亿美元
电磁弹射器	3.176 76	3.407 93
双波段雷达(SPY – 3 和体搜索雷达)	2.018 97	2.018 97
先进阻拦装置(AAG)	0.750 01	0.750 01
"密集阵"BLOCK 1B MK15 MOD23 武器系统	0.203 66	0.183 01
AN/SQQ – 34 战术保障中心	0.091 03	0.071 31
改进型菲涅耳透镜光学助降系统	0.075 02	0.070 98
MK29 导弹发射系统(GMLS),"改进型海麻雀"导弹(ESSM)	0.189 84	0.135 75
航空数据管理与控制系统	0.061 52	0.061 53
综合弹射与回收电视系统	0.059 99	0.059 99
MK29 导弹发射系统,P/O MK31 滚体导弹	0.109 52	0.143 35
航空保障设施	0.012 66	0.012 66
着舰信号官显示系统	0.016 89	0.016 89
BLOCK 2 型数字测风系统(MORIAH)	0.013 79	0.013 83

表 4.7（续）

重要系统与设备购置费用	2008 财年数据 /亿美元	2009 财年数据 /亿美元
试验与集成项目	0.031 63	0.031 63
远程对中系统		0.013 76
喷气偏流板		0.018 58
联合攻击战斗机自动后勤信息系统	0.037 31	0.022 98
其他项目	0.119 88	0.114 84
军械弹药总费用	6.968 48	7.148 00

数据来源：美国海军部公布的 2008 财年与 2009 财年《海军预算书》。

　　以电磁弹射器和先进阻拦装置为例，"福特"号航母的重要系统与设备购置费用（含研发）如表 4.8 所示。

表 4.8　重要系统与设备购置费用（2009 财年预算报告）

重要系统与设备购置费用	CVN－78
电磁弹射器	3.407 93 亿美元
先进阻拦装置	0.750 01 亿美元

图 4.8 为"福特"号航母电磁弹射器预研费用。

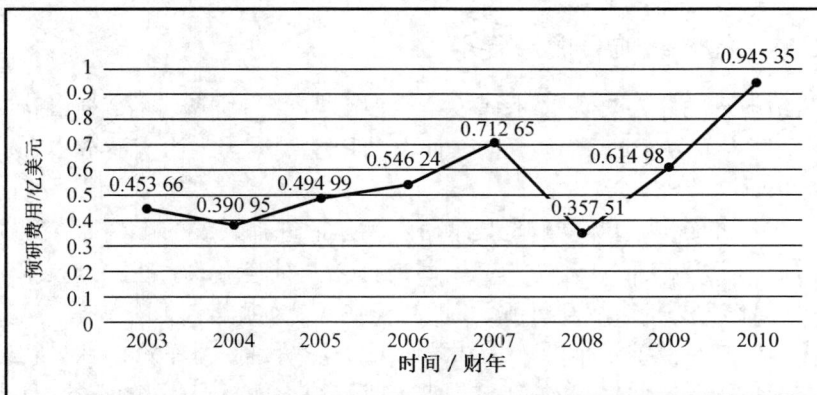

图 4.8　电磁弹射器预研费用（2010 财年预算报告）

根据2006年美国海军的预算,采办8套先进阻拦装置(用于舰上),研制费用1.661 24亿美元,总采办费用4.530 43亿美元(仅包括舰上采办和安装,不包括岸上);采办4套先进阻拦装置(用于赫斯特湖海航站),研制费用1.661 24亿美元,总采办费用0.912 03亿美元。表4.9为"福特"号航母船机电设备购置费用表。

表4.9 "福特"号航母船机电设备购置费用表

重要系统与设备购置费用	2008 财年数据/亿美元	2009 财年数据/亿美元
船机电工程服务	0.275 03	0.311 38
综合后勤保障	0.041 60	0.041 60
救生筏	0.022 52	0.022 52
建造材料和政府提供设备	0.030 24	0.030 24
测试与集成	0.085 21	0.077 54
搬运车(包括铲车)	0.045 70	0.005 00
船体、机械与电子设备的安装与测试	0.044 88	0.035 00
船体、机械与电子设备总费用	0.545 18	0.523 28

数据来源:美国海军部公布的2008财年与2009财年《海军预算书》,表中2009财年数据是对2008财年数据的修正。

据2013财年预算报告,"福特"号航母建造费用从2008财年预算的47.27亿美元上涨至54.31亿美元,涨幅14.9%。

4.3.4 福特级航母建造费用

福特级航母的建造涉及技术研发、组织管理、部门协调、系统配套等许多问题,是一个庞大而复杂的系统工程,其建造费用主要涵盖人力资源成本和原材料费用两大方面。

人工成本方面,为避免受航母技术研发和建造进程延误的影响而导致工时增加和人力成本上升,美国在建造"福特"号航母之前对其中的一些关键技术进行了前期开发,但作为福特级航空母舰的首舰,建造经费(尤其人力资源成本)受众多不确定因素影响导致该舰难设定一个可实现的经费目标,海军难以在最初经费额度内及时交付舰船。此外,在建造过程中,承包商曾经通过对一些新的,且未经验证的手段进行估算,预计可节约成百上千工时。例如,在建造管理过程中运用产品模型的方法,可以节省约400 000个舰船建造工时,且通过设备改进和设计方案优化可进一步节省工时。然而,承包商承认,无法精确估计通过上述新举措到底能够节约多少工时。事实上,这些新手段实际节约的工时往往比预期的要少。而如果海军延误了给承包商相关技术信息的时间,或者耽搁了一些关键技术和试验进度,工时将会增加,其费用风险也会逐渐增大。虽然美国海军将"福特"号航母的建造工时比尼米兹级首舰的建造工时预估增加了 10%,并提出提高造船厂的实际劳动效率来减少人力成本,但以往的经验表明,通过提高效率节省工时,其结果往往不如期望的好。目前,国防部独立成本分析专家还没有对"福特"号航母建造中劳动效率提高对工时的节省状况作出评价。由此可见,"福特"号航母建造过程中对于人工成本的控制均未到达理想效果,相应人力资源成本控制尚未找到高效方法。

原材料费用方面,材料配套体系包括材料的研制、配套材料和工艺完善等,是航母建造的基础,其花费也很可能超过预计值,并造成最终成本高于目标经费。以原材料报价为例,其存在很大不精确性,导致材料费用偏离预估。船体结构材料是航母原材料的主体,航母结构用钢的演变与应用对航母建造的原材料费影响重大。

4.3.5　福特级航母初始采办费用分析

2012 年 2 月,美国国防部提交 2013 财年预算申请报告,其中"福特"号航母设计建造费用再次比上年上涨约 8 亿美元,这在后金融危机时期美国面临巨大财政压力的情况下,引起了美国国内的高度关注和大量批评。"福特"号航母设计建造总费用和其子费用上涨情况趋势如图 4.9 和图 4.10 所示。

福特级航母计划建造 12 艘,将逐渐替代现役的企业级和尼米兹级航母。该级航母从 1993 年开始概念论证,1996 年开始方案论证,2000 年 6 月正式立项。迄今为止,福特级航母项目进展总体顺利,首舰"福特"号航母于 2000 年 6 月开始概念设计,2004 年开始详细设计,2005 年切割第一块钢板,2008 年 9 月签订建造合同,2009 年 11 月铺设龙骨,交付时间多次推迟,最终于 2017 年 5 月 26 日正式服役,并计划于 2020 年正式投入战略部署。

美国海军 2008 财年预算报告中,"福特"号航母的设计建造费用为 104.89 亿美元,而在 2013 财年预算报告中,该项费用已上涨至 123.23 亿美元,涨幅为 17.5%。其中设计费用从 23.55 亿上涨至 32.78 亿美元,涨幅为 39.2%;建造费用从 47.27 亿上涨至 54.31 亿美元,涨幅为 14.9%;系统设备购置费用从 26.44 亿上涨至33.16 亿美元,涨幅为 25.4%。设计建造费用的具体构成及上涨情况如表 4.10 所示。

表 4.10　"福特"号航母设计建造费用构成及上涨情况　　　单位:亿美元

项目费用	2008 财年	2013 财年	费用变化百分比
设计费用	23.55	32.78	+39.2%

表 4.10 （续）

	项目费用	2008 财年	2013 财年	费用变化百分比
	建造费用	47.27	54.31	+14.9%
	订单修订	2.36	2.32	-2.5%
系统设备费用	电子设备	3.76	3.45	-8.2%
	核动力装置	15.16	15.16	0
	船体、机械与电气设备	0.55	0.36	-34.5%
	军械	6.97	14.19	+103.6%
	其他费用	0.78	0.69	-11.5%
	通胀费用	4.51	0	—
	总计	104.89	123.23	+17.5%

注:表中各项数据均为四舍五入后的结果。

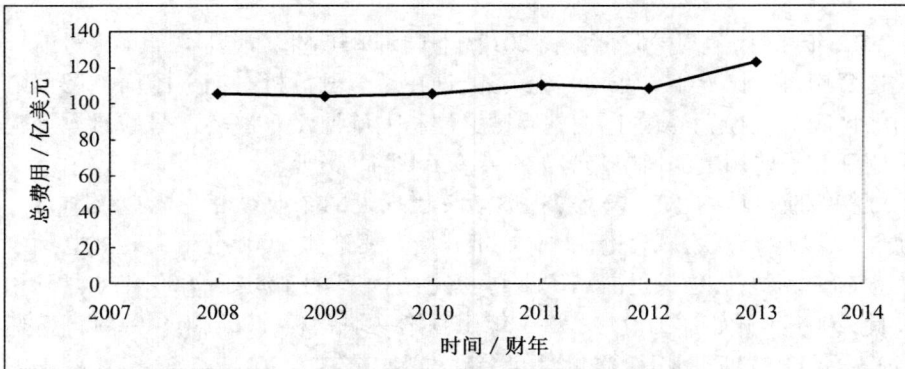

图 4.9 "福特"号航母设计建造总费用上涨情况趋势图

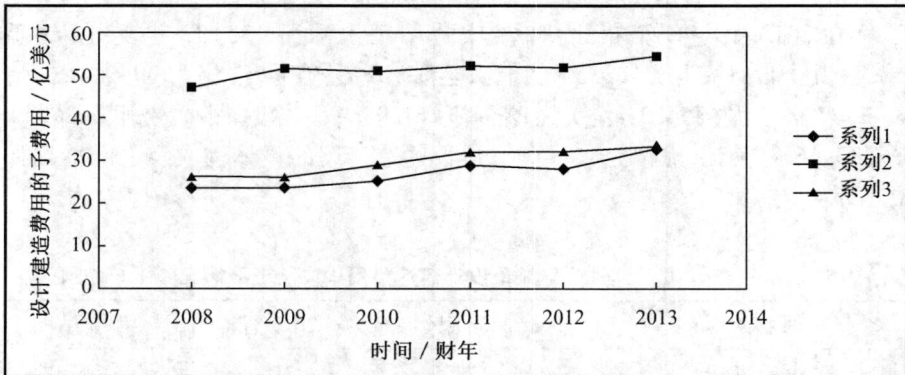

图 4.10 "福特"号航母设计建造费用构成（子费用）及上涨情况趋势图

4.4　福特级航母研制过程中成本超支原因分析

4.4.1　工业条件因素

美国有着扎实的国防工业基础,工业能力和基础设施得以保证,"福特"号航母建造能力受限较小,前期支持技术和设施费用投入少对减少航母研制成本贡献明显,另外其航母工业能力一直保持较为稳定的水平,福特级航母多舰建造流程合理安排,如集中采购和建造进度节点设定等都使航母工程项目持续稳定开展,由此产生的高效费比对航母成本控制产生一定作用。

4.4.2　论证和设计因素

"福特"号航母在设计建造前对关键参数和性能进行了充分的调研、论证和设计,大幅降低潜在风险,避免后续设计建造产生致命错误而影响成本。"福特"号航母设计过程中十分关注论证和设计工作的时间安排对费用的影响,强调对关键技术单独提前研究以节省航母全寿命周期费用。从完成的设计工作的数量上可以发现,"福特"号航母与之前的航母相比,在建造合同签订前需进行更多、更完善的设计工作。"福特"号航母设计工作的成果在一定程度上取决于建造设计方法与延长的建造准备时间,受其影响该航母在建造前需要比之前的航母完成更多的设计工作,只有在完成 67% 的设计工作时(几乎包括了全部的推进动力系统设计工作),建造方面的工作才能步入正轨。而且,根据建造合同,造船厂不仅要对航母进行设计,还要采购一些生产周期较长的材料和制造航母的部分部件。"福特"号航母给承包商的准备时间是 44 个月,相比于"布什"号航母的 28 个月准备时间提高了 57%。

由于增加了建造"福特"号航母的准备时间,改进了设计过程,与以前的航母建造相比,承包商可以在建造合同批准前开展更多的工作。由此,"福特"号航母75% 的设计工作在 2008 年 1 月航母建造合同批准前就完成了,而"布什"号航母在建造时,尽管有以前航母的建造经验和技术基础,但在建造合同批准前,大部分的设计工作都未能完成。"福特"号航母由于设计工作完成得较多且相对成熟,承包商可以更好地评估材料需求,到合同批准时,承包商签订合同或收到报价材料的数量有望达到整个建造材料数量的 70%,与之相比建造"布什"号航母时这一数字只有 55%。设计上取得的成果也为建造工作提供了很大便利,与之前的航母相比,承包商在建造合同批准前已经制造了航母的多数部件,大约 13% 的建造部件有望在合同批准前完成,而"布什"号航母相同时期只完成了 3%。

4.4.3 研发和建造进程因素

即便在上述两方面"福特"号航母在成本控制方面具有一定的优势,但其最终的设计建造费用仍大幅超过预算,这主要是受研发和建造进程推迟的影响。

尽管"福特"号航母在建造前进行了大量的前期准备工作,但由于各种原因,其设计研发进程还是不断推迟,造成建造延误、费用上涨。具体来看,"福特"号航母项目要想成功,首先取决于两个条件,一是按时交舰,二是舰上采用的新技术是成熟、可用的,只有这样才能控制建造成本,提高航母性能。为实现这个目标,最重要的是在建造过程中同步、高效集成各种技术。例如,各种技术在第一次进船厂安装的时间是不同的,某项技术安装在航母的位置越低,其需要安装的时间就越早。而不同的技术由于重要程度不同,对于建造工序及费用增长的影响也是不同的,"福特"号航母的设计被分为 423 个"独立设计区域"(75 个用于推进装置,348 个用于船体平台)。尽管每个区域为一个独立的设计单元,但这些区域相互关联,某些技术需要在多个区域中使用。一个设计区域变动后,所有与之关联的设计区域也必须随之变动。如果某项技术对若干个区域产生影响,这些区域又会影响其关联区域,那么该项技术问题就很可能对整个航母的设计构成一连串的影响,像"福特"号航母上的先进武器升降机会影响 68 个区域的建造过程和建造进度,核动力与电力装置会影响到 75 个区域的建造过程和进度,而 65 号高强度低合金钢甚至对 348 个区域的建造进程都有重大影响,一旦这些技术出现问题,对航母建造进程的影响将是非常明显的。尽管采用了产品模型提高设计效率并提前完成了 67% 的航母设计工作,但最终结果是若建造进度不向后推迟 1 年,设计工作赶上建造进度的难度会更大。可见,设计研发过程的不确定性对进度的影响会直接造成航母成本的大幅变动。

从"福特"号航母建造的实际进展来看,在对"福特"号航母的建造进度影响较大的几项关键技术中,核动力与电力设备、反向渗透海水淡化系统和 65 号高强度低合金钢已经在早期完成测试,这使该航母的建造风险大大降低,而电磁弹射系统、双波段雷达、先进阻拦装置等虽然在零部件研发方面已经取得了很大的进展,但由于在实际的实施过程中遇到了关键设备未能达到军方性能指标要求、系统的工程建造以及其他需求也未能与海军达成协议等诸多困难,最终还是导致了该航母建造进度的推迟。从中可以看出,尽管每项技术都已经取得了关键性的技术突破,但在紧凑的试验与生产进度计划中,留给解决试验或生产中所发现问题的时间极少,甚至没有安排这类时间。由于电磁弹射系统、双波段雷达、先进阻拦装置在试验或生产过程中已经出现了问题,这些系统要想按时间进度完成并交付船厂将会非常困难。

以电磁弹射系统为例,"福特"号航母开发的先进弹射系统与传统弹射装置不同,它需要使用软件控制系统来控制弹射过程,并为后续弹射飞机做好系统准备。

按照美国海军的计划,该先进弹射系统应于 2007 年完成硬件与软件各部件的开发,2008 年完成模拟飞机的系统试验,在陆基试验中使用模拟飞机和真实飞机对软件控制系统的性能进行论证。但截至 2008 年,承包商只完成了软件系统的设计,并没有对该软件系统进行过试验,这就使该软件系统面临很大的技术风险。即便试验成功,这种先进弹射装置也不可能按期交付船厂。软件系统及其模拟试验进程的拖延已使该项目投产比计划中交付"福特"号航母使用的时间推迟了 6 个月,而按期交付先进弹射装置对节约船厂的建造工时非常重要。与以前的航母不同,"福特"号航母的制造计划是在安装飞行甲板之前安装弹射装置,如果在飞行甲板安装完毕后才交付先进弹射装置,承包商就要付出额外的工时,即先把飞行甲板切开一个洞,再将该系统通过这个洞放进去,最后再把甲板焊接在一起,这种情况下建造费用肯定要增加不少。美国海军认为,如果将该弹射系统分解,一块一块地交付船厂,并将各种试验合并起来,就可以满足该系统的交付时间要求。美国海军在试验期间提高各个试验周期的速度,以去掉进度表中富余时间。然而,压缩试验数量会带来其他风险,因为只剩下很少的时间来解决生产前试验过程中出现的问题。

对于其他两项出现推迟状况的关键技术——双波段雷达和先进阻拦装置,也同样面临着十分复杂和严峻的挑战,甚至会对美国海军的其他建造造成影响。例如,"福特"号航母双波段雷达的设计初衷是既可以满足驱逐舰要求,也可以满足航母要求。但是,广域搜索雷达在研制发射/接收设备的关键部件时遇到了困难,试验中雷达主电路不能在雷达所要求的工作电压下可靠地工作。同时,与舰载机飞行有关的主要电子系统和双波段雷达之间的电磁干扰问题仍未完全弄清,多功能雷达若在飞机降落期间不采取信号抑制措施,可能会与飞机本身的进场雷达产生干扰,从而导致飞行甲板上发生重大安全事故,这可能是电磁干扰的最大危险。双波段雷达在本来就十分紧张的时间进度下又出现了这些问题,不可避免地会推迟"福特"号航母的建造进程,增加建造费用。因此,在试验期间发现的问题可能会对 DDG 1000 项目产生直接影响,关键技术的研发进程对航母建造费用乃至海军作战水平的重要性可见一斑。

对于一些对建造进程影响较低的技术则大可放松,即使未按照计划达到成熟程度,海军也可以选择舍弃这些技术。"福特"号航母上新的武器管理系统仅仅是一个软件系统的更新,在必要情况下,海军可以放弃这一新的系统,选择现有航母使用的成熟软件,这并不影响福特级航母达到最低的性能需求。同样,为减轻航母的质量,海军正考虑在"福特"号航母的飞行甲板上使用新型高强度钢材,其前提是弹道试验取得成功,然而,即使后者试验不成功,仍可采用目前计划在航母上使用的钢材作为候选,其性能也是能够接受的,对航母总体能力不会构成重大影响。

4.4.4　通胀和原材料成本因素

"福特"号航母在建造过程中,出现了因通货膨胀引起的原材料价格和劳动力成本上涨现象,成为航母建造费用增加的一个重要原因。

对于美国新一代福特级航母"福特"号,在保证基本性能的前提下,为降低材料成本和单位质量,美国海军和承包商吸取了以前尼米兹级航母建造的经验和教训,在建造合同签订前,就广泛征询了供货商的实际报价,且承包商对原材料采购的权限增大,由于合同签署前该航母就已经完成了大部分设计工作,所以承包商对"福特"号航母材料成本的估算更精确。而且考虑到原材料价格受通胀因素及市场波动影响较大,美国海军与承包商签订建造合同时,70% 以上的原材料成本都未写进合同。2008 年,美国海军对 HSLA – 65 和 HSLA – 115 两种钢材进行了进一步的验证,并确定将 HSLA – 65 钢用于"布什"号航母的壳体建造,将 HSLA – 115 钢用于"福特"号航母的飞行甲板的建造。HSLA – 115 钢的屈服强度为 800 MPa,高于"福特"号航母原打算采用的 HSLA – 100 钢。采用 HSLA – 115 钢不仅可以降低航母的重心,还可显著减小飞行甲板的厚度,从而减轻航母质量。据初步估算,这种材料可为"福特"号航母减少 400 t 的质量,并有效提高了飞行甲板的强度。

另一方面,"福特"号航母在建造过程中的管理和监督不足使原材料成本上升,美国国防合同审计局对"福特"号航母承包商的原材料运作系统进行了审查,发现了很多方面的不足。例如,承包商有时过早地购买了部分原材料,而使用这些原材料的工序还没有开始,每年仅保管这些材料就需要花费几百万美元;不同工序之间的原材料存在不正确的混用现象,造成了材料成本的上升;由于造船厂工作量的不稳定,有时为了赶进度,造船厂工人会加班工作,加班费比平时的工资要高很多,也会直接导致管理费用和劳动力成本的上升。

相对于承包商,美国海军在航母建造合同签署之前就进行关键部位的设计,该方法使海军对"福特"号航母的建造合同有了更深入的了解,但他们仍然对船厂缺乏有效的监督能力,不能充分利用了解到的信息来掌握并分析目前造船厂的实际状况。例如,净值管理作为一种工具,能够使政府和承包商了解二者签署合同的技术、费用以及进度进展等情况。但由于无法得到充分的净值管理数据,美国海军无法对造船厂的费用状况进行有效管理,对可能存在的问题无法进行了解和纠正,也就无法采用恰当的措施控制成本费用的增长。海军对船厂费用的监督能力不足,也使日后政府监管变得更加困难。

4.4.5　需求和环境因素

为满足新环境下美国对新型高性能航母的旺盛需求,福特级航母各舰建造的平均间隔时间很短,甚至同时进行,加之美国军方在采办策略上鼓励企业投资研发新技术,大幅降低了航母的研发费用。另外,"福特"号航母对于已有技术的沿用和改进,有利于降低后续各舰的设计、建造和人力费用,使技术研发和节省费用形成良性循环。

"福特"号航母的研发建造费用受由技术指标(尤其关键技术指标)的变动和延误造成的修改返工和进度推迟影响较大。以电磁弹射系统为例,由于其承包商从未生产过舰载系统,尤其是像电磁弹射系统这种与舰艇高度结合的大型复杂系统,因而在对该系统满足海军需求所必须做的评估工作方面考虑严重不足,直到在该系统大部分设计已经完成后才接到海军的各种指标要求,尤其是在电磁弹射系统的重量需求、电磁环境影响需求、舰载需求和工程的系统化需求等方面,面临着许多挑战,也使该系统的研制变得十分被动。具体说来,在重量需求方面,"福特"号航母电磁弹射系统承包商最初设计和试验的电磁弹射系统是根据系统重量最小化的原则进行配置的,但在海军确定航母的生存需求后,该系统不得不重新配置,增大了电磁弹射系统部件的强度,并增加了卷缆柱的用量,致使电磁弹射系统的重量超过了最大重量要求,航母其他位置的重量不得不重新分配,还要对辅助系统进行重新设计。在电磁环境影响需求方面,由于受到电磁兼容问题的影响,电磁弹射系统可能会干扰舰载系统或武器的操作,并可能对航母或人员造成潜在的安全损害。在该系统设计成形后,出现了许多电磁影响事件,需要进一步核查可能造成的电磁干扰,分析电磁影响。在舰面系统需求方面,由于承包商先期设计了电磁弹射系统的能量转换子系统,而当海军最终下达震动与环境要求指标后,该子系统又需要进行重新配置。上述技术需求因设计时考虑不全面、海军指标延误等原因,导致设计建造费用追加,另外海军与船厂的相互协作与沟通不足,导致在满足海军指标要求方面进度延误,最终都造成航母进度推迟和成本超支。

4.4.6 海军决策和举措

美国海军在"福特"号航母的全寿命周期中扮演着重要的角色,其一举一动都影响着航母的全寿命周期费用,尤其在设计建造阶段的决策和举措直接关系到航母的费用状况。例如,GAO 在 2007 年 8 月的报告中指出,"福特"号航母的建造经费可能超出预算,主要原因是:

(1)海军的预算是根据其成本估算制定的,而成本估算过于乐观,比如,海军认为"福特"号航母的人力工时将会少于前两艘航母,这种预计明显过于乐观;

(2)使用海军的预算成本根本无法完成舰船的建造,造船厂最初提交的建造成本预算额比海军的成本预算额高出 22%,虽然海军和造船厂都在努力降低耗费,但"福特"号航母的实际建造费用极有可能高于海军的预算;

(3)海军对于经费使用的监督和管理力度不足,由于缺乏有效的经费监督,海军不能及时发现经费增长的早期信号,也就无法采取有效措施来控制增长。

4.5 福特级航母全寿命周期费用
管理与控制策略

4.5.1 "福特"号航母采办阶段的费用管理与控制策略

1 采用渐进式采办策略

如图4.11和图4.12所示,美国海军在福特级航母上采用了渐进式采办策略,首舰"福特"号航母只需要达到作战需求文件规定的下限目标(在关键性能参数上体现为容许值)即可,随着技术的进步,以后每艘航母都采用更先进、更成熟的技术,逐步提高技术水平和作战能力,最终实现目标(在关键性能参数上体现为目标值);同时,新技术也逐步植入已服役的福特级航母上,使该级所有航母的技术水平都得到提升。通过采用渐进式采办策略,能够有效地控制技术风险,保证建造进度。

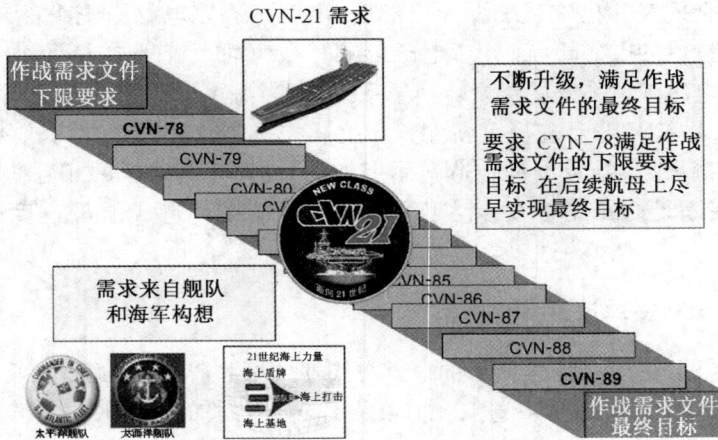

图4.11 通过12艘航母的发展实现作战需求文件规定的理想目标

2. 加强国家政府机构过程审查和评价

在福特级航母采办过程中,美国国会、美国国家审计署(GAO)和美国国防部都会密切关注项目的进展,评估其中出现的成本和周期问题。美国国会研究中心(CRS)对每一级航母进行跟踪,并根据进展情况不定时发布评估报告,提醒国会应该注意的问题,2010年4月发布的《海军"福特"号(CVN-78)航母项目:为国会提供的背景和问题》提请美国国会关注"福特"号航母可能出现的成本超支问

集成上层建筑

更小的"岛"位置重置右舷靠后

带嵌入式天线的复合桅杆

新型推进／电力装置

区域配电系统

新的推进装置

联合精确进场着舰系统

多功能雷达广域搜索雷达

着陆区飞机综合补给站

飞机升降机右舷舷合重新设计

先进阻拦装置

加大飞行甲板

道机库防火门

电磁弹射系统

水下防护

提升生存能力

提升武器和物资的处理能力

先进武器升降机

重型航行补给

改进型海麻雀

提升舰艇自防能力

CVN-78

从CVN-79提前应用到CVN-78上

新的变化

关键性能参数	下限值	目标值
持续架次率	160	220
峰会架次率	270	310
全寿期翼度	重量5%/重心高0.4572(1.5 ft)②	7.5%/0.762(2.5 ft)
互操作能力	满足关键信息交换需求	满足所有信息交换需求
电量	"尼米兹"的2.5倍	"尼米兹"的3倍
人员编制	减少500人	减少900人

注：1 ft=0.304 8 m。

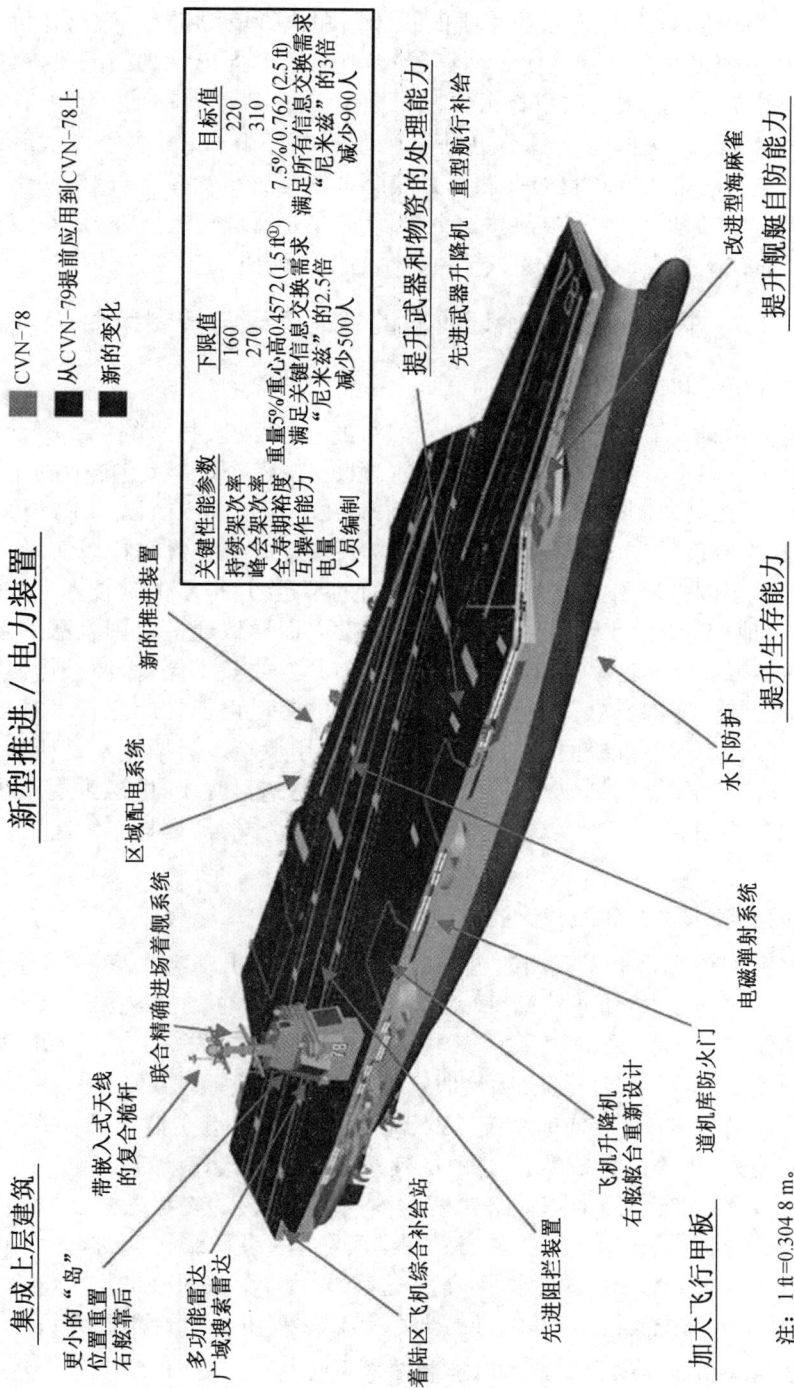

图4.12 "福特"号航母关键性能参数的容许值与目标值

题;美国国家审计署也在其审计报告中对航母项目进行评估,每年的《国防部选择武器项目评估》报告中对航母采办项目的计划和执行情况进行审查,评价技术成熟度、设计成熟度和制造成熟度方面存在的问题,同时提出该部门的改进建议,还不定期发布针对专项项目的审查报告,如《国防采办:美国海军预算内建造"福特"号航母面临挑战》;美国国会预算办公室(CBO)每年发布《海军年度造舰计划分析》,其中包括航母采办项目经费测算并与海军预算进行比较;美国国防部除了每年向国会提交《武器系统采购预算》,并解释航母等项目的进展外,还不定期发布航母采办的技术报告,对研制进展与经费控制作出评估。

4.5.2 "福特"号航母论证阶段的费用管理与控制策略

1. 充分论证和评估

"福特"号航母在设计建造之初便在经济的可承受性、技术的可支撑性和全寿命周期费用方面进行了充分的论证和评估,根据作战需求和承受能力确定合适的航母方案,并控制研制规模以将航母成本限制在一定范围内。以技术的可支撑性为例,美国拥有最先进、最成熟的航母技术,但在建造新一代福特级航母——"福特"号时,为了改进尼米兹级航母在性能方面的不足,在很多关键技术上需进行研发和改进,他们吸取了以往因技术研发进程推迟而导致建造费用上涨的教训,在建造合同签署前就对许多关键技术进行了提前开发或技术储备,像航母使用的核动力与电力装置等都已准备得比较充分。其目的是尽可能在成熟技术基础上,对航母进程和费用做更准确的评估和控制,降低费用风险。但毕竟不是所有技术都能在建造合同签署之前完成研发,"福特"号航母建造过程中,电磁弹射系统、双波段雷达和先进阻拦装置等关键技术都出现了推迟情况,需要耗时解决,造成费用上涨。

2. 加强技术、设备和舰载武器的经济性选择

"福特"号航母采取了多项改进措施:提高舰载机出动架次率;采用新的飞行甲板设计,提高舰载机作业效率;采用"一站式"航空燃油、弹药补给方式;采用"先进阻拦装置"(AAG);采用"电磁弹射器"(EMALS);采用先进武器升降机,提高弹药搬运速度;提高生命力特征,满足假定威胁的需求;采用新的动力装置,反应堆可用能量提高25%;全电辅助系统;区域配电系统,提供近3倍于尼米兹级航母的日用发电能力;更小的集成"岛"式上层建筑;双波段雷达;重新设计的"重型伴随补给(UNREP)系统",使伴随补给速度提高一倍;更快的物料搬运、储存、装卸速度;加大全寿期重量和稳性裕度储备;采用可重构的设计结构,支持全寿期内"增加作战可用性"的插入转型技术,等等。这些技术与设备的改进将大幅提高作战能力,并减少人员配置,使每艘航母的全寿命周期费用降低约50亿美元。

3. 适当采用成熟的民用技术以控制技术风险

美国审计总署在评估福特级航母面临的问题时指出,关键技术研制中存在的问题是导致费用大幅上涨、进度推迟的主要原因之一。因此,美国海军在福特级航母的设计建造过程中同样采用渐进式策略,即在大量沿用成熟技术的基础上加以关键技术的革新,从而将技术风险控制在合理范围内,以最小的风险获得性能的提升。例如,福特级航母没有冒着技术风险选择综合电力推进系统,而是采用了成熟的机械推进系统,但在设计上为采用综合电力系统做了充足的准备——除推进之外的所有系统均采用电力,一旦推进电机的功率能够满足航母的需要,后续航母只需进行较小的改动即可实现综合电力系统装舰的目标。

美国海军在科研管理和项目采办中引入技术成熟度评价方法(TRA)来降低技术风险,在对"福特"号航母论证和设计时,对航母系统中的关键技术元素进行了识别,并确立了16项关键系统和关键技术(新研)。同时,在降低项目风险方面,美国海军将其中许多关键系统,如核动力系统、电子系统、反向渗透海水淡化系统、等离子弧垃圾处理系统,以及该舰的大部分设计工作提前完成。为降低技术风险,美国海军还将"福特"号航母关键技术中的复合装甲等技术暂时去掉,使最初的16项关键技术最终减至14项,尽可能降低由于各种关键技术不成熟所带来的巨大风险,使全寿命周期费用处于可控状态。即便如此,"福特"号航母在建造过程中,电磁弹射系统、双波段雷弹及先进阻拦装置还是在技术和进程上出现了问题,造成建造费用一再上涨。

"福特"号航母的设计中,在非关键部分的系统设备采用民用标准和技术,在保证航母关键性能(尤其作战性能)不受影响的情况下,大幅降低了全寿命周期费用。

4.5.3　"福特"号航母设计阶段的费用管理与控制策略

1.优化设计以降低费用

设计会影响后续包括建造、使用、维护和拆解等在内的全寿命周期费用,航母设计时应综合考虑全寿命周期问题并改善航母的可生产性、可保障性和可改进性,避免后续问题影响进度和成本。

在设计福特级航母首舰"福特"号时,美国海军并不是完全从零开始起草全新设计,而是以现役的尼米兹级航母为蓝本,进一步改良形成新舰种。改良的内容包括:减少动力部门在运转和维护方面所需人员编制的50%;开发先进的电磁弹射系统和先进阻拦装置,适应未来舰载隐形机和无人机的起降要求;改进武器和物资操作设计,大幅提升后勤效率;改进飞行甲板,提升25%战机出击率等。通过"螺旋式"的技术改进,降低设计研发的费用和风险,提升福特级航母的作战能力,改善舰上官兵的生活质量,降低全寿命周期费用等。另外,"福特"号航母设计过程中对关键技术研制进度的制定和动态调整保证了计划的连续性和队伍的稳定性,避免各因素波动对全寿命周期费用的提升。

2. 采用全数字化三维设计

数字化技术,尤其虚拟仿真技术的应用对设计阶段提高效率和精度、减少返工和费用等方面效果显著。"福特"号航母设计阶段采用数字化三维设计,是第一艘完整利用三维设计系统设计的航母。"福特"号航母采用建模与仿真技术,在三维模拟状态下完成整艘航母的设计。诺斯罗普·格鲁曼公司、纽波特纽斯造船厂和美国海军可在设计阶段观察和分析所有的设计信息以及修改意见对整体设计造成的影响,并且这些三维设计图纸可以直接用于建造。至 2009 年 11 月,公司通过虚拟三维产品模型完成了"福特"号航母的详细设计阶段工作。通过数字化三维设计,船厂将设计过程与建造规划相结合,很大程度减少了后期建造过程中的设计变更,有效提高了建造质量并降低了建造成本。此外,通过运用该技术,"福特"号航母项目首次使航母设计与舰载机研制协同进行,使舰机适配问题在早期设计阶段便能够得到解决,大幅节约了成本。

"福特"号航母完整模型的建立采用了法国达索公司的先进计算机辅助三维交互式应用软件 CATIA。该软件是一款 CAD/CAE/CAM 一体化软件,允许建造者模拟从预先设计(方案设计)阶段到详细设计(技术设计)、分析、仿真、装配和维修的全部工业设计过程。结合 CATIA,设计人员还采用了 CAVE 计算机辅助虚拟环境工具,用于观察"福特"号航母产品模型的特定区域,这样可以在虚拟空间内亲身感受设计方案的合理性。

3. 避免设计改动

设计改动(含设计缺陷引起的)直接造成进度延误和成本增加,"福特"号航母在研制过程中分别从制度上严控设计改动和从技术上防止设计缺陷。"福特"号的设计分为 423 个"独立设计区域",很多区域之间关联密切,一个设计区域变动之后,往往会导致其关联区域也要进行相应调整,造成费用大幅上升。制度方面,"福特"号航母严格了设计改动审批制度。美国海军在 2004 年的"作战需求文件"中就已经完成了福特级航母的基础设计工作,并对航母内部的空间使用和各系统位置形成了具体规范,任何对建造结构的更改都必须得到海军管理部门的批准。对于设计的变化,只有在设计安全、功能缺陷或能降低费用的情况下才予以批准。技术方面为避免设计缺陷,一方面美军在采购福特级航母时要求舰队的技术人员和使用人员共同参加,并使开发人员和后期建造人员共同优化产品设计,以避免因后续阶段未预期的要求使部分原始设计成为缺陷。另一方面大量采用计算机建模仿真技术辅助设计,以低成本保证了设计和验证的精度,减少了"福特"号航母建造过程中的设计缺陷。与此同时,美军将在"福特"号的后续福特级航母建造中尽量采用首舰设计,只进行少量改进,包括首舰的设计缺陷、装备发展所产生的性能退化和能够减少费用的设计调整,从而大幅减少设计改动,提高项目进度,有效控制成本。

4. 选用新技术、新材料

"福特"号航母的设计阶段除了考虑对航母全寿命周期费用进行估算与控制外,还对各时期经费使用进行了相应规划,在设计中针对不同阶段应用新的技术和理念等,控制了各时期的经费支出。例如,"福特"号航母在设计阶段的武器系统采办中应用限额费用设计,每一项技术措施均关注费用的控制,从而在此阶段为控制全寿命周期费用作出贡献。

设计阶段的"福特"号航母在材料选择上倾向性能好、重量轻、成本低、寿命长的新材料,从而缩减全寿命周期费用。以结构用钢为例,"福特"号航母选用美国金属加工中心研制的 HSLA – 115 钢(最小屈服强度达到 115 MPa),预计可使单舰上部结构质量减轻 100 ~ 200 t,仅由于焊接质量的提高而降低的采购费就达 100 万美元。

2010 年 7 月 28 日,诺斯罗普·格鲁曼公司的纽波特纽斯造船厂将两台各自重达 88.45 t(195 000 磅)的备用发电机吊装到"福特"号航母上以备在停电时为整艘航母提供应急电力。

5. 将大幅削减航母人员作为重要设计目标

航母的人员编制庞大,美国航母人员费用接近全寿命周期费用的 50%,因此减少航母的人员数量对降低其全寿命周期费用意义重大。

尼米兹级航母上的人员总数为 5 480 名(舰员 2 930 名、航空人员 2 480 名、编队司令部 70 名),预计福特级航母上的舰员比尼米兹级航母减少 500 ~ 900 名,相应每艘舰的全寿命周期费用降低约 50 亿美元。为了实现减少人员的目标,福特级航母大量采用了自动化系统,并在设计中充分汲取了美国海军"智能航母"计划所获得的成果。"智能航母"计划的目的是通过全舰广域网、监控系统、人工智能系统将舰上各种机械系统和电气系统进行集中网络化监控,可以在不同的控制台对同一设备进行监控,更经常的是在一个控制台对多个系统进行监控,从而节约人手,使采用相关技术的航母的舰员数量更少。"智能航母"在尼米兹级航母上进行了试验,在福特级航母上体现得淋漓尽致。

福特级航母削减的人员主要来自两个部门:一个是反应堆部门,另一个是航空部门(其人员主要包括飞行甲板、弹射/阻拦、机库甲板和航空燃油工作人员,他们属于航母舰员编制)。对于反应堆部门,通过简化反应堆结构和采用自动监测系统,减少运行维护人员需求;对于航空部门,主要通过减少对电磁弹射器、先进阻拦装置等硬件设施的维护,采用航空数据管理与控制系统提高舰载机作业规划与管理的自动化程度,采用一站式保障技术和自动化弹药搬运系统等,减少维护和人员需求。

福特级航母采用的电磁弹射器和先进阻拦装置(分别取代尼米兹级航母上的蒸汽弹射器、液压阻拦装置)都能够融入在"智能航母"计划基础上发展起来的综合平台管理系统之中,能够与主飞行控制室连通,跟航空数据管理与控制系统等交互。福特级航母还将首次装备自动化的损管系统。这些新研系统的应用可大幅提升福特级航母在自动化方面相对于尼米兹级航母的优势。另外,福特级航母的航空联队在保持75～85架飞机的基础上,将飞行员和机组人员在原来2 480人左右的基础上削减10%～30%,但不影响作战能力。

减少人员对美国海军提高航母的居住性水平也有裨益,尼米兹级航母没有达到美国海军当前的居住性标准,福特级航母的人均舱室面积为5.202 6 m^2,比"里根"号(CVN－76)航母大25%,满足了美国海军的最低舰艇居住标准。

4.5.4 "福特"号航母建造阶段的费用管理与控制策略

1. 采用最佳采办策略

美国海军在新一代福特级航母建造过程中采用渐进式采办策略,有效地控制技术风险,最大限度降低研发费用,并保证建造进度。另外,采用双舰采购方式降低采购成本,减小航母建造平均工时,进而控制建造成本。当前美军正在考虑对CVN－79"肯尼迪"号和CVN－80采用双舰采购的方式,虽然CVN－79的建造工作已经开始,但采用双舰采购的费用不会比单舰采购更贵。

美国海军在建造福特级航母时,为了降低材料和设备采购费用,雇用了供应链管理专家研究最佳的材料采购策略,并计划把建造"福特"号航母超量采购的材料用于CVN－79上,以减少材料浪费。同时采购多艘航母提高了费用利用效率,降低工程、材料和设备方面的成本,并在重复生产方面节约费用。

2. 合理取舍技术、系统和设备

福特级航母广泛应用新材料、新技术以降低建造成本。福特级航母采用强度更高 HSLA－65 钢代替尼米兹级航母主壳体结构上大量使用的 DH－36 钢,这两种钢每吨价格相当,而采用前一种钢材可以减少约 700 t 的重量。根据美国海军研究局发布的 2013 版《福特级航母制造技术计划》,福特级航母上再采用两种新技术:一种是航母线缆的电磁脉冲(EMP)防护措施,通过这种技术可以防止当前采用的防护措施返工及工期拖延,从而使每艘福特级航母可降低材料和劳动力成本等采购费用约98.9万美元;另一种是改进武器与物资升降门设计和制造技术,用于解决当前升降机门配置和工艺复杂的问题,这一成果用于 CVN－79 及后续舰预计可节约成本 550 万美元。

"福特"号航母建造涉及的系统设备除了部分关键技术所列出的专用特殊装备外,通用装备多沿用了现成设备,并计划在后续逐步更新,从而大幅度减小和缓和航母的研制开支,并且部分采用成熟技术和民用技术以降低建造成本,如"福特"号航母沿用了上一代航母的舰载机起降方式,进而节省重新训练舰载机飞行员的费用;沿用了尼米兹级航母的舰体,使其可以继续使用原来的码头、消磁站及其他维护保障设施,而不必再进行大规模的升级和改造;诸如生活系统等不影响航母性能的系统,"福特"号采用民用技术和产品以控制成本。

福特级航母建造中通过精简效率不高的设备来控制成本,如去掉了使用率不高的舰尾部飞机升降机。美国海军海上系统司令部和船厂还对航母性能进行审查和鉴别,取消了原设计中的一些费用负担大而对性能贡献小的系统,如去掉一个废物处理系统。这些设备的取消几乎没有损失航母性能,但却节省了大量的设备采购和安装费用,并降低了对设备维护保障的需求。

3. 采用"横向技术一体化"方法

美国海军将"横向技术一体化"方法应用到福特级航母的建造过程中,节省了新技术的研发费用。"福特"号航母使用的联合精确进场着舰系统,还用于空军和海军陆战队的岸上机场,另外,该航母使用的双波段雷达原是为 DDG 1000 驱逐舰开发的。作战系统的一些主要组成部分将由海军其他项目提供,共享的电子信息装备和技术实现了航母与其他舰艇的互联互通,便于实施"网络中心战",并降低新航母费用支出。相应地,"福特"号航母的建造经费被分成两年列入预算,而不是之前的在建造第一年就全部列入预算,其原因是该舰的建造持续数年,预算的逐年下拨有利于减少对其他项目的潜在影响,从而间接降低相应关键技术对本舰费用支出的影响。假如预算在一年内全部下拨,由于数量庞大,可能影响其他项目的开展,比如当超出预算时,海军不得不寻求其他的额外投资,而且可能为了确保项目完成,挤占其他项目的经费,或通过提前完工的方式达到预算经费要求,这在以前的舰船建造项目中都曾经使用过。

4. 提高建造效率

福特级航母力求提高建造效率来控制成本,一方面"福特"号航母在建造前做了完善的建造准备,相较于 CVN – 77 的 28 个月,船厂在"福特"号航母建造前花费了 44 个月进行详细设计和准备工作,包括在建造前完成 75% 的设计工作和采购生产周期较长的材料和部件,到合同批准前,船厂已完成了约 13% 的部件,而 CVN – 77 只完成了 3% ,而作为福特级航母的第二艘舰,CVN – 79 要求完成产品设计模型和 95% 的建造图纸才能授权采购,这比授权时只完成 30% 的首舰更容易开展后续工作。另一方面,"福特"号航母优化了建造顺序,按照从船底往上的顺序进行设计建造,并尽可能地把建造工作安排在船厂车间完成,而把需要在水中完成的建造任务降到最少,按照这种方法可以提高建造工作效率和进度,节省建造费用。另外,"福特"号航母建造过程中还采用虚拟建造技术、模块化造船技术和提高工人工作效率等方式保证建造效率。

6. 应用技术消减人力成本

福特级航母建造中新技术的应用考虑了对全寿命周期费用的影响,在提高作战性能的基础上,降低对人力和维护、保障工作的需求。例如,"福特"号航母配备的新型核动力装置简化了结构,提高了输出功率,并采用先进的计算机控制技术,减少了人员需求和维护保障费用;"福特"号航母采用的电磁弹射器较以往蒸汽弹射器系统简单可靠,弹射力精确可控,效率高且维护工作量小,不仅大幅提高飞机出动架次率,还节约至少30%的人力资源和20%的全寿命周期费用;"福特"号航母使用了寿命更高的先进阻拦装置以进一步降低使用和维护费用。

福特级航母通过提高自动化和信息化程度有效降低了人员费用。"福特"号航母在飞行甲板上设置"一站式保障"区,使飞机可以自主滑行到保障区,进行检修、加油及挂载弹药,能够大幅减少甲板保障人员。由于采用了新技术和自动化技术,"福特"号航母舰员编制将比尼米兹级航母减少约800名,在整个全寿期内将节省大量人员费用。

7. 建立严格的审查与监督机制

航母采办是一个复杂过程,期间需要高质量的信息,应做到信息的准确性、完备性、及时性和有效性,否则将对正确的采购决策和有效的成本控制产生负面影响,导致采购经费使用效率低和资金浪费。在福特级航母的采办过程中,为避免进度拖期和成本超支,相关政府部门持续对项目展开监督和审查,及时发现进程中出现的问题并提出整改方案,例如,美国国家审计总署和英国国家审计署的主要/重点武器装备项目审计评估报告,以及对航母项目的专门评估报告,此外还有国防部、海军部和国会预算办公室的预算分析报告与项目技术报告等。即使如此,美国国家审计总署仍然在一份报告中批评海军对福特级航母的采办监管不力,承包商对项目进度和成本信息披露不及时准确,造成成本超支风险。

在福特级航母的采办过程中,美国政府部门为避免进度拖延和成本超支,一直坚持对项目开展监督和审查,及时发现进程中出现的问题并提出整改方案。美国海军虽然在"福特"号航母建造合同签订之前就对很多关键部位的设计方法了如指掌,在采办过程的监督方面也做了很多工作,但目前海军对船厂仍然缺乏有效的监督能力,例如,美国海军无法得到充分的净值管理数据,也没有收到关于造船厂费用与进度的目标数据,即无法有效管理造船厂目前的费用状况。为解决上述不足,美国海军要求承包商在完成某项工作的同时,在工作报告中汇报一段时期的项目执行状况与经费,并采取了一些技术手段来评估造船厂的状况。但从目前情况来看,"福特"号航母的费用审查监督工作虽然取得了一定成效,但依然不能对造船厂的费用实施充分的监督。

第5章 常规动力航母与核动力 航母费用的比较

5.1 美国海军两种航母的发展现状

5.1.1 研究核动力航母成本效益的原因

第二次世界大战之后,航母战斗群已成为实现存在目标的一个重要政治和军事组成部分,同时航母战斗群也具备应对冲突爆发、保护美国利益而需要的强大危机应对能力。各国就在世界范围内加强威慑力的重要性已达成共识,航母是海军力量的基础组成部分,核动力航母(CVN)是国家最昂贵的武器系统。

航母战斗群以航母作为核心,这是海军作战策略的焦点。该战略强调的前提是:海军力量在短期战争局势中最重要的作用是在前沿地区参与战斗,以达到防止冲突和控制危机的目的。该航母战斗群的前沿部署表明了国家对盟友和朋友的承诺,确保了区域稳定,使美军能够熟悉海外环境,促进了友好国家军队之间的联合训练,并提供及时的初步反应能力。美国海军的目的是能作战,并打赢战争,因此,必须能够迅速作出反应,并能成功对美国战区指挥官作出支持。为加强前沿部署而部署的日常训练和军事活动的军事力量也是最有可能就新危机作出反应的军事力量。

分析表明,常规动力航母和核动力航母均能有效地满足国家安全目标和要求,两种航母具有很多共同的特性和功能,因此,海军将它们互换使用。常规动力航母和核动力航母均有效地实现美国的前沿部署、危机反应和作战要求。这两种航母均按同样的任务要求配备了相同的标准航空联队。两种航母类型都具有自身的优势。例如,常规动力航母在维护上花费的时间更少,因此可提供更广的前沿部署覆盖范围。核动力航母可携带更多的航空燃料和弹药,因此,对海上补给依赖较少。这两种类型的航母在波斯湾战争中均有效地完成了其作战任务。

《1994年国防拨款法案大会报告》直接促使了核动力航母的成本效益的研究。因此,需要对比常规动力航母和核动力航母在满足国家安全需要的相对有效性,估计常规动力航母和核动力航母的总寿命周期成本。常规动力航母现在位于永久性母港,在西太平洋运行,但如果全核动力航母仍是趋势,则常规动力航母最终会被替换为核动力航母。《国家军事战略》指出,军队必须执行三项任务,以实现促进稳定和挫败侵略的军事目标:和平时代的参与、威慑和预防冲突,以及能在国家战争中参战并取得胜利。实现该战略的具体任务通过海外军事部署和投送力量两大互补战略概念达成。美军的海外部署可保护和促进美国利益,对美国的安全提供广泛的帮助。

由于部队需要确保部署的轮流基础需求较小,拥有海外的海军母港能使美军以更少的舰船保持较高程度的存在。以日本横须贺为母港的常规动力航母提供的存在程度几乎等于以美国为母港的 6 艘核动力航母的存在程度。然而,美国海军依然用核动力航母取代了常规动力航母。如果这种趋势一直延续下去,最终美国海军要么就必须在日本建设核维修设施及相关基础设施,来容纳一艘母港在日本的核动力航母;要么就必须扩军,加入更多以美国为母港的核动力航母,才能保持相同程度的存在。相反,海军也可以建造新的常规动力航母或接受较低程度的存在。航母舰队完全过渡到核动力推进需要几年时间,而且实施让美国能在太平洋地区保持长期连续的海军航母存在的任何战略也要花几年时间。

5.1.2 美国海军两种航母的一般特性

除动力装置外,舰队运行的常规动力航母和核动力航母在大小、形式和功能上非常相似,并且两种航母开始使用相同标准的航空联队。如表 5.1 所示,肯尼迪级常规动力航母和尼米兹级核动力航母有许多共同属性。

表 5.1 现代大甲板常规动力航母和核动力航母的一般特性

	"肯尼迪"号航母(CV – 67)	"尼米兹"号航母(CVN – 68)
排水量(满载)	82 000 t	95 000 t[①]
舰体尺寸	—	—
舰长(总体)	320.35 m(1 051 ft)	332.84 m(1 092 ft)
舰长(吃水线)	301.75 m(990 ft)	316.99 m(1 040 ft)
舰宽(吃水线)	38.40 m(126 ft)	40.84 m(134 ft)
舰宽(飞行甲板)	81.69 m(268 ft)	76.50 m(251 ft)
推进器	8 锅炉/4 轴	2 反应堆/4 轴
轴功率	—	—
(总)	209 MW(28 万马力)	209 MW(28 万马力)
速度	30⁺ kn	30⁺ kn
飞机的处理能力	—	—

表 5.1(续)

	"肯尼迪"号航母(CV-67)	"尼米兹"号航母(CVN-68)
最大飞机密度[②]	130	130
起飞弹射装置	4	4
升降机	4	4
船员	—	—
船舶公司[③]	3 213	3 389
航空兵	2 480	2 480
范围(未加燃料)[④]	—	241.4×10^4 km(150×10^4 mail)
燃料容量	—	—
航空燃料(JP-5)[⑤]	6 813.74 m^3(180×10^4 gal)	$13 248.94 \times 10^4$ maiL(350×10^4 gal)
船用柴油机燃料(DFM)	9 084.99 m^3(240×10^4 gal)	不适用
军械(立方英尺)[⑥]	76% ~ 80%	94% ~ 100%

注:①尼米兹后续建造的航母满载排水量已增加至约 99 000 t。

②航母的总飞机容量称为最大密度。F/A-18 等值是计算最大密度的度量单位。美国"卡尔文森"号航母(CVN-70)的最大密度是 127。

③船舰上需要的官兵人数。

④常规动力航母的巡航范围随其速度的变化而变化。例如,为保持 30% 的燃料储备,航母可以 14 kn 的速度从旧金山开往香港。在 28 kn 的速度下,航母可以在不需要添加燃料并保持相同的燃料储备的情况下从新加坡起航,横跨印度洋,到达阿拉伯海湾的巴林。

⑤水面舰船的航空燃料(JP-5)可以代替船舶燃料(船用柴油机燃料(DFM),也称为 F-76)。

⑥作为基准线测量,包括前三艘尼米兹级航母(CVN-68 ~ CVN-70);后面的尼米兹级航母增强了弹药库保护,以减少弹药库的体积。

为应对各种威胁的攻击而需要一支平衡部队,美国海军将航母作为作战编队的舰艇——航母战斗群的重要组成部分,且航母是重点。航母战斗群的集体作战能力可以使得其可开展各种任务,航母战斗群规定(海军作战部长的办公室,OPNAV 指令 3 501.316,主题:战斗群规定,日期:1995 年 2 月 17 日)中讨论的从支持和平时期的存在要求到夺取和维护指定空域和海域的控制以及突出的对岸各种战略、运营、战术指标。在规定中讨论的具体任务是监视、情报、指挥与控制、空中优势、海上优势、力量投送、战区弹道导弹防御、支持和平时期的"地区存在性"行动、两栖作战部队行动、将陆基部队投入到不确定和敌对区域或从中撤出、特种作战、战斗搜索和救援、水雷战和供给。根据此政策,战斗群可以在和平时期到"以多种威胁为特征的未经允许的环境"范围内战斗。

该规定并没有对核动力航母和常规航母在航母战斗群中所承担的任务进行区分。常规动力航母和核动力航母均配置相同标准的航空联队,该航空联队由 74

架战斗机、攻击机、电子对抗机、反潜机、搜索救援机和侦察机混合组成。该规定还列出,战斗群的组成可根据任务的需要进行更改。

这两种航母的运行均遵循典型的周期,包括基地级维修周期和航母从准备到部署至海外场地的时间间隔。周期通常开始于基地级维修周期。当维修完成后,航母开始内部部署培训,其中包括航空联队的训练。根据一位大西洋舰队海军航空兵的官员的观点,当航母成功完成了"船舰和空军联队"训练后,它就变成了"无敌"的航母。随着训练的顺利完成,航母及其作为战斗群的一部分的舰载空中联队将被部署于海外。海外部署返回后,航母进入短暂的休息阶段,在此期间,它可以保持在准备阶段,非部署的航母将负责对新发现的海外危机作出反应。休息阶段结束后开始进入维修周期,并启动一个新的循环。

航母的服役周期(图5.1)有时也称为维护周期,这取决于航母使用的推进动力类型和维护策略。每个周期通常包括三个基地级(即船厂)维护周期和三次部署。对于常规动力航母,两个维修周期持续3个月,另一个周期持续12个月;核动力航母,前两个周期持续6个月,最后周期持续10个半月。对于这两种类型的航母,18个月运行间隔(包括6个月的部署)将维护周期分开。

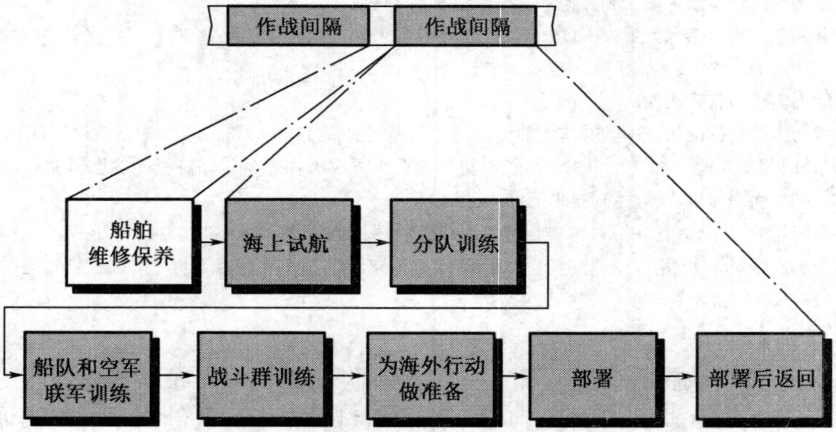

图5.1 航母服役周期

5.1.3 美国海军两种航母的相似点和不同点

1. 共同的特征和功能

尽管核动力航母比常规动力航母更新、更大型,但两种船舰类型具有几个共同特征和功能。其相似之处在于:

(1)受限于相同的运作指导;

(2)空军联队搭载相同的飞机数目和类型,且能产生相同数目的出动架次;

（3）最高速度超过 30 kn；

（4）生存能力相同；

（5）可提供充足的淡水供应。

2. 核动力型航母的优势

相比于常规动力航母，核动力航母也具有自身的优势，包括：

①具有更大的航空燃料和军械存储区；

②由于其优异的加速性能，能更好地回收降落飞机。

关键特征的相似性使海军可在常规海外部署和应急行动中交替使用两种类型的航母。

3. 无差别运作指导

在确定航母所需功能、提供运作指导和编制航母使用计划时，参谋长联席会议、统一指挥官和海军并未区分常规动力和核动力航母。这两种类型的航母预计执行相同的任务，以类似条件进行运作，且其分配的平时存在任务和战时任务与推进类型无关。例如，讨论航母任务和所需运作功能的文件声明，多功能航母的任务在于在高密度、多重威胁的环境中进行攻击性任务。它列出了具体任务和战备要求，但两种类型航母之间并无区别。它还列出了维持航母必须遵守的各种战备条件。在满足这些条件的情况下，常规动力和核动力航母之间并无差异。

在为两种类型航母的海外存在设置要求，以及分配资产以实现存在目标的方面上，均无任何差异。参谋长联席会议出台《美国海军全球部署战略》，例如，就分配至各战区的航母数量提出过要求，但并未规定航母类型。

与之类似，各总部对于两种航母类型的运输速度、护航舰、燃料和军械负载的指导和命令并无差异。经审查的指导表明，所有航母具有相同的最大航行速度，且无论航母的推进类型，均要求一艘或多艘水面舰艇（例如巡洋舰或驱逐舰）在任何时候始终护卫和保护航母。该指导还表明，所有船舰（常规动力和核动力航母）达到规定的最低水平后，将为其提供补给。

战时的运作规划过程并未区分两种推进类型。联合参谋部官员表示，航母的推进类型水平几乎透明。联合参谋部将航母分配给统一指挥官时，并未区分其推进类型，区域指挥官根据期望值制定作战计划，如果计划得以实施，则其将接手所指定数目的航母。伴随着目前的核动力和常规动力航母的混合舰队，如果计划得以实施，则指定航母的响应将依赖于各航母当时的有效性维护和战备状态。

4. 标准化空军联队

《海军航母战斗群战略》规定，为分配至航母的空军联队提供标准构成部分。常规动力和核动力航母的标准构成部分一致。对于增强型 17As，两艘航母的"最大密度"相同，即美国"约翰·F. 肯尼迪"号（CV - 67）和"尼米兹"号（CVN - 68）航母。航母最大密度以航母的飞机搭载容量表示，F/A - 18 的相对数目与船舰可搭载数目相等。最大密度应考虑空军联队中的飞机和直升机在悬挂装置和飞行甲板上所需的空间以及其他项目所需空间,例如,船艇、承艇枕、飞机地面支持设备、叉车、起重机和飞机千斤顶,也应考虑飞机之间以及飞机与船舰结构之间所需的间隙。海军对于航母密度的指导表明,最大密度的75% ~78%为舰上飞机的最佳数目,且甲板载荷超过80%时必须与总部协调。船舰官员表示,在任何时候,飞行甲板上的约47~50架飞机为飞行作战的实施以及在飞行甲板上和飞行甲板与机库之间的移动提供了灵活性。空军联队的构成部分如表5.2所示。

表5.2 标准航母空军联队的构成部分

飞机型号	任务	飞机数量/架
F – 14	歼击机/战斗机	14
F/A – 18	歼击机/战斗机	36
E – 2C	空中预警	4
EA – 6B	敌方防空压制/电子战争	4
S – 3B	反潜战/反水面舰只作战/空中加油	8①
ES – 3A	电子情报	2
H – 60	反潜战/搜救/公共设备	6
总计		74

注:①S – 3 通常用于在起飞、回收过程中为联队的其他飞机加油。但是,它并不适用于为进行远程任务的其他飞机加油。在这些任务中,空军联队的飞机频繁地通过空军的空中加油机(如 KC – 135 和 KC – 10)中加油。

通过检查5艘航母部署(3艘常规动力和2艘核动力)的空军联队组成部分,可发现部署的两种类型航母仅在政策规定的飞机数目上存在细微差异。例如,两种类型航母的某些部署比标准联队多搭载1~3架飞机。

由于搭载标准空军联队,因此预计两种类型的航母每天的出动架次数目相同。在危险期内,航母分配的飞行任务可能超过正常出动架次或"突击"作战数目。战斗群政策表明,最初危险应对期间,(在此期间,另外12架攻击战斗机将分配至航母上)作战航母必须每天能出动170架次,3~5天后,每天出动140架次,其后持续作战期间,每天出动90架次。

这两种类型的航母具有相同的可影响出动架次的船员疲劳(包括机组人员和舰员)和设备维修限制。例如,海军条例限制飞行人员数目,且强制执行休息时间。官员表示,甲板人员和军械人员在增加出动架次期间,也将承受压力。此外,这两种类型的航母具有相同的弹射器和制动装置设备,这些设备受严格检查和维修计划限制。这些因素均可在航空燃料和军械水平耗尽前,限制航母的出动架次能力。因此,推进类型对于任一类型航母在出动架次增加期间的持续时间并无影响。

5. 相似的最高速度

这两种类型的航母具有相似的最高速度,且均超过 30 kn。此外,两种类型均无任何独特的、与推进相关的限制以在延长期限内维持该水平的速度。高速航行时的一个区别在于常规动力航母加油时需降低速度。但是如前讨论所述,其影响十分细微。

根据海军和航母建造者表示,产生蒸汽的方法无法决定航母的最高速度。而轴功率、轴转矩极限、螺旋桨设计、排水量和船体军舰建筑特点等才是速度的决定因素。

国防部和海军官员还表示,其他限制妨碍延长期限内高速行驶的定期航行。航行过程中,机组人员必须进行定期飞行,以保持合格。由于航母在 30 kn 以上的持续航行期间无法进行飞行作战,因此,机组人员必须在到达目的地后及在进行作战前,重新进行资格评定。处于较高航行速度时,航母无法在必要时进行机动以实施飞行作战。统一指挥官中的一人表示,他们倾向于稍后抵达战区的带有培训船员的航母战斗群,而非较早抵达带有需要重新进行资格评定的空军联队的航母战斗群。

巨浪状况和恶劣天气也可能妨碍持续高速航行。无论属于何种推进类型,船舰无法保证在恶劣天气中高速航行而且不造成船舰和船员损伤。此外,虽然战斗群中的护卫舰速度通常能够超过 30 kn,但在非常恶劣的海洋条件下,其维持高速航行的困难程度大于航母的困难程度。此外,一名海军官员指出,即使以 30 kn 的速度航行,从西海岸至中央指挥部的责任范围的长途航行仍需约两周的时间。

6. 推进类型对航母生存能力的影响

为成功攻击并降低航母执行其任务的能力,敌方必须检测到航母,并足够确定其精确位置,以便用一种或多种武器攻击航母。此外,攻击武器的杀伤力必须足以严重损坏或击沉航母。海军海上系统司令部的官员表示,根据其生存能力分析,两种类型的航母在易探测性武器造成的易损坏性方面均无任何固有、压倒性优势。DOD 将生存性定义为系统和全体人员避免或者抵挡人为敌对环境的能力,而不使其能力中途受损,以完成指定任务。易受影响性是指由于一个或多个固有的缺点(作战战术、反制措施、敌人构成威胁的概率等),导致武器系统易于遭受有效攻击的程度。漏洞是指由于受到非自然敌对环境中特定水平的影响,造成系统受到一定退化的系统特征。他们认为易受影响性和漏洞是生存性的子集。他们还表示,两种类型的航母在建造方面十分类似,其具有相同的防震标准,且使用类似的机器和设备。因此,尽管存在一些差异,但对于敌方武器影响的承受能力或者从中恢复的能力并无明显的优势区分,船舰推进类型并不产生特别的影响。官员表示,虽然已经采用增强的弹药防护方法去建造更多的现代核动力航母,但也可在新建造的常规动力航母中纳入相同的防护等级。

海军海上系统司令部官员认为,核动力航母的速度和无限范围使其具有独特的操作优势,但他们也说,并没有处理这些运作因数的分析性研究可支持这一看法。他们表示,这些特征能让核动力航母采用最低风险战术,降低整体受攻击性的可能。此外,常规动力航母必须定期添加推进燃料,在此过程中,由于航母按照固定航线匀速前进,当停靠在油轮旁边添加燃料时,很容易受到攻击。核动力航母则不会这么容易受影响,因为它不需补充推进燃料。

然而,这两种类型的航母,必须定期重新装满航空燃油或进行航空燃油补给。由于通常在航行补给期间,航母重新装满所有物资和燃料,因此常规动力航母通常同时装载船只推进燃料(DFM)和航空燃料(JP-5)。然而,核动力航母仍然保留一个优点,因为其具有更大的 JP-5 容量,不需要如平常那样补给燃料。"沙漠风暴"作战过程中,波斯湾的常规动力航母约每2.7~3天补充一次航空燃料。美国罗斯福号航母是"沙漠风暴"空战中也在波斯湾运行的唯一核动力航母,约每3.3天补充一次航空燃料。由于补充燃料限制航母的作战能力,通常航母可移至后方,以减小补充燃料、弹药和其他物资时暴露的风险,或可在战斗群的水面舰艇防御伞下进行该作业。

7. 相似的淡水生产能力

充足的淡水供应对两种类型的船舰非常关键。推动涡轮机以及发动弹射器的蒸汽产生都来自于淡水,其中涡轮机可推进航母,弹射器可发射飞行器。淡水也用于冷却设备、损害控制以及冲洗飞行器和飞行甲板。根据海军官员所述,常规动力航母使用更多的淡水冲洗飞行器,以清除锅炉烟气残留。两种类型的航母都需要保留淡水储量。大约一半的核动力航母淡水储量是用作应急反应堆冷却剂。最后是相关"酒店服务"用水的要求,工作人员日常用于做饭、饮用、洗衣和个人卫生。根据纽波特纽斯造船厂的官员所述,这两种类型的航母的用水要求基本相同。

一些更陈旧的常规动力航母每天生产约 75.70 m³(2×10^4 gal)淡水,该水平小于尼米兹级航母,后者每天约产水 1 514.16 m³(40×10^4 gal)。然而,美国"肯尼迪"号航母每天可以生产 1 892.70 m³(50×10^4 gal),超过尼米兹级航母。海军官员表示,常规动力航母和核动力航母之间淡水生产的所有差异可能是由于常规动力航母的寿命而产生。纽波特纽斯造船厂的官员也表示,差异是因为飞行器和人员数量增加而产生,而不是因为推进类型的差异。

一些海军官员表示,在恶劣环境中如波斯湾,常规动力航母经常采取限时供水的方式以提供基本服务。审查表明,常规动力航母产生淡水的能力类似于核动力航母,并不会频繁出现限时供水。

很多海军官员并不看重常规动力航母上的定量供应问题。他们认为,在大多数情况下,淡水短缺能够表明管理问题或者舰上的低效性,例如,锅炉或管道渗漏。一些官员表示,即使核动力航母上的限时供水没有在常规动力航母上的频繁,他们在服役期间也经历过频繁的限时供水。最近在波斯湾三艘常规动力航母上服役的官员表示,舰艇未经历过限时供水。

8. 核动力航母更大的军械和航空燃料储量

核动力航母的设计比常规动力航母能提供更大的航空燃料和弹药储量,而其推进系统则提供几乎无限的续航力。总之,与常规动力航母相比,在没有海上后勤保障存在的情况下,这些因素可能给核动力航母带来决定性的作战优势和优越的作战能力。但事实上,海上后勤保障均存在,并且两种类型航母及其水面护航依赖于后勤保障,以维持运行。

9. 核动力航母更大储量的主要原因

核动力航母更大的燃料和军械储量主要是由于舰艇设计差异,而与推进类型以及其无须储存大量推进燃料几乎无关。舰艇的长度、高度和宽度决定其内部容积,因此,决定运载的燃料和军械总量。由于其船体尺寸更大,尼米兹级核动力航母约比常规动力航母大 10%。常规动力航母美国"肯尼迪"号航母的储量约为前三艘尼米兹级核动力舰只储量的 75%,约为"罗斯福"号航母以及稍后的尼米兹级核动力航母储量的 80%。由于增加了早期尼米兹级航母缺乏的高空和舷部防护,稍后的舰艇存储空间更少。根据纽波特纽斯造船厂的官员称,核动力航母的船体尺寸更多地为军械、航空燃料和其他物资提供更大的空间。

除了"企业"号航母(CVN - 65)之外,当海军最初考虑建造更多的核动力航母时所产生的争议,说明了这一点。例如,海军上将 Rickover 在 1964 年写给海军部长的信中,认为 CV - 67 为核动力航母,并引述"企业"号航母的优势。海军上将 Rickover 以美国原子能委员会海军反应堆管理处管理者的身份准备的信件中指出,"企业"号的船体比 CV - 67 的船体长 15.24 m(50 ft),这可增加 60% 的弹药储存量;也可用"企业"号的船体尺寸建造常规动力航母,这将使常规动力航母的弹药等效增加,并使航空燃料少量增加(约 15%)。

此外,海军分析中心的 1992 年研究备忘录中记录了由海军海上系统司令部研发的五个备选航母概念的可行性,其中表示,除了续航力之外,采用"尼米兹"型船体建造的航母,但不由"肯尼迪"号类型燃油蒸汽设备发动,可基本上等同于尼米兹级航母的设计。如果带有足够用于 8 000 nmail 范围的推进燃料,在 20 kn 时(目前常规动力航母的等效距离),常规动力航母的弹药库和航空燃料容量将与目前 CVN - 68 的相同,其中,8 000 nmail 约等于环绕地球三分之一的距离。

10. 海上补给弥补常规动力航母有限的存储容量和续航力

尽管核动力航母可在需要更换推进燃料之前运行数年,但仍具有有限的航空燃料、军械和其他物资储存容量。此外,航母由常规动力驱动的护送舰艇,如巡洋舰和驱逐舰进行护航,由于护航舰艇燃油容量较小,燃油消耗率相对较高,因此需要在航行时补给。所有的水面战斗舰艇都高度依赖于海上定期再补给。

海军管理一支具有约40艘舰只的战斗后勤舰队,可在海上为战斗舰艇再补给舰艇、航空燃料、军械、食品和其他物资。战斗后勤部队辅助作战舰艇在海上几乎无限期地进行运作(如需要),而无须返回港口补充库存。战斗后勤部队包括两种基本类型的舰艇,基地船和区间穿梭船。基地船(如多用途 AOE 快速战斗支援舰)是航母战斗群的一个组成部分,定期补给战斗群中的其他舰艇。

多用途快速战斗支援舰(AOE)是战斗群中的唯一非战斗舰艇,其速度能够跟上其他舰艇,能同时输送燃料、军械和其他物资。目前海军拥有四艘萨克拉门托级(AOE - 1)补给舰和三艘稍小型的补给级(AOE - 6)支援舰,其中另有一艘正在建造中。当一艘 AOE 不可用时,一组舰艇可用来执行 AOE 的任务,例如,燃料补给船(AO)和弹药补给船(AE)。然而,这些其他类型的舰艇不能运输 AOE 可以装载范围内的产品,因为其最高速度约为 20 kn,无法跟上战斗群中的其他舰艇。基地船提供战区的最初后勤支持,直至区间穿梭船赶上,例如,舰队加油船和弹药以及其他补给舰。根据海军后勤准则,基地船可为典型战斗群供应 20~30 天的燃料、75 天的耗材(不包括燃料和军械)和 90 天的零件。

而基地船通常由往来于前方海军基地和战斗群的区间穿梭船进行补充。有时,这些单一产品的区间穿梭船也直接再补充战斗舰艇。战斗后勤部队作为战斗舰艇燃料仓、军火库和储存室的延伸,意味着海军部队可持续更长时间。

使用 1993 年海军分析中心报告中的海军燃料和军械消耗率,(海军分析中心报告 205,"战斗后勤部队规模确定",1993 年 6 月,该中心将海军能源使用报告系统 NEURS 中所含的 1990 和 1991 舰队数据用于基于"沙漠风暴"最后一天的燃油消耗、航空燃料和军械消耗评估)对理论上常规动力航母战斗群和核动力航母战斗群的持久性进行比较。所使用的理论上的战斗群包括常规或者核动力航母,加上两艘提康德罗加级宙斯盾导弹巡洋舰(CG - 47/52s)、两艘斯普鲁恩斯级驱逐舰(DD963s)和两艘伯克级宙斯盾导弹驱逐舰(DDG - 51s)。由一艘萨克拉门托级补给舰(AOE - 1)供应各战斗群。据估计,常规动力航母战斗群将有足够的 29 天用量的燃料以提供蒸汽动力;17 天用量的航空燃料,以堪比"沙漠风暴"行动最后一天的速度运作;30 天用量的航空武器。核动力航母战斗群的常规护送将具有 34 天用量的充足燃料,以提供蒸汽动力,而核动力航母将具有足够的 23 天用量的航空燃料,以堪比"沙漠风暴"行动最后一天的速度行动以及 41 天用量的军械。

11. 核动力航母更强的加速能力

海军官员表示,如果风力和天气条件突然改变,或者飞机出现机械故障,核动力航母能够更好地回收降落的飞机,因为其可比常规动力航母更快地加速,以产生飞行器降落所需的另外的"甲板风况"。"甲板风况"是航母的速度和自然风速的总和,舰载机安全降落在航母上所需的"甲板风况"最小,所需的"甲板风况"根据飞机类型和条件而异。一名海军官员称,以一架 F - 14 为例,甲板上方的风速大概需要 12.86 m/s。在某些情况下，即使航母以其最高速度行驶，仍将需要超过5.14 m/s 的自然风。

该官员表示，按照此类条件，核动力航母可比常规动力航母更快地加速，因为其反应堆始终"在线"。根据海军数据，核动力航母加速至 10 ~ 20 kn 约需要1.5 min，从 10 kn 加速至 30 kn 约需要 3 min。另一方面，蒸汽驱动的常规动力航母可约在 25 min 至 5 min 从 10 kn 加速至 20 kn，其中，常规动力航母有四台锅炉在线生成蒸汽。然而四台锅炉并不能使其达到 30 kn，例如，四台锅炉在线时，"肯尼迪"号航母的最高速度约为 26 kn。如果其八台锅炉在线，则只需要 12.5 min 从10 kn 加速至 30 kn。

然而，据海军官员称，锅炉从待机状态到全面运行可能需要长达 1.5 ~ 2 h。

根据舰队和舰艇官员，附加因素如准备飞行甲板，可能会影响飞机的回收。他们表示，常规动力航母上的全体船员在飞行过程中了解风力条件，他们通常有足够的在线锅炉，以便航母可以及时应对，进而回收降落的飞机。此外，飞机回收过程中，空中加油机一直在空中停留，以确保飞机等待降落时不会出现燃油量不够的情况。官员们还指出，在微风天气中，常规和核动力航母可能会限制飞行，而不会冒着生成的甲板风况不够的风险。

海军安全中心审查涉及舰上降落和 A 级事故的数据后（其中 A 级事故表示该量级的降落事故数量极少），DOD 将 A 级飞行事故定义为涉及意图起飞的 DOD 飞机，造成共计一百万美元或以上的损失、飞机损毁、人员死亡或者永久性完全残疾。从 1986 年到 1996 年，海军安全中心确定 10 次相关舰上降落事故（6 次在常规动力航母上，4 次在核动力航母上）。在这段时间内，常规和核动力航母上大约分别有 545 000 次和 470 000 次降落。海军安全中心的官员和舰队官员透露，飞行甲板的布局在安全性上的作用比在舰艇加速能力上的作用更大。这样的设计特点与舰艇的推进类型无关。

海军官员不能提供飞机引擎失效的例子，因为常规动力航母无法足够快的加速。

5.1.4　美国海军常规动力航母的比例变化

常规动力航母舰队所占的比例一直在下降①。常规动力航母从 1991 财年的 9艘减少到现在的四艘。1981—1991 财年，美国海军部队结构中有 9 艘常规动力航母，而 2008 财年的海军计划项目中只有 1 艘常规动力航母。目前现役部队中有 3艘，后备部队也分配了一艘。现役航母中，"独立"号航母（CV – 62）母港在横须贺，另外两艘航母"小鹰"号航母（CV – 63）和"星座"号航母（CV – 64）定期部署到海外。1998 财年，"小鹰"号航母（CV – 63）按计划取代"独立"号航母（CV – 62），

---

①　此项研究为美国海军四艘航母在役时完成，数据仅供参考。

成为驻扎在横须贺的永久前沿部署航母,"独立"号航母(CV - 62)将退出现役。第四艘航母"约翰·肯尼迪"号航母(CV - 67)作为作战后备航母,供海军和海军陆战队飞行员进行着舰训练、资格认证、参与演习或安排部署,以填补海外存在的空白,从而满足危机响应的需求。表 5.3 展示了现役的四艘航母及其现役的最后一年与其预估的使用寿命结束时的船龄。

表 5.3 现役的四艘常规动力航母的退役年份及预估寿命

服役年份	航母	退役年份	船龄/年
1959	美国"独立"号(CV - 62)	1998	39
1961	美国"小鹰"号(CV - 63)	2009	48
1961	美国"星座"号(CV - 64)	2003	42
1967	美国"肯尼迪"号(CV - 67)	2007	40

5.2 常规动力与核动力航母的寿命周期费用

5.2.1 寿命周期费用分析的基础

一艘核动力航母的成本约为 81 亿美元,超过购置、运营并维持一艘常规动力航母 50 年以及停运所需费用的 58% 左右。一艘核动力航母的投资成本超过 64 亿美元,估计比一艘常规动力航母的两倍还要多。每年运营和维持一艘核动力航母的费用大约超过同样运营一艘常规动力航母的 34%。另外,相对于常规动力航母(CV),海军在停运及处置核动力航母(CVN)上将花费更多的费用,因为需要做大量工作,如从反应堆中移除废弃燃料,移除并处置放射性污染反应堆及其他系统成分等。

寿命周期费用分析是美军面对装备发展规划计划、设备更新换代以及竞争项目和系统比较等诸多决策时的必要手段和方法。寿命周期费用是整个寿命阶段中系统涉及的直接、间接、重现或不重现的所有费用之和,因此,对费用的分析不能局限于初期投资,更应关注整个寿命周期的费用水平以及占比高的费用项目情况。美军针对常规动力航母和核动力航母开展了全寿命周期费用分析研究,解释了两种不同类型动力的航母寿命周期费用的主要影响因素及规律。该研究通过调研大量原始费用数据、选择两类航母的原型、归集三类费用项目,建立全寿命周期费用估算模型,开展估算分析。

该研究的前提是：

第一，选择尼米兹级航母作为核动力航母的原型；

第二，选择小鹰级航母作为常规动力航母的原型；

第三，将各类费用归集为三大类估算，即投资费用、使用与保障费用、处置费用（图 5.2）。

研究结果见表 5.4。

表 5.4　两种航母寿命周期成本（以 50 年服务周期为基准）

1997 财政年度以亿元计		
费用种类	CV	CVN
投资成本		
舰船购置改造费用	20.50	40.59
中期现代化费用	8.66	23.82
投资总成本	29.16	64.41
平均每年投资成本	0.58	1.29
运营及维持费用		
直接使用与保障费用	104.36	116.77
间接使用与保障费用	6.88	32.05
使用与保障总费用	111.25	148.82
平均每年使用与保障费用	2.22	2.98
停运/处置费用		
停运/处置费用	0.53	8.87
废弃核燃料储藏费用	不适用	0.13
停运/处置总体费用	0.53	8.99
平均每年停运/处置费用	0.01	0.18
寿命周期总成本	140.94	222.22
平均寿命周期成本	2.82	4.44

注：由于进位关系，一些数字可不相加。

CVN 投资成本包括所有核燃料费用；CV 燃料涵盖在运营及维持活动中。

建立寿命周期成本模型以对核动力及常规动力航母进行寿命周期费用估价。使用尼米兹级航母作为核动力航母的基线。因为小鹰级（在分析中，小鹰级包括 CV－63，CV－64，CV－66 和 CV－67，因为这些航母有类似的尺寸、排水量、船员数量和维护计划,所以通常将其归为一类)与尼米兹级航母排水量相似,并拥有类似于尼米兹级航母的航空联队,另外有足够的原始成本数据可用于建立成本估价,所以选择其作为常规动力航母的基线。

投资费用	使用与保障费用	处置费用
研究与开发 舰船购置 中期现代化建设	直接费用 ——人员 ——补给站维护 ——燃料 间接费用 ——培训 ——技术服务 ——物流支持	停运 处置

图 5.2　寿命周期费用组成

5.2.2　两种航母的投资及购置成本对比

核动力航母的舰船购置和中期现代化改造费用是常规动力航母估价的两倍,具体统计情况如表 5.5 所示。

表 5.5　常规及核动力航母投资成本

1997 财政年度以亿美元计		
投资种类	CV	CVN
舰船购置	20.50	40.59
中期现代化	8.66	23.82
总计	29.16	64.41

1. 购置费用

从历史角度来说,购置核动力航母比常规动力航母的花费要多得多,其中有多种原因。首先,与常规动力航母相比,核动力航母更大更重;其次,核动力航母的购置费用包括核燃料费用;最后,特有的工业基地、专业的核供应商和海军核推进计划的严苛环境、健康及安全标准均提高了成本费用。例如,海军核推进产业需要不可控高成本顶上部结构(工程、质量保证和生产控制)和成本高昂的生产工作。造船工程师必须遵从"无偏航"计划(即无政府批准则与已批准的计划无偏离)。

图 5.3 以定值美元形式体现了常规动力及核动力航母的每吨购置成本,为了

允许增加舰船的质量和费用,每吨购置费用由其吨位的舰船购置成本划分所产生。使用舰船空载排水吨数,不包括由舰船燃料、水或弹药所产生的质量。尼米兹级核动力航母的购置成本平均为 39 亿美元,包括核燃料费用,而最后一艘常规动力航母,美国"约翰·F.肯尼迪"(CV – 67)号航母的成本为 21 亿美元。无论舰船服役的年份如何,核动力航母的花费均多于常规动力航母。常规动力及核动力航母购置成本估计,如表 5.6 所示。

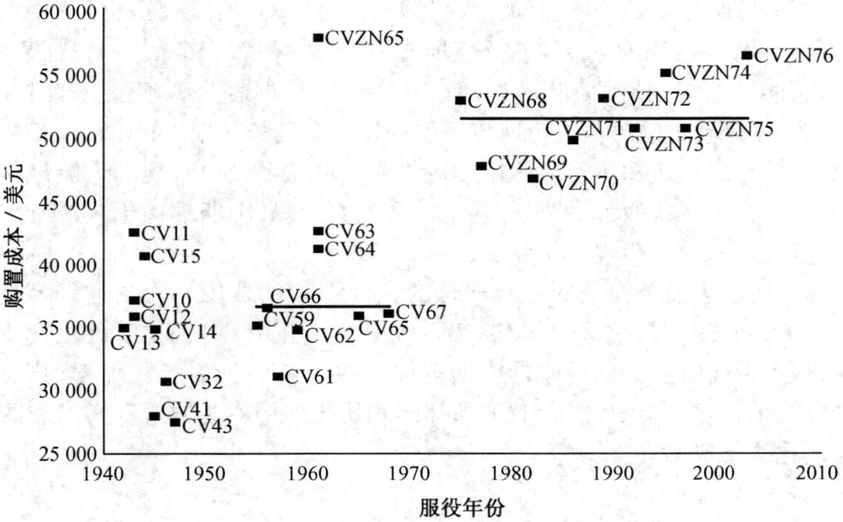

图 5.3　常规及核动力航母每吨购置成本(1997 财政年度)

表 5.6　常规动力及核动力航母购置成本估计

1997 财政年度以美元计			
	每吨成本①	舰船排水②	预计成本
CV	35 191	5 268	2 050 500 000
CVN	51 549	7 741	4 059 000 000

注:由于进位关系,一些数字可不相加。

①确定比例介于 CV – 67 和 CVN – 68 每吨成本之间(少量核燃料相关费用),并将该比例应用于 CVN – 68 级每吨平均成本以估计一艘新获得常规动力航母的每吨费用。使用 CVN – 68 级每吨平均成本作为核动力航母的预计每吨平均成本。

②空船测量的排水。

　　约 21 亿美元的常规动力航母购置成本和 41 亿美元的核动力航母购置成本均基于一种估计方法,与早期研究(《海军航母计划:投资策略选择》,GAO/NSIAD – 95 – 17,1995 年 1 月)及海军分析中心所使用的方法类似。使用过去每吨的购置成本和舰船排水吨数为肯尼迪级和尼米兹级舰船购置成本的粗略订单数量进行估价。

2. 中期现代化

分析显示,海军将花费近三倍于常规动力航母的费用为核动力航母进行换料、翻修和现代化建设。两种航母类型均需一定程度的中期现代化改造以允许海军使用舰船长达近 50 年。考虑到目前运营速度,航母核燃料预计会维持 24 年直至需要将其替换,所以当一艘核动力航母服役已近 24 年时,它将进行两年半的换料和整体全面大修(RCOH),包括反应堆换料、推进设备维修、舰船材料状态修复和执行现代化工作。核动力航母预计在 RCOH 之后再运营 24 年。与此相同,在第 30 年时,常规动力航母能进行两年半的服役寿命延长计划(SLEP),包括修复舰船状态、安装系统升级和执行现代化改造作业。SLEP 之后,常规动力航母应再运营 15 年或更久。在这两种情况下,基于每个独立舰船,中期现代化改造所需的实际工作各不相同,取决于舰船状况。

图 5.4 所示为前两艘尼米兹级航母的预计 RCOH 费用和肯尼迪级(CV – 66 不进行 SLEP)常规动力航母的 SLEP 实际费用。使用 RCOH 海军最佳估计值用于 CVN – 68,作为核动力航母的预计中期现代化改造费用。关于费用模型,使用肯尼迪级常规动力航母上执行的 SLEP 所需平均历史费用作为常规动力航母的预计中期现代化改造费用。

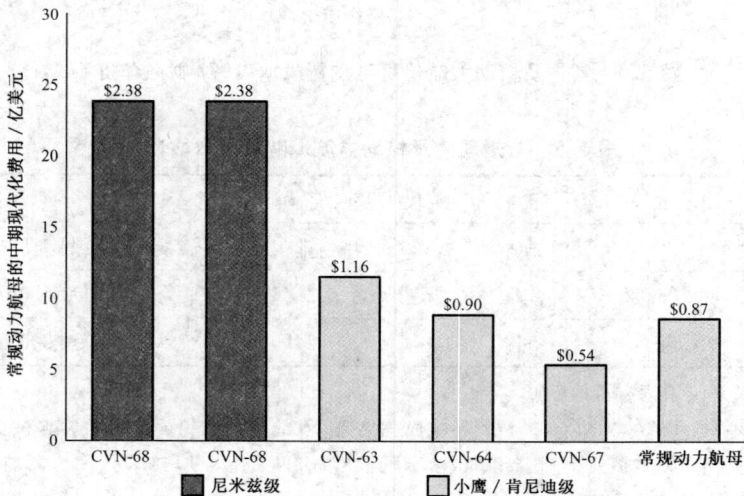

图 5.4 CVN – 68,CVN – 69 及肯尼迪级常规动力航母的中期现代化费用(1997 财政年度)
注:对核动力航母使用预计成本,对常规动力航母使用实际成本。

5.2.3　两种航母的使用保障对比

据估计,在一艘核动力航母的寿命期内使用保障需要花费 149 亿美元,比估计的使用保障一艘常规动力航母所需 111 亿美元要多出 34%。如表 5.7 所示,一艘常规动力航母的燃油费用超过一艘核动力航母人员和补给站维护所需额外费用的抵消额。两种类型航母间的主要费用差别是由 DOE 提供给核动力航母的支持活动所产生的间接费用种类。

表 5.7　常规动力及核动力航母的寿命周期直接及间接运营维持费用

1997 财政年度以亿美元计		
费用种类	CV	CVN
直接使用保障费用	—	
人员	46.36	52.06
补给站维护[1]	41.30	57.46
其他[2]	9.33	7.24
直接使用保障总成本	104.36	116.77
间接使用保障成本	—	—
培训	1.61	11.07
船用燃油补给	4.69	不适用
核支持活动	不适用	20.45
其他[3]	0.58	0.53
间接使用保障总成本	6.88	32.05
使用保障总成本	111.25	148.82

注:由于进位关系,一些数字可不相加。
[1]包括定期维修、修理和舰船现代化工作,但不包括中期现代化改造费用。
[2]包括一些直接单位成本种类,如备件、补给和中间维护。
[3]包括一些间接维持成本种类,如出版、弹药操纵和技术服务。

1. 直接使用保障成本

核动力航母的直接运营费用高于常规动力航母,主要因为它们需要额外的人员,而且它们的核人员会得到特殊工资和奖金。补给站维护费用比常规动力航母高,因其维护工作相对于常规动力航母需要更多劳动力。在一份单独分析中,发现与核动力航母寿命期相关的核燃料总成本超过了常规动力航母矿物燃料的整个寿命成本。由于其中包括一些子种类的费用,如补给、备件和中间维护,没有检查造成直接费用种类中其他要素费用差异的原因。多数情况下,每个独立子种类的费用差异均不够重要以保证详细检查。

2. 人员费用

核动力航母的人员费用在其寿命期内估计为52亿美元,相对而言,常规动力航母为46亿美元(表5.8)。

表5.8 常规动力及核动力航母人员费用

1997 财政年度以亿美元计		
	CV	CVN
每年航母人员费用	0.71	0.80
年度应计退休	0.22	0.24
年度总计	0.93	1.04
寿命周期费用	46.36	52.06

核动力航母需要将近3 400名人员,相对而言,常规动力航母需要3 200名人员。大部分额外人员能追踪到操纵推进设备的部门,这包括常规动力航母的工程部门及联合核动力航母的工程反应堆部门。表5.9提供了核及常规动力航母所需推进设备人员的比较性总结。

表5.9 常规动力及核动力航母的推进设备人员

人员	CV	CVN	差异
军官[①]	22	33	11
招募人员	597	716	119
总计	619	749	130

①包括授权军官。

核动力航母的部分较高人员费用可归因于推进设备人员的等级结构。核推进设备人员高出常规动力航母的推进设备人员一个等级。如图5.5所示,大约50%的核动力航母招募的推进设备人员为E-5级以上,然而75%的常规动力航母的推进设备人员为E-4级以下。

核动力航母的较高人员费用也可归因于特殊工资和奖金。海军使用多种奖励工资和奖金吸引及保留核人员(表5.10)。

表 5.10　1997 财政年度核人员的特殊工资及奖金

招募人员	工资及奖金/美元
应征奖金	多达 4 000
选择性延长服役奖金①	多达 30 000
特殊工作任务工资②	多达每月 275
军官	
就职奖金	多达 8 000
年度奖励③	多达 12 000

注：①基于奖励等级而变化的奖金。E – 5 服役 24 个月的 6 年延长服役名义奖金为 22 000 美元。

②E – 5 每月可得到 150 美元。

③基于现役承诺时间而变化的奖金。

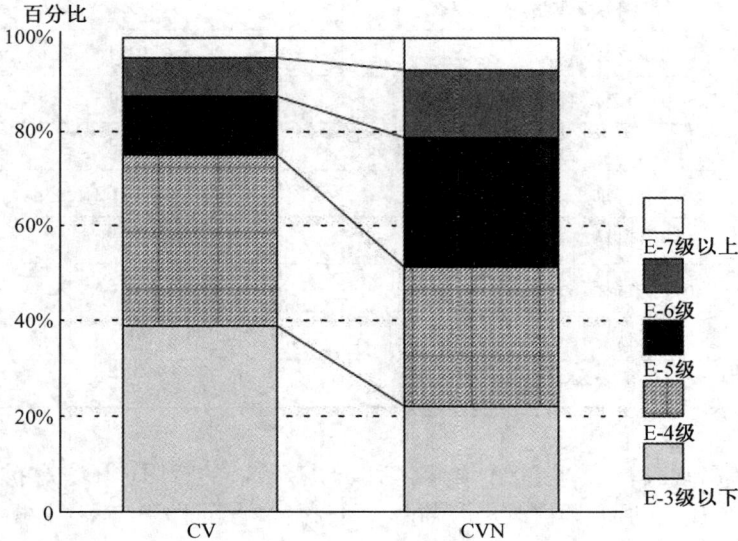

图 5.5　常规动力及核动力航母的招募推进设备人员等级结构

3. 燃料费用

估计为一艘 50 年寿命的常规动力航母提供船用燃油需要花费 7. 38 亿美元。历史数据显示，一艘常规动力航母每年大约使用 50 万桶船用燃油，或在其寿命期内使用大约 2 500 万桶。所得费用是由预计消耗燃料桶数乘以 29. 52 美元而得出这一数据，这是 1991—1995 财政年度海军支付的船用燃油每桶平均价格。在对常规动力航母寿命周期费用的灵敏度分析中，已开展了燃料价格的增长分析。

常规动力航母的燃料费用作为使用保障费用清晰易见。相反，核动力航母的燃料费用包含在投资成本中（如购置和中期现代化改造），因此并未清晰指出。对比船用燃油和核燃料的费用,发现核燃料的寿命周期费用要高于船用燃油。

按照当时航母的使用强度,尼米兹级航母的核燃料核预计会提供足够能量达24年。当最初燃料核耗尽时,移除该核并安装替代燃料核。当其服役寿命末期停运时,将移除替代核。表 5.11 提供了尼米兹级核动力航母的核燃料最初核及替代核的费用变化。

表 5.11　尼米兹级航母的核燃料费用

1997 财政年度以亿美元计	
	总成本
最初核	
铀	0.24
燃料核采购	3.08
燃料装置	0.12
中期燃料移除	0.15
替代核	
铀	0.02
燃料核采购	3.08
燃料装置	0.64
停运燃料移除	0.85
寿命周期核燃料成本	9.75

所示铀费用是基于 20 世纪 80 年代后期生产所需的费用。用于燃料核反应堆的铀由 DOE 提供,所有国内改进服务由 DOE 执行,直至 1993 年,这些操作转移至美国改进公司。DOE 在 1991 年停止生产防御性等级铀,但它有充足的铀以使海军核力运转数十年,额外的铀还可改装并卖给私人用途公司以用于商业反应堆设备。

表 5.12 提供了一份常规动力及核动力航母燃料费用的比较性总结。

表 5.12　常规动力及核动力航母燃料费用比较

1997 财政年度以亿美元计		
燃料类型	总寿命成本	按年计算成本
CVN 核燃料	9.75	0.195
CV 船用燃油	7.38	0.148

4. 补给站维护费用

估计一艘常规动力航母的补给站维护寿命周期成本大约为 41 亿美元,相对而言,核动力航母为 57 亿美元。补给站维护活动包括定期维修、修理、改动和舰队现代化改造,预计在航母整个寿命期内执行。尽管中期现代化改造活动在补给站等级执行,但并不包含在估计的补给站维护费用内。当然,它们被作为投资费用包含其中。

由于一些原因,该项费用设有使用原始数据,而以定期维修的海军理论计划和常规及核动力航母舰队现代化为基础对补给站维护费用作出估计。预估航母需要多长时间进行一次补给站维护(间隔时间),舰船将维修多少个月(持续时间)以及需要多少船厂劳动力(工作时间),这些由海军运作主管指导。图 5.6 所示为两种类型航母的基地理论维护周期。

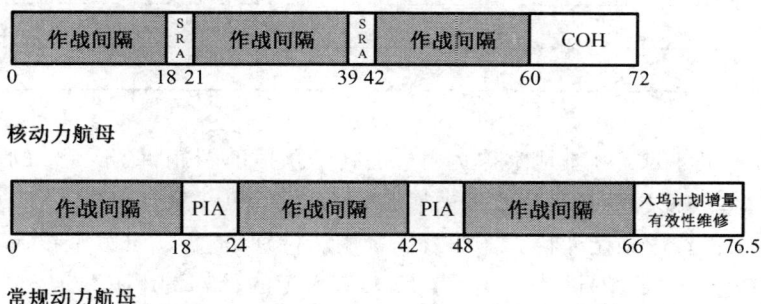

核动力航母

常规动力航母

图 5.6　常规动力航母和核动力航母基地理论维护周期(按月计算)

为了评估基地维护费用,确定了在每个航母的 50 年服役期内可能发生的基地维护周期数量和类型。根据海军的理论计划,确定了核动力航母在 50 年的服役期内就预期基地级维护和舰队现代化改造可能比常规动力航母多需要 38% 的工作日。接下来,预估了每种基地维护的费用,即利用工作日的数量乘以公共船厂和私营船厂的复合工作日损失率。根据对这些项目的历史成本分析,对材料、集中采购的设备、备件和其他内容的附加基地成本进行评估。表 5.13 概述了核动力航母和常规动力航母的基地维护和舰队现代化改造评估结果。

表 5.13　常规动力航母和核动力航母基地维护及现代化改造费用

财政年度 1997 年以亿万美元计			
基地维护类型	生命周期内的次数	每种类型的成本	生命周期成本
CV			
SRA	17	0.513	8.72

表 5.13(续)

财政年度 1997 年以亿万美元计

基地维护类型	生命周期内的次数	每种类型的成本	生命周期成本
DPIA1	1	3.277	3.28
COH	6	5.430	32.58
总计			41.30
CVN			
PIA1	2	1.883	3.77
PIA2	4	2.146	8.58
PIA3	9	2.408	21.67
DPIA2	2	3.768	754
DPIA3	3	4.212	12.63
总计			57.46

核动力航母的实际基地维护费用可能高于预估的费用,低于预估的常规动力航母费用,因为使用的是复合或者平均船厂人工费率。然而,早期工作表明,核工作的实际人工费用高于非核工作的人工费用。特别是,发现了每个核人工的平均费用是 213 美元/工作日(当年美元),比非核人工的平均费用 170 美元/工作日高25%。还发现了核工作的平均管理费用为 303 美元/工作日,比非核工作的平均管理费用 189 元/工作日高出 60%。

由于核动力工作的复杂性,核动力航母的维护费用更高。船厂必须提供更高水平的服务,支付更高的技术工人培训费用,保留支持核工作的特殊船厂部门,例如,放射控制、核技术、核计划和核质量保证。另外,船厂必须对维修期间产生的核垃圾进行包装和处理。维修期间所产生的低级垃圾处理费用包括在基地维修评估费用内。核系统中所使用的零件和其他材料通常需要特殊设计而且需要使用专门材料。

5. 经营和支持的间接费用

核动力航母和常规动力航母均需要一个保障基地。例如,提供物流服务、培训、工程技术和软件支持。VAMOSC 数据库收集了这些活动的许多成本而且把一部分成本作为每艘舰船的间接经营和支持成本进行汇报。然而,还有几个未被数据库收集或者被部分收集的支持性活动与功能,例如,培训、矿物燃料供给和核支持活动。

核动力航母的间接支持费用远远大于常规动力航母的间接支持费用。评估核动力航母的间接支持费用为 32 亿美元,这几乎是所评估的常规动力航母间接支持费用(6.9 亿美元)的五倍。这个差别主要是因为核动力航母的几项支持活动很昂贵,而常规动力航母不需要这些项目。

6. 培训费用

评估海军在培训操作和维护核动力航母推进装置的人员方面,比培训操作和维护常规动力航母推进装置的人员数量多花 10 亿美元。主要原因是核动力航母对专业技术人员的需求大于常规动力航母对专业技术人员数量的需求。

评估不以历史性的 VAMOSC 数据库为基础,因为此数据库不能收集某些培训费用,这些费用对推进系统的差异至关重要,而且其分配方法也不能为费用差异提供可见性。因此,需要对这两种航母专门管道的最初费用和培训费用进行评估。

为了评估间接培训费用,使用海军中心开发的类似方法进行费用分析。此方法是以每年的培训要求为基础,从而保证每种航母推进装置部门所需的技能人员、每年的培训要求由军营数量、船员离职数量和损失确定。对于此次分析,确定了每年的培训要求对四种新入伍的人员(机工军士、电工军士、电子技术人员和锅炉技术人员)进行技能培训而且每年附加的专门培训要求都超出了初始等级。选择了这些技能类型,因为它们能说明两种航母推进装置部门所需技能的不同,也为专门军官技能确定每年的培训要求。利用海军所提供的信息,确定了这些技能的培训课程,以及海军教育和培训负责人每个学生每节课的费用。海军教育与培训负责人没有专业军官和新征入伍人员核技能所需实际培训(26 周)的费用信息。因此,以海军预算数据为基础,评估了每位军官和新征入伍士兵的培训费用。表 5.14 对间接培训费用了进行比较。

表 5.14 常规动力航母和核动力航母的推进装置管道培训费用

财政年 1997 年以万美元计			
初始培训	特殊培训	年度费用	生命周期费用
常规动力航母			
应征入伍的	250	071	321	16 062
军官				
总计	250	071	321	16 062
核动力航母			
应征入伍的	428	1 647	2075	103 757
军官		138	138	6910
总计	428	1 785	2 213	110 667

注:模型中,假设这两种航母的军官初始培训费用是相同的。

6. 船用燃油供给

评估得出一艘常规动力航母在其服役期内船用燃油供给费用大约是 4.69 亿美元。本次评估是以海军方法论为基础的,此方法论把一部分年度操作和支持成本分配给这些设施,然后分摊至每桶燃油。例如,由于海军基地除了存储船用燃油还存储其他燃料,所以按照燃油与每个仓库的总燃料比例来分配操作和维护这些设施的总费用。然后这些费用除以燃油桶的数量,从而得出每桶燃油的成本。使用相同的方法确定由供给船用燃油的军事海运司令部所运营的海军军舰和油轮的每桶燃油费用。表 5.15 说明了如何计算出每桶船用燃油的供给费用是 18.77 美元。假设常规动力航母每年使用大约 50 万桶燃油,或者在其服役期内使用 2 500 万桶燃油,估计出这大约需要花费 4.69 亿美元给常规动力航母提供燃料。

表 5.15 常规动力航母的船用燃油成本

财政年 1997 年以美元计				
活动/轮船类型	年度操作和支持成本	燃料供给所占比例	燃料供给	燃油桶数	每桶成本
舰队供应中心[①]船只	54 295 049	41.77%	22 679 042	10 526 000	2.19
海军船只[②]	294 480 540	45% ~65%	144 815 575		
MSC 油轮	273 057 960	100%	273 057 960		
总计	567 538 500		417 873 535	25 198 595	16.58
每桶油的总供给成本					18.77
在一个常规航母使用寿命期限内所供给的燃油桶数量				25 000 000	
燃油供给总成本					469 250 000

注:①舰队供应中心每桶燃料的成本也包括每年运行基地勤务船的 0.04 美元/桶。

②所包括的海军舰船是 AO,AOE 和 AOR 等级的船只。燃油供给占船只成本的 45% ~65% 。

7. 核支持活动

估计出大约花费 20.4 亿美元给核动力航母提供支持性服务。大多数费用产生于 Bettis and Knolls 原子能动力实验室所从事的工作、大量的研究工作以及专门支持海军核推进项目的技术设施。

多半实验室的活动由 DOE 拨款给海军核推进项目予以资助。DOE 的项目预算,在 20 世纪 90 年代,平均每年为 7.31 亿美元。项目活动主要集中于操作性研究、开发和测试,从而更好地理解反应堆的运作原理、评价反应堆性能、检查和提高模型精度。实验室评价适用于操作核设备时使用的包层、结构和部件材料,并开发和测试核燃料。实验室也评价转移、改变、存储、控制和测量海军反应堆所产生动力的设备和系统。DOE 资助的活动对于为海军提供有效的军事核推进装置并且保证其安全和可靠运行是必不可少的。

除了 DOE 的支持,海军也预算拨款 2 亿美元作为运行和维护资金,为其使用的反应堆提供必要的技术和物流支持。活动类型包括反应堆装置部件的日常维护和技术支持、检查和整修、船厂安全监督和动力装置安全评估。

成本评估是以这些活动的年度成本分摊到核动力航母上的比例为基础的。对于 DOE 资助的活动,在 1991 年和 1997 年之间分摊 DOE 平均资助金的 5% 用于海军支持活动;在 1994 年和 1996 年之间分摊海军平均资金的 2.08% 用于海军支持活动(表 5.16)。

表 5.16　给核动力航母提供核支持活动的费用

财政年 1997 年以亿美元计			
	年费用	分摊百分比	分摊百分比	生命周期费用
能源资助	7.310	5.0[①]%	36.6%	18.28
海军提供的资助	2.084	2.08[②]%	4.3%	2.17
总计				20.45

注:①与海军舰队的其他核动力船只相关,DOE 资助活动的分配是以核动力航母要求为基础的。
　②海军资助活动的分配是以对这些资金所支持的核反应堆设备数量的分析为基础。

5.2.4　两种航母的报废及处置费用对比

与常规动力航母相比,核动力航母报废和处置的费用显然更高,报废和处置核动力航母的费用预计达到 8.87 亿美元。此外,美国海军预计还需花费 1 300 万美元,用于长期储存从航母核反应堆装置移除的核废料(SNF)。放射性物质必须能够安全存放上千年,预估的时间是基于航空母舰在生产后第一个 100 年内放射性物质的储存要求。根据海军的数据,据估计常规动力航母报废和处置的费用为 5 260 万美元。

1. 航母处置费用

常规动力航母在其服役寿命结束时可安排到后备舰队中,或者作为动员资产保留下来。在调动状态 B 下,海军可持有三艘航母。当一艘航母不再服役时,可置于该状态下,此时最旧的航母报废。如果美国海军不再需要常规动力航母,可将航母转给海事管理署,卖给私人公司或外国政府,或者作为废品卖掉。根据海军数据,估计常规动力航母报废和处置费用为 5 260 万美元,包括降低航母动员状态的费用、维持 3 年低动员状态的费用以及最终减掉残值的处置费用。

由于核推进系统的缘故,这些方案都不适合核动力航母。核动力航母在称为"反应堆舱"的船舱中建了一座核动力装置。核动力装置的组件包括高强度反应堆容器、换热器(蒸汽发生器)以及相应的管道、泵和阀门。每座核动力装置中含有一百多吨铅屏蔽,与放射性物质接触的那部分具有放射性。核动力航母服役寿命结束时,必须处置放射性材料。

尽管核动力航母从未被处置过,但处置航母必需的基本步骤类似于核动力潜艇和水面舰艇。第一步就是取出反应堆装置的燃料。高放射性核废料将从反应容器中移除,送往位于美国能源部爱达荷国家工程与环境实验室的海军反应堆设施,以便检查和临时储存(本章后面一部分将会探讨核废料的处置)。第二步,抽干管道系统、储罐和容器;密封放射性系统;密封反应堆舱,用高完整性钢外壳包裹。从舰艇中移除的反应堆舱通过驳船从普吉湾海军造船厂运到美国能源部华盛顿汉福德的最终掩埋场。

美国海军提供的第一艘尼米兹级核动力航母处置费用在 8.186 亿万美元和 9.555 亿万美元之间。分析中取了费用的中间值——8.87 亿万美元。大部分费用用于取出燃料和移除受污染的核设备与材料。这一估计还不包括储存核废料的相关成本或汉福德反应堆掩埋场维护监督的相关费用。

2. 核废料的储存

尼米兹级航母服役过程中,航母反应堆装置需要两次移除核废料(SNF),分别在中年期和报废时。因为具有高放射性,核废料需要安全存放几千年。根据最近国防部对报告草稿的官方意见中提供的预估,海军核动力推进计划现在预计将花费约 1 300 万美元,运用新的干藏方法,在核动力航母退役后最初的 100 年中安全储存核废料(表 5.17)。无法验证这一预估的准确性和完整性,但确实了解到新方法的成本有望明显低于以前采用的方法(称为湿藏法)。

表 5.17　海军核动力航母核废料干藏成本预算

1997 财政年度以万元计	
	费用
初始堆芯	
每艘舰硬件堆芯设置	480
75 年干藏运营费用	180

表 5.17（续）

1997 财政年度以万元计	
替代堆芯	
每艘舰硬件堆芯设置	480
50 年干藏运营费用	170
总费用	1 300

美国海军一直用湿藏法临时储存核废料。核动力推进计划根据这种方法,将燃料存储在位于美国能源部爱达荷国家工程与环境实验室的特殊池中。池中的水作为辐射屏障,并起到分散热量的作用。美国能源部估计,运用此方法接收尼米兹级堆芯并放入储存池就要花费约 30.6 万美元,每年还要再花费 114.4 万美元。储存费用从航母服役期的第 25 年左右换料复合大修过程中首次移除堆芯时算起。航母报废移除已更换的堆芯时,储存费用将会翻倍。随着海军逐步向干藏法转变,海军核废料的临时储存费用很可能会发生变化。表 5.17 表明了采用新方法储存核废料的预期费用。

1995 年 10 月,爱达荷州、美国海军和美国能源部达成关于在爱达荷州运输和储存核废料的协议。因此,位于美国能源部爱达荷州掩埋场的所有核废料都放置在干燥仓库中,直到 2023 年。到 2035 年,所有核废料都会从爱达荷州清除。

最终,核废料必须永久处置。就目前而言,这将是极其困难的挑战,因为几千年后,这些核废料依然十分危险。国家战略专注于在地质处置场中处置由民用核电厂产生的核废料和高放射性废料。美国能源部负责开发地下储存库。然而,美国能源部希望储存库一直运作到 2010 年(《核废料:国外高放射性废料储存和处置方法》,1994 年 8 月 4 日与《核废料:全面审查处置项目很有必要》,1994 年 9 月 27 日),比预期晚了 10 年。成本估计十分复杂,因为当前的储存库计划并非基于国防级核废料(如海军反应堆装置产生的核废料)的处置,而是基于国防级核废料再处理后产生的高放射性废料。因此,没有估计航母核废料的最终处置费用,而是关注目前的储存方法。

5.2.5 机构意见和相应评价

美国国防部赞同寿命周期分析,也认同全寿命周期成本是分配稀缺资源的关键。不过,美国国防部认为,比较常规动力航母(如"约翰·肯尼迪"号航母)与尼米兹级核动力航母的寿命周期成本不合适,因为两种航母的服役年限、尺寸和功能有区别。

美国国防部认为核动力航母的寿命周期成本比常规动力航母高,但保险费没有估计的那么高。美国国防部不认同比较尼米兹级核动力航母和常规动力航母(如"肯尼迪"号航母)每吨成本的方法。美国国防部认为,这种方法更适合比较能力相当的常规动力航母和核动力航母。

虽然尼米兹级核动力航母和肯尼迪级常规动力航母有本质的区别,但依然选择进行比较,因为"肯尼迪"号航母是最后也是最大的一艘常规动力航母,它部署的舰载机联队与尼米兹级航母的舰载机联队规模相当,积累了充足的历史数据。此外,在这二十多年中,这两个级别的航母执行过相同的作战任务。

对这两个级别的航母之间费用差额的估算大于美国国防部的估算,主要是因为采用了不同的方法。收购费用估算基于每吨费用的方法,这是估算这类费用的公认方法,美国海军和其他方也用过。肯尼迪级的实际购置费用(扣除物价上涨因素)与估算中采用的购置费用基本相同。据美国海军称,他们估算了"新型"常规动力航母(具备最新尼米兹级航母的能力)费用,并且认为这种常规动力航母的排水量比尼米兹级航母更大。海军指出,常规动力航母的费用基于为反映过去30年工时和材料价格增长而调整的实际工时。海军官员说,他们将在纽波特纽斯造船厂建造常规动力航母,因此采用了这家公司的费用要素(例如人工费率、间接费用分摊率和原料率)。此外,海军计算 CV SLEP 的平均费用时,没有将肯尼迪级 SLEP 的成本包含进去,因此他们的估计值比较大。

运转和支持费用估算基于常规动力肯尼迪级和核动力尼米兹级的历史数据。美国国防部的估算是基于上文所述的更大的常规动力航母的估算。估算间接成本时,也采用了不同的方法。海军估计人力成本时,采用了"人员工作职位费用因素模型"。该模型旨在估计所有人力费用,包括间接费用,如培训费用等。本估算没有采用该模型,因为该模型并没有包含大部分核培训费用。相反,采用已验证的历史费用来估计直接人力费用。运用海军费用分析中心开发的方法,分别估计了管道培训费用。

海军在分摊支持其核动力舰队的能源部实验室的年度费用时,也运用了不同的方法。本次估算在核功率需求和消耗的基础上分摊这笔费用。最后,美国海军对核动力航母报销和处置费用的最新估算比本次分析中采用的估算少了近40%。本次并没有采用海军最新的估算,因为海军没有提供或找到支持在原始估算中大幅度削减费用的证据。美国能源部同意国防部对核反应堆装置支持活动和核废料储存相关的费用估算的意见。

美国核动力航母单项费用确实高于常规动力航母,但是在全寿命周期运维过程中,包括编队辅船的运维费用在内的全部费用与常规动力航母费用相当。同时,在当前全球作战需求下,核动力航母游弋于全球海域,有利于美国全球战略的实施;航母作为流动的国土,在自身安全方面,核动力航母在增加自身危险性的同时也加强了航母本身的安全性,提升了被攻击费用;且在未来航母自动化程度不断提高的发展趋势下,电力将成为航母上的主要能源,而核动力近乎无限的能源将是最好的选择。因此,美国全核动力航母的战略选择无可非议。

附录 A　美国海军航空母舰港口访问费用分析

声明: 附录所引论文观点属于作者个人,不代表官方政策,也不是美国政府和国防部的观点。论文用于公开发行。

作者简介: 詹森·W. 亚当斯,美国海军供应部队海军少校,1998 年于犹他州州立大学获学士学位,2005 年于亚利桑那州州立大学获工商管理硕士学位。

一、译序

航空母舰的使用保障费是寿命周期费用的主要组成部分,由于服役周期长且不确定因素多,因此寿命周期费用管理难度较大。随着海军舰艇护航行动的常态化和新航母正式入列,舰艇港口访问费用成为使用保障费的新增内容。为了加强经费的管理,需要开展港口访问费用分析与控制研究。

我们翻译的这篇论文,阐述了港口访问费用的分析方法,建立了港口访问费用分析模型,揭示了港口访问费用的成本动因。论文主要包括以下五个部分内容:

1. 引言

主要介绍港口访问费用研究的背景、现状、目的和主要内容。

2. 数据收集与组织

主要介绍了数据选择与预处理的方法。

3. 分析方法的设计

主要围绕费用分析模型的建模方法,费用变量、费用模型的选择方法和费用估计关系的评估方法展开研究。

4. 分析的结果

应用建立的模型进行分析,给出了分析结果,确定了港口访问费用的成本动因。

5. 结论与建议

给出了完善费用模型的建议。

借鉴他人经验,洋为中用。希望这篇论文介绍的费用分析方法对我军港口访问费用分析与控制研究有一定的借鉴意义。由于我们水平有限,不妥之处在所难免,恳请广大同仁批评指正。

二、摘要

美国海军正在寻求大量节省航母的使用费用的方法,包括港口访问的费用。本文分析了从 2002—2007 财年航母港口访问的费用数据,建立了航母港口访问费用的统计模型,以描述航母港口访问的费用特征、预测航母港口访问的费用。建立的模型考虑了如下因素:港口、航母、停泊方式(靠岸或锚泊)、访问时长和到达日期。期间,美国海军的 13 艘常规动力航母及核动力航母在全球 25 个国家进行了 118 次港口访问。对于每次港口访问,我们把单次费用分为四类子费用,并统计每次的总费用,采用回归模型,确定哪些因素能够解释分类子费用和总费用产生的原因。总费用的平均回归预测误差约为 17%。经研究发现,不同的航母产生的费用不同,更全面一点说,停靠不同的港口产生的费用也不同。这些结果有助于制定旨在削减航母港口访问费用的方案。为了实现本文提出的建模方法,我们开发了一个自动化的电子制表软件。

关键词:逐步回归分析,港口访问费用,核动力航母,费用报告,分析与预测工具,港口访问费用报告

三、概述

2007 财年,海军为航母在全球范围内的港口访问支付了 1 800 万美元。尽管这只是国防部为维持这些航母的使用和维护所作的近 1 亿 6 000 万美元的预算中较小的一部分,但却是节省费用、避免开支的对象。国防部已要求海军航空兵司令部在 2009 财年减少 20% 的预算,另外在 2010 财年再减少 20%。这意味着将总共节省 3 360 万美元的费用。海军航空兵司令部给出了几种既能省钱又能保持航母战斗准备等级的方案,包括:

(1)推迟航母的维修时间;

(2)缩减未部署的航母的经费;

(3)减少港口访问的费用。

海军航空兵司令部争取减少 400 万美元港口访问费用,因而对确定航母港口访问费用的成本动因感兴趣。

所有海军港口访问费用的资料可从费用报告、分析与预测工具数据库中获取,这些数据库由舰船工业供应中心派驻在新加坡和 Sigonella 的支队进行维护。

我们把每次港口访问的费用分为四个子类,并统计每次的总费用,采用回归模型,确定哪些因素能够解释四类子费用和总费用产生的原因。

我们为四类子费用,即部队警戒费用、港口费用、运输费用和公用事务费用分别建立子模型,并建立总费用模型,总费用模型的平均回归预测误差约 17%。经

研究发现,不同的航母产生的费用不同,更全面地说,航母停靠不同的港口产生的费用也不同。高等费用港口的费用约是低等费用港口的 3.32 倍。中等费用港口的费用约是低等费用港口的 1.95 倍。巴林港的费用位于中等费用和低等费用之间,是低等费用港口的 1.57 倍。由于海军正寻求减少港口访问的费用,我们应该考虑那些能够满足作战需求、效费比更高的港口。在某种程度上,海军已经在这么做了:航母停靠最多的港口主要是那些费用较低的港口。

决定航母是靠岸还是锚泊也能节省费用,靠岸比锚泊节省将近 35% 的费用。一艘核动力航母在 Jebel Ali 停泊 5 天,靠岸比锚泊节省将近 14 万美元。

这些结果有助于制定旨在削减航母港口访问费用的方案。为了实现本文提出的建模方法,我们开发了一个自动化的电子制表软件工具,用图直观地描述了这些模型。使用这个工具,决策者能够比较各种方案的优劣,决定访问哪个港口,是靠岸还是锚泊。

四、引言

本论文对最近几年航母港口访问的费用进行了统计分析,确定了构成航母港口访问总费用的各项子费用,解释了各项子费用的成本动因,描述了各项子费用的费用估计关系,为决策者提供了一个工具,使他们能够预测并监管今后的港口访问费用。

(一)研究的问题

本文的目的是提出一种方法,利用航母、港口和港口访问特征(如访问时长)等信息,预测一艘航母一次港口访问的费用。这种费用预测的方法能为决策者提供以下帮助:

(1)改善费用预测的结果,使预算和资源分配更合理;

(2)确定成本动因,提供在哪些地方可以减少或控制费用的信息,供决策者参考;

(3)确定备选方案(如停靠邻近的港口的费用分析),使决策者能选择既满足作战需求又更经济的方案;

(4)提供有关航母港口访问成本动因的优质信息,让决策者在与港口管理当局签订合同时能够最有效地使用海军的资源。

为了开发一个合适的工具以达到上述目的,本文首先评估了目前能获得的关于航母港口访问费用的相关数据,以回答下述问题的方式对评估数据进行分析。

1. 成本动因

航母港口访问费用的成本动因能确定吗?

成本动因是指引起作业成本产生的因素,或指与成本有统计关系、可以替代成本的因素。一项作业或一个事件有多个与之关联的成本动因。费用估计关系的所有因素中最重要的是成本动因。这些因素决定了哪些作业会产生费用,如果对这些作业进行费用控制,就可以节省费用或避免开支。在建立费用估计关系以预测港口访问费用的过程中,以下几个成本动因可能是重要的:航母本身、港口、地区、访问时长、航母停泊的方式(靠岸或锚泊)、部署时长和到达日期。虽然历年港口访问的费用数据在几个数据库中都有记录,但是对这些事件的成本动因的确定和调查的相关工作几乎没有。

2. 预测模型

在寻求缩小实际费用与预测费用的差距并节省费用时,假设已知港口访问费用的成本动因的相关信息,我们能够建立模型精确地预测港口访问费用吗?

虽然海军航空兵司令部已有一种预测港口访问费用的方法,但是这种方法不能对作业费用进行分类。我们可以建立费用估计关系以确定并解释港口访问费用的成本动因。

(二)背景

由于美国海军和国防部独特的指挥结构和文化传统,为了设计合理的分析框架,我们有必要先介绍下面一些术语。这些术语涉及美国海军及其费用管理结构的几个概念。

1. 国防部预算

国防部是美国最大的一个部门,美国政府对国防部的拨款占到联邦政府可自由支配资金的一半。除了用于全球反恐战争的经费,国防部最大块的经费用于军队装备的使用和维护。图 A.1 描述了国防部资源的分配情况。

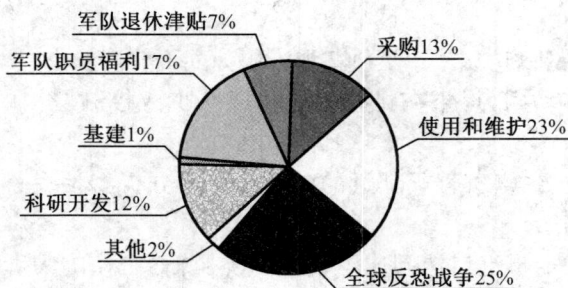

图 A.1　2007 财年国防部资源的分配图

为了弥补全球反恐战争带来的经费缺口,国防部正寻求从包括使用和维护经费在内的所有能节省费用或避免开支的账户中筹集经费。因此,美国舰队司令部(负责组织、招募、训练和装备海军部队并配备给作战司令官)正在寻求削减海军舰艇的使用和维护费用。削减海军航母的港口访问费用既能够节省大量的资金又不会降低舰艇的战斗准备等级。

2. 常规动力航母和核动力航母

美国海军拥有世界上最庞大的航母舰队。这些航母是保证美国在全球前沿存在的重要信号。在不能使用外国机场的时候,游弋在国际海域的航母能够提供空中优势。这些航母可以完成的任务包括从保持存在、进行威慑到深入敌人领空投送兵力,用途极广。美国海军部署的航母有常规动力航母和核动力航母。常规动力航母由锅炉提供动力,而核动力航母由核反应堆提供的蒸汽动力推进。2008年,最后一艘常规动力航母("小鹰"号)退出现役。

3. 港口访问

尽管航母可由支援舰在海上进行补给,并由航母甲板投送飞机进行再补给,使得其在超过部署周期的时间内仍能维持运转并保持良好状态,港口访问还是有其存在价值。除了威慑之外,港口访问使驻舰官兵得以休息和放松,繁荣了港口所在国的当地经济,有助于加强港口所在国和美国的联系。港口访问的费用由航母支付,经费来自作战目标基金。

4. 作战目标基金

海军财务助理部长给舰队司令提供经费,这些经费是由国会的海军使用维护专款授权机构逐年批准的。舰队司令从独立的作战目标基金中给舰种司令提供经费。航母舰种司令、海军航空兵司令把经费分配给各航母以支付航母在港口访问期间产生的费用。所有港口访问的经费都来源于作战目标基金第 20 类账户,该账户属补给和装备类账户,为维持日常活动所需物资和服务提供经费。这些物资和服务可能包括消耗品、维修部件、服务和维修合约。保障飞机作战的经费由其他两个账户作战目标基金第 01 类账户和作战目标基金第 50 类账户支付。

5. 海军航空兵司令部

2001 年 10 月,海军作战部长委任太平洋海军航空兵司令为航母舰队舰种司令官,头衔是海军航空兵司令。海军航空兵司令是海军司令部海军航空事务的首席顾问,并担任分布在全球各地的航母的舰种司令官。目前,海军的多艘航母在加利福尼亚的圣迭戈、华盛顿的埃弗里特、弗吉尼亚的诺福克等地本土驻扎,一艘部署在日本。海军航空兵司令部驻扎在圣迭戈北部岛的海军航空兵基地。

(三)本文动机

历史上,造成航母港口访问费用预测困难的原因如下:

(1)费用名目繁多,而且费用又随港口访问的实际情况的不同而变化;

(2)作为一项安全措施,每次港口访问都是临时通知的;

(3)作战计划时有变化导致费用的差异;

(4)合同的结构复杂程度不同也会导致费用差别。

1. 已有的工作

目前,研究导致港口访问费用产生的各因素之间关系的公开文献很少。如果这些因素可以确定并由费用估计关系描述的话,这将有助于预测今后的港口访问费用。这项预测将为财务审计和资源管理人员提供必要的工具,使得他们能够为今后的港口访问做出合理的预算。预测出港口访问费用,也有助于指导今后航母的部署计划和活动安排。

港口访问费用的差异是由访问期间大量没有合同规范的采购和不定项的采购引起的。海军支援服务供应商合同的复杂程度也会导致港口访问费用发生变化。这些变化给精确的费用估计关系的建立带来困难。

2. 支援服务合同

支援服务合同是由海军和支援服务供应商签订的军需合同。这些合同使得战斗部队包括航母能通过商业途径获得服务和物资。支援服务合同在没有长期后勤基础设施时,在非海军港口为美国海军和海岸警卫船只提供港口应招服务。港口访问期间,船上的军需官和支援服务供应商互相配合采购补给和服务。采购费用由海军接收、收集和记录保存。

3. 港口访问过程

军需官由航母指挥官委任,他具有签订合同的合法权力。在港口访问之前,航母要先向支援服务供应商发出后勤保障请求,列出需要的服务和物资清单。支援服务供应商回复每一项的大致费用以及提供不了的服务或物资需求。军需官也会收到海军航空兵司令部发来的近期航母在同一港口访问的历史数据。这些数据由港口访问费用报告数据库提供。

在港口访问期间,军需官与支援服务供应商和航母上其他部门共同工作,接收所有预订的项目和服务。军需官负责在离开码头之前支付所有费用。支付的账单包含航母离岸前已知的费用,但可能不是最终的费用。海军航空兵司令部会确保有足够的经费来支付所有的费用。

离港后,航母要给舰种司令官和其他海军单位发送港口访问费用报告,海军航空兵司令部将会同军需官确保有足够的经费支付最初的估计费用和实际费用的差额。图 A.2 展示了这一过程。

4. 现有的港口访问费用预测方法

为了预测港口访问费用,海军航空兵司令部现在使用 3 周期滑动平均模型,即 Mac 模型。这个模型的输入是航母每次完成港口访问提交的港口访问费用报告信息。为了估计航母进行一次港口访问的费用,把最近三次航母港口访问费用报告中的费用逐项进行平均以得到费用估计。上一财年的港口访问费用以 2% 的通货膨胀率转化为当前的价格。由此得到的每一项的费用提供给航母军需官作为相应项的初始估计费用。

港口访问流程

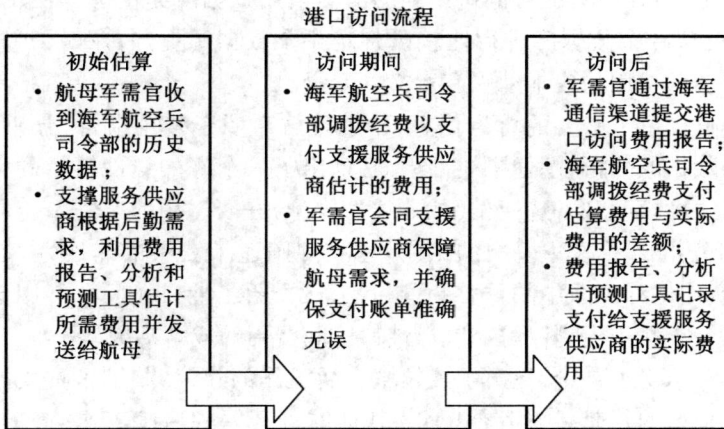

初始估算
- 航母军需官收到海军航空兵司令部的历史数据；
- 支撑服务供应商根据后勤需求，利用费用报告、分析和预测工具估计所需费用并发送给航母

访问期间
- 海军航空兵司令部调拨经费以支付支援服务供应商估计的费用；
- 军需官会同支援服务供应商保障航母需求，并确保支付账单准确无误

访问后
- 军需官通过海军通信渠道提交港口访问费用报告；
- 海军航空兵司令部调拨经费支付估算费用与实际费用的差额；
- 费用报告、分析与预测工具记录支付给支援服务供应商的实际费用

图 A.2　港口访问时军需部门交互合作流程图

（四）节省和避免费用的必要性

"压缩"一词被用于形容美海军主导的削减 2009 财年和 2010 财年 20% 的航母作战账户（作战目标基金第 20 类账户）经费的行动。没有深入分析，就不清楚削减这 20% 的经费将如何影响包括港口访问在内的航母运行的各个环节。

根据历史费用信息，利用舰艇作战经费模型，计算这些数据的两年滑动平均值，可以得到航母和其他舰艇作战账户的年度预算。在准备 2009 预算评审时，海军作战部长办公室、舰队筹备处的舰艇作战经费主管人员质疑由舰艇作战经费模型得到的预算的质量，并提出要削减舰艇作战账户经费以移作他用。舰队司令部和舰种司令部被要求调整舰艇作战经费模型的经费总量，但是总量只能保持传统数量的 80%。结果，舰队筹备处（N43）提议从 2009 财年航母和其他舰艇作战账户的预算中削减 20% 的费用，大约 162 亿美元。最终，从当时到 2013 财年，每年20% 的压缩量将用于以后几年的国防计划，总计达到 8.61 亿美元。为了模拟2009 财年及其之后经费裁减的影响，舰队司令部削减了截止到 2008 年 9 月作战目标基金的 20%。海军航空兵司令部预算办公室将从舰艇维修和训练业务中节省的资金分配给那些已经部署或即将部署的舰艇。

（五）论文提纲

本节第五部分讨论数据的收集和组织。航母完成港口访问后向海航司令部提交港口访问费用报告，海航司令部会保存和维护这些报告。海军现在使用的数据来源于港口访问费用报告数据库以及费用报告、分析与预测工具数据库。费用报告、分析与预测工具数据库由设在新加坡、Sigonella、意大利的舰艇工业供应中

心分遣队维护,旨在收集航母港口访问的历史费用数据。为使选择使用的数据更可靠,本文对这两个数据库进行比较以判定哪个数据源更好,探讨了怎样选择那些对于港口访问费用的成本动因有意义的变量。

第六部分提供了必要的背景信息,帮助理解对源于费用报告、分析与预测工具数据库的数据的分析;阐述了线性模型,列出了一个好的线性模型的必要特征;讨论了判断线性模型和备选模型(如非线性模型)是否适用的方法。

第七部分给出了这些模型的结果,建立并阐述了获得的非线性费用估计关系,讨论了费用估计关系中的重要变量和信息;介绍了港口访问总费用预测模型,还介绍了四个子费用模型以解释航母港口访问费用的成本动因。

第八部分给出了结论,提出了该领域今后工作的建议,归纳了重要的变量,解释了它们对模型的贡献。对其他财年、其他航母开展的后续工作,将丰富本文提供的信息。

五、数据收集与组织

本部分研究了两个为本文提供了分析数据的数据库。它们是设在弗吉尼亚诺福克海航司令部的港口访问费用报告数据库和设在新加坡、Sigonella 和意大利舰艇工业供应中心分遣队的费用报告、分析与预测工具数据库。事实证明后者更精确,因此我们选择使用该数据库提供的数据进行分析。

(一)港口访问费用报告

2006 年,海军航空兵司令部要求所有航母提交每次港口访问的费用报告。这些报告由航母供应部门在航母离港后立即撰写,并报告给多个部门(包括海航司令部)以记录航母港口访问费用。报告的底下一小部分记录了航母对通过支援服务合同获得服务的评价,以及导致某些特别高昂费用的情况。这份报告对每次服务和采购费用进行分解,逐项列出来,并给出每一项的数量和单位。图 A.3 为一个港口访问费用报表示例。海航司令部保存这些历史记录信息以便为下一次对同一港口进行访问提供参考。供应部门在航母离港后立即上报港口访问费用报告这一做法的不足之处在于有些费用还没有最终确定,这就造成提交给港口访问费用报告数据库的数据不准确。该数据库缺失的另一个数据是航母实际需要或支出的费用数额,这也是导致该数据库不准确的原因之一。

海军航空兵司令部补给清单如表 A.1 所示。表中费用包括 2006 年 6 月 3 ~ 6 号在马来西亚 KLANG 港访问的费用。

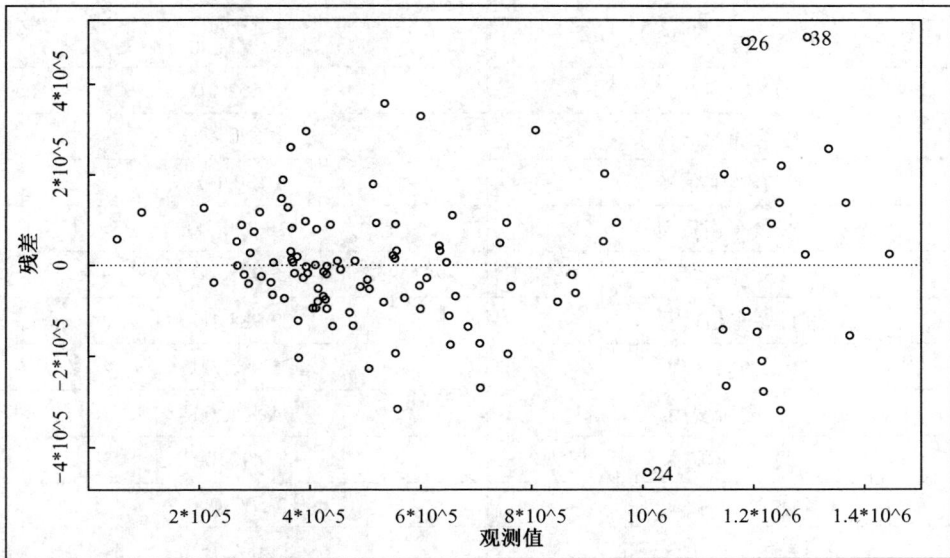

图 A.3　港口访问费用报表示例

表 A.1　海军航空兵司令部补给清单

服务	总计/美元
A. 支援费	3 000.00
B. 领航费	7 423.00
C. 拖船费	72 779.20
D. 缆工	2 600.00
E. 驳船	16 000.00
F. 横滨挡板	32 000.00
G. 码头使用费	163 440.00
H. 进港管理费	9 855.00
I. 垃圾处理费	14 400.00
J. 跳板服务费	18 000.00
K. 铲车费	22 300.00
L. 起重机	17 550.00
M. 电梯费	960.00
N. 污水处理费	141 226.80

表 A.1(续1)

服务	总计/美元
O. 淡水补给	20 662.20
P. 无线通信费	24 880.00
Q. 有线通信费	3 150.00
R. 汽车租赁费	118 320.00
S. 货运费	25 725.00
T. 轿车租赁费	22 988.00
U. 物质处理	25 990.00
V. 厕所费用	34 500.00
W. 安全帐篷	22 470.00
X. 精神检测/X 光	3 500.00
Y. 浮动周边防护工事	35 000.00
Z. 反小型航行器系统	245 000.00
AA. 安全屏障	110 825.00
BB. 安全灯	12 250.00
CC. 安全两频道无线电	175.00
DD. 汽车停放安全费用	43 200.00
EE. 电力供应费用	13 475.00
FF. 招待费	6 358.00
GG. 音乐会	2 748.00
总计	1 292 750.20

注:①支援服务由 GLEEN DEFENSE MARINE(ASIA)SDSN BHD 提供。支援服务商卡门埃德蒙和尼尔皮特森提供了优良的服务。

②进港时正逢马来西亚节日和访问时正逢周末导致几项服务费用的增加。

(二)费用报告、分析与预测工具

驻新加坡和 Sigonella 的舰队工业供应中心分遣队维护着它们各自独立的数据库。这个数据库包括收集的以往的港口访问费用报告,并与实际支付给支援服务承包商的账单进行比较。每一个数据库存有十年间核航母在该地区由工业供应中心分遣队服务的港口访问费用数据。由于费用报告、分析与预测工具是由不同的舰队工业供应中心分遣队操作的,两个数据库的内容相同但格式不同。根据服务和采购项目的类型,数据库的数据被分为几组。不同于港口访问费用报告的数据,这两个数据库的数据是航母用于支付服务和采购项目的实际支付数额。来自新加坡的费用报告、分析与预测工具数据库的一份报告见附录 A.2。

(三)数据标准化

港口访问费用报告和费用报告、分析与预测工具数据库记录了 1997 年至今航母港口访问的费用数据。为了对不同年份、不同港口的数据进行比较,考虑到通货膨胀,我们对每次的数据都进行了调整。为了消除通胀影响,我们把所有费用都规范到 2007 财年的价格。通胀系数作为数据规范的标准方法可在海军费用分析中心通胀系数计算 2009 财年第一版中找到。采用海军使用与维修费用的通胀系数,我们把所有数据统一到 2007 财年的价格。

规范两次港口访问费用的例子见表 A.2。它比较了 CVN – 76 和 CVN – 72 的两次港口访问费用,一次是 CVN – 76 于 2006 年 6 月访问香港,费用采用当年价格为 47.48 万美元,另一次是 CVN – 72 于 2004 年 12 月访问香港,费用采用 2005 年价格为 46.1 万美元。把这两个数据除以当年的通胀系数,可以获得它们转化为 2007 财年的价格,相关信息见表 A.2。

在初始的费用栏中,看上去 CVN – 76 比 CVN – 72 的费用更高,当两者用海军费用中心的通胀系数标准化后,CVN – 72 的费用比 CVN – 76 的费用稍高一些。

表 A.2　两次港口访问数据的标准化

航母	港口	到达日期	费用	通胀系数	费用
CVN – 76	香港	2006.6.10	47.48 万美元 (2006 财年价格)	0.973 7	48.767 万美元 (2007 财年价格)
CVN – 72	香港	2004.12.24	46.1 万美元 (2005 财年价格)	0.944 4	48.814 万美元 (2007 财年价格)

(四)数据库的比较

这两个数据库记录了 1997 年以来的历史数据,但是我们只对 2003—2007 年的数据进行分析。期间,航母的部署周期及相应的港口访问由于全球反恐战争发生了根本性的变化。

通过比较常规动力航母和核动力航母从 2003—2007 财年港口访问的数据(表 A.3),我们发现港口访问费用报告数据库和费用报告、分析与预测工具数据库的数据存在极大差异。"乔治华盛顿"号航母(CVN – 73)于 2004 年 2 月 6 ~ 10 日访问希腊克里特岛的 Souda 湾的数据可以说明这一点。从表 A.3 可知,两个数据库中几种服务的费用(包括支援合同费、驳船费、汽车费)是一致的,其他几种费用(起重机服务费和轿车租赁费)有些出入,拖船的费用差别极大。拖船准备的费用包含在费用报告、分析与预测工具数据库中,而港口访问费用报告数据库中没有该数据。

表 A.3　港口访问费用报告数据库和费用报告、分析与预测工具数据库中关于
2004 年 2 月 6 ~ 10 日 CVN – 73 访问克里特岛 Souda 湾的费用比较

费用	港口访问费用报告 (2007 财年/美元)	费用报告、分析与预测工具 (2007 财年/美元)	差额 (2007 财年/美元)
支援合同费	11 315	11 315	0
驳船费	13 107	13 107	0
汽车费	73 384	73 384	0
起重机服务费	20 780	22 242	1 462
轿车租赁费	22 957	22 147	– 810
拖船费	39 191	182 398	143 207

当然两个数据库之间的差异并不总像上例中那样巨大,很多次港口访问费用只有较小的差异。导致这些差异的一个原因是港口访问费用报告提交的时间。我们前面讲到,港口访问费用报告数据是在航母离港后立即上报的,有些费用还没有结算完。因为费用报告、分析与预测工具数据库的数据包含服务和采购项目的需求量,又对港口访问费用报告的数据和实际支付给经销商的费用进行了核对,因此费用报告、分析与预测工具数据库的数据更准确。

与海航司令部商量之后,决定采用费用报告、分析与预测工具数据库的数据来分析本文要研究的问题。

(五)费用分组

费用报告、分析与预测工具数据库的信息是按照访问期间提供的服务和采购的项目逐项记录的。费用分解成近 100 项。费用报告、分析与预测工具数据库中记录的许多条目可参见附录 A.2。为了达到分析目的,这些项目被分成 6 组:

①部队警戒;

②物资转运;

③港口费用;

④运输费用;

⑤公用事务费用;

⑥杂项补给。

使用这几个类别的决定反映了海航司令部希望确定中央支付的经费中各项

费用的组成情况如:公用事务费用、部队警戒费用以及那些可归为一类的费用(如运输费)。

按六个组对上述项目进行分类,可得到六组数据如表 A.4 所示。

表 A.4 按六个组对项目分类

部队警戒

海滩警戒办公室租赁	检查服务	哨艇
海滩警戒电话租赁	路障	警察
海滩警戒交通费	栅栏	移动厕所
潜水服务	海滩警戒办公室/帐篷	无线电
发电机	警犬(检查炸弹)	保安
金属检测器	潜水员	警告标志
租用客运枢纽站	围墙	X 光机
部队警戒交通费	浮动防御工事	岗哨
游艇检查		

运输费

公共汽车租赁	卡车租赁	交通费
司机	有篷车租赁	洒水车
轿车租赁	备用卡车服务	

物资转运

陆上货物运送	叉式升降机服务	物资装卸
拖船	照明	其他
货物驳船费	邮件投递费用	搬运费
起重机		

公用事务

小型广播电视	消防水管服务	废油容器租赁
手机租赁	燃气供应服务	废油清理
废物运输	76 号燃气	饮用水管结合配件
废物处理	煤气	饮用水
废物收容器租赁	发电机	岸上供电
废物清理	陆上运输损耗	垃圾清理

表 A.4(续)

杂项服务与补给

废物清理车	陆上运输	污水处理
通信服务及设备	损坏的手机	废油清理
饮用水	拦油栅	水管连接
船员归国	洗涤费	油漆服务
船员医疗服务	杂项服务与补给	移动厕所
船员其他服务	动员/复员	冰箱租赁
危险物质处理	漆油漆的筏子	帐篷租赁

港口费

驳船	固定挡泥板	缆工
停泊费	租赁挡泥板	带缆船
系泊艇	楼梯费	引水员
浮垫	入境检查费	入港许可
关税	汽艇费	拖船

六、选择有代表性的变量

为了获得成本动因并解释港口访问费用变化的原因,以那些被认为对费用有影响的事件为基础,我们提出了与能够说明问题的因素相对应的独立变量如表A.5所示,并给出了几种因素更详细的描述。

表 A.5　独立变量描述

变量名	描述
航母	进行港口访问的核动力航母舷号
港口	访问的港口
到达日期	航母开始港口访问的日期
停泊方式	二选一:或靠岸,或锚泊
访问时长	航母驻港的天数
部署次数	在数据库中航母部署的次数(按时间顺序)
访问次数	在一次部署期间访问港口的次数(按时间顺序)
部署比	一个部署周期内,当前港口访问次数与总的访问次数的比,用小数表示

为了更好地解释模型的假设和结果,深入了解这些变量是必要的。对由这些变量组成的模型进行分析,得到的关于这些变量的结论在第五章给出。

1. 航母变量

考查不同的航母是否是决定港口访问费用的一个重要因素是一个有趣的问题。在数据库中,航母本身也作为一个变量。在后续的统计分析中,当记录的内容属于该航母时,航母变量等于1,否则该航母变量为0。除此之外,不专门考虑期间是否更换了航母的指挥官和军需官。表 A.6 列出了航母变量。

表 A.6　航母变量

航母名称	变量名
CVN – 72 美国军舰"亚伯拉罕·林肯"号	CVN – 72
CVN – 70 美国军舰"卡尔·文森"号	CVN – 70
CV – 63 美国军舰"星座"号	CV – 63
CVN – 69 美国军舰"德怀特·艾森豪威尔"号	CVN – 69
CVN – 65 美国军舰"企业"号	CVN – 65
CVN – 73 美国军舰"乔治·华盛顿"号	CVN – 73
CVN – 75 美国军舰"哈利·杜鲁门"号	CVN – 75
CVN – 74 美国军舰"约翰·斯坦尼斯"号	CVN – 74
CVN – 67 美国军舰约翰"肯尼迪"号	CV – 67
CV – 64 美国军舰"小鹰"号	CV – 64
CVN – 68 美国军舰"尼米兹"号	CVN – 68
CVN – 76 美国军舰"罗纳德·里根"号	CVN – 76
CVN – 71 美国军舰"西奥多·罗斯福"号	CVN – 71

2. 港口群变量

考虑不同港口是否是决定港口访问费用的一个重要因素也是一个有趣的问题。数据库中记载了 13 艘航母访问的港口,由于港口数目太大,为了进行分析,我们把港口分成几个群,把那些经常访问并且有大量观测数据的港口归为一类,这类港口中的每个港口作为一个群,Jebel Ali、中国香港、新加坡和 Barhrain 港属于这类港口。那些很少访问的港口合并为一个群。在考察这些港口总的费用时,把它们分为高等费用、中等费用和低等费用港口。高等费用港口有:布里斯班,koper,Laem,Chabarg,Lisbon,Port Klang,朴次茅斯和 Tarragona。中等费用港口有:Corfu,Freemantle,Limassol,Marseille、那不勒斯、帕尔玛、Rhodes,Souda Bay 和

Valletta。低等费用港口有:戛纳、卡塔赫纳、斯普利特和悉尼港。表 A.7 展示了分组的港口群。在后续统计分析中,如果访问的是该群中的港口,那么该港口群变量为 1,否则为 0。

表 A.7 访问港口列表

访问的港口	变量名
新加坡	新加坡
Manama	Manama
中国香港	中国香港
Jebel Ali	Jebel Ali
布里斯班,koper,Laem,Chabarg,Lisbon,Port Klang,朴次茅斯和 Tarragona	高等费用
Corfu,Freemantle,Limassol,Marseille,那不勒斯、马略卡岛的帕尔玛、Rhodes,Souda Bay 和 Valletta	中等费用
戛纳、卡塔赫纳、斯普利特和悉尼港	低等费用

3. 到达日期

所有的数据都标准化为 2007 年的美元价格。即便如此,调整后的数据瞬态的趋势偏差较大的情况可能仍存在(如偏高)。这可能源于通胀的调整不准确,也有可能是支付模式的变化未能体现在通胀调整中。我们要检验如下假设,即航母到达港口的日期是决定港口访问的一个重要因素。到达日期是航母进港的日期,到达日期变量取值为从 1960 年 1 月 1 日到港口访问发生时相隔的天数。

4. 停泊方式变量

下面考查航母的停泊方式(即靠岸或锚泊)是否是决定港口访问费用的一个重要原因。如果航母靠岸,变量值等于 1;如果锚泊,变量值等于 0。显然,垃圾清理、污水处理、部队警戒以及运送船员往返于航母和码头的额外运输费用使得锚泊比靠岸的费用高得多。

5. 访问时长

我们预测访问期间的某些费用会随着访问时间的延长而增加。由于这个原因,驻港时间的长短用天计算,这被认为是一个具有代表性的变量。

6. 部署比

研究一艘航母在部署期间的消费方式是否会发生变化是一个有趣的问题。比如,航母在开始部署时,是否大手大脚地花钱,当钱花光了,又申请经费;或者航母在部署的各阶段的费用是均衡的;或者航母会在早期节省费用,然后在部署结束时进行一次更好的港口访问？我们采用部署比变量作为代表性变量来刻画这些方式对总费用的影响。部署比是指一个部署周期内,当前港口访问次数与总的访问次数的比,用小数表示。如部署比为 0.25 表示在一个部署周期中,当前访问发生在该次部署的四分之一周期。

七、分析方法

本章分析费用模型,它们是根据六类子费用和每次港口访问的总费用的标准化数据建立的。这些数据源于数据库中的 13 艘航母在 25 个国家进行的 118 次访问记录。其中"尼米兹"号航母(CVN－68)在 2007 年 7 月访问印度钦奈港是一个孤立事件,导致极高的港口费用,它对今后的港口访问费用的预测没有任何帮助,因此,我们把这次特别的港口访问从数据库中剔除掉。

本章要讨论的主题如下:

(1)线性模型的开发;

(2)为费用变量选择合适的变换;

(3)采用逐步回归方法选择最终模型;

(4)进一步阐述回归模型以增强可读性;

(一)线性模型

线性模型是推导费用估计关系的最简单的工具,尽管它的灵活性受到数学形式的限制。记 Y 为港口访问费用(按 2007 财年美元计算),它表示港口访问的总费用或某一类子费用,如公用事务费用。记 $X_1, X_2, \cdots, X_p$,为一系列待定的自变量,则线性模型可表述为

$$Y = \beta_0 + \beta_1 X_1 + \beta_2 X_2 + \cdots + \beta_p X_p + \varepsilon \qquad (A-1)$$

其中,ε 为随机误差项(残差),并假设它是服从正态分布的随机变量,均值为 0,标准差为常数 σ。这类线性模型通常采用常规的最小二乘方法估计模型参数,解决这类问题有很多可用的软件包,为了确定这个模型是否适用于实际情况,下述特征非常重要。

1. 线性

线性模型是在忽略残差 ε 的基础上得到的因变量 Y 与系数项($\beta_1, \beta_2, \cdots, \beta_p$)之间的关系。这意味着可加性并不总是成立的。但是通过对自变量进行变换或者通过自变量与其他自变量组合成交叉项来建立模型,线性模型仍可把这些模型包含在内。例如,下述模型是一个线性模型,即

$$Y = \beta_0 + \beta_1 \log(X_1) + \beta_2 X_1 X_2 + \varepsilon \qquad (A-2)$$

在这个模型中,$X_1 X_2$ 项是两个自变量组合成的交叉项作为一个自变量。

2. 正态性

上述模型假设残差 ε 是服从正态分布的。而在某些情况下,残差是有偏分布

或重尾分布的,不满足正态性。在这种情况下,需要采用别的建模方法。

3.同方差性

在上述模型中,不管自变量的值域是多少,我们都假设残差 ε 具有常数标准差,然而在很多例子中,这个假设是不成立的(如已知它的方差是不同的),此时,需要对残差进行处理或采用别的建模方法。

4.独立性

上述模型假设残差 ε 与观测值相互独立。如果残差的时间系列是相关的(系列相关)或者存在其他形式的相关性,其他方法如广义最小二乘方法要比常规最小二乘方法更好。

在前三个假设中,其中某一个假设不成立往往意味着其他的假设不成立,这时,残差处理需要同时考虑三个假设与实际情况之间的差异。判断一个线性模型是否适用,一般方法是考察这个模型的残差,而残差是利用观测数据,并采用常规最小二乘方法确定线性模型时得到的,假设拟合的模型表达式如下,有

$$\hat{Y}_i = b_0 + b_1 X_{i1} + \cdots + b_p X_{ip}, \quad i = 1, \cdots, n \quad (A-3)$$

其中,n 是样本数,残差是预测值($\hat{Y}_i$)与实际因变量(Y_i)之差,即

$$e_i = Y_i - \hat{Y}_i, \quad i = 1, \cdots, n \quad (A-4)$$

我们可以通过观察残差与观测值的对应关系的图像以检测潜在的非线性和异方差性。关于残差的正态分位数——分位数图($Q-Q$ 图)给出了正态分布假设合理性的有用信息。利用观测数据确定线性模型的具体细节可见参考文献[Montgomery,2006]。

针对每次港口访问,我们建立了总费用和下述四类子费用的线性模型:

(1)部队警戒费用;

(2)港口费用;

(3)运输费用;

(4)公用事务费用。

剩下的两类费用没有单独考虑,但是包含在总费用模型中。

我们采用 S-Plus 软件建立了线性模型,以解释影响港口访问费用的成本动因。对获得的费用估计关系图的分析表明线性模型并不适用于描述这些关系。

(二)选择变换函数

线性模型的 $Q-Q$ 图像表明引入非线性费用估计关系,我们有可能获得更合适的模型。因此我们采用了不同的非线性变换来建立模型。对获得的函数图像的分析表明最好的变换是对数变换。

对费用变量进行对数变换的优势在于:线性模型经过逆变换后具有乘积特征。例如,一个对数线性模型

$$\log(Y) = \beta_0 + \beta_1 X_1 + \beta_2 X_2 + \varepsilon \qquad (A-5)$$

可以表示为

$$Y = \gamma_0 Z_1^{\beta_1} Z_2^{\beta_2} \times 误差 \qquad (A-6)$$

其中,$\gamma_0 = \exp(\beta_0)$,$Z_1 = \exp(X_1)$,$Z_2 = \exp(X_2)$,而误差 $= \exp(\varepsilon)$,这里的对数是指自然对数,下文亦是如此。在原来的量纲中,该模型的费用 Y 以 γ_0 为基数,通过两个不同幂次的自变量 Z_1 和 Z_2 的乘性调整而获得。由于误差(即由最后一个乘积项表示的项)的影响,这个模型不是最佳的。乘性调整是通过相对项计算费用,而加性调整(如不使用对数变换)是通过绝对项计算费用。假如港口访问费用随着港口访问的环境不同而大幅变动,那么乘性调整在模型开发上似乎比加性调整更有意义。

采用对数模型的缺点是不能处理费用为零的情况。有一艘航母的四个子类费用观测值中的部队警戒费用就出现费用为零的情况。原因可能是该次费用的分类方式不同于按上述四类费用分类的方式,按这种分类方式报告的费用的可靠性存在问题。因此,该次观测四个子类费用的观测值被从分类费用分析中剔除。但是这些观测费用仍体现在总费用的分析中。

(三)回归模型的选择

如果费用估计关系包含众多可能的自变量,回归系数的数目会很大,针对这种情况,我们采用统计变量选择的惯用方法(逐步回归方法),来开发既简单又能够很好地说明问题的模型。我们采用逐步回归方法开发了港口费用的对数模型,同时利用 AIC 准则防止模型的过度拟合。AIC 准则定义如下,即

$$AIC = n\log(RSS/n) + 2(p+1) \qquad (A-7)$$

其中,$RSS = \sum_{i=1}^{n} e_i^2$ 是残差平方和,$p+1$ 是模型参数的个数,逐步回归的目标是选择一个模型使 AIC 值最小。

S-Plus 软件中的命令 StepAIC 可用于实现逐步回归,这个命令可以从 S-Plus 库中的现代应用统计工具中获得。

(四)基线

我们开发的回归模型给出了模型适用于每艘航母、每个港口的可能效果。这些效果通过指示变量进行估计。例如,如果一个数据记录是关于美国"约翰斯坦尼斯"号航号的,那么指示变量 CVN-74 等于 1,否则为 0。作为一个群,我们为这些航母设立了 13 个指示变量,但是在回归模型中,为了避免设计的矩阵是奇异的,我们必须剔除其中的一个变量。许多统计软件包,包括 S-Plus,默认的是剔除这个集合中的第一个指示变量。在目前我们研究的这个案例中,这意味着我们要剔除 CVN-72,它是按照字母顺序排第一的变量。模型对 CVN-72 的效果被

视为 0(尽管模型对 CVN - 72 的效果是一个常数),而对其他 12 艘的效果与之不同。换句话说,CVN - 72 是所有航母与之相比较的基线。尽管这个基线的选取是任意的,与效果的平均值相比它可能更接近效果的中心位置,这是通过对 13 艘航母的效果进行线性变换使得效果的和为 0 来实现的。在这个基线下,负系数意味着对应航母的费用低于平均费用,而正系数意味着对应航母的费用高于平均费用。这个基线是原始模型不改变它的数学特性的一个重新表述。类似地,也可以给出港口群的效果,它们的和为 0,它是港口群平均效果的基线。

基线代替均值被用于包含航母群和港口群指示变量的所有费用估计关系模型中。

(五)评估费用估计关系

利用数据进行回归分析,得到的回归参数反映了自变量对因变量的影响程度,它存在统计不确定性。关于常规最小二乘回归估计的统计特性,人们已经建立了完善的理论,可见文献[Montgomery,2006]和其他资源。我们通常进行两项检测,即检验自变量对因变量的影响程度是否显著以及自变量与因变量之间的关系能否用模型来表示。例如为了检测自变量 X_1 对因变量 Y 的影响程度是否显著,我们关注它的系数 β_1。考虑假设 $H_0:\beta_1 = 0$,$H_1:\beta_1 \neq 0$,检验统计量为

$$t = \frac{b_1}{SE(b_1)} \qquad (A-8)$$

其中,$SE(b_1)$ 是估计的回归系数的估计标准差。假定模型是有效的,如果假设 H_0 成立,那么检验统计量 t 服从 $n-p-1$ 自由度的 t 分布。为了检验模型是否有效,如为了检验 k 个自变量(如航母群或港口群的指示变量)是否与因变量 Y 存在如模型表示的关系,考虑假设 H_0 为自变量与因变量的关系不能用该模型表示,H_1 为自变量与因变量的关系能用该模型表示,我们使用下面的检验统计量,即

$$f = \frac{(RSS_1 - RSS_2)/k}{RSS_1/(n-p-k-1)} \qquad (A-9)$$

式中　RSS_1——包括 k 个自变量和其他 $p+1$ 个自变量的回归误差的平方和;
　　　RSS_2——忽略 k 个自变量的回归误差的平方和。

如果假设 H_0 成立,那么检验统计量 f 是服从自由度 $(k,n-p-k-1)$ 的 F 分布。

在回归分析中常用于衡量模型对原始数据的拟合程度的指标(拟合优度)是测定系数,记为 R^2,它定义为可解释的变异平方和占总变异平方和的百分比。如 $R^2 = 0.75$ 表明 Y 中总变异平方和的 75% 可由回归模型的自变量解释,即测定系数为 0.75。基于拟合优度的模型选择必须结合 AIC 准则防止数据的过度拟合。

在回归分析中,变量 Y 已经经过变换,R^2 不能反映回归模型对 Y 在原始量纲下的拟合程度。如果在回归分析中采用对数变换,一个有用的拟合优度是相对误

差平均百分比,它的定义如下:

$$APRE = 100\% \times \frac{1}{n} \sum_{i=1}^{n} \frac{|Y_i - \hat{Y}_i|}{Y_i} \quad\quad (A-10)$$

式中 $\hat{Y}_i$——基于 Y 的对数的指数回归预测值;

   n——样本大小。

例如,$APRE = 15\%$ 表明在平均意义下,预测误差占 Y 的实值的 15%。

即使我们已知真实的回归关系,根据自变量的信息获得 Y 的预测值仍有两个不确定性来源:模型参数的估计和港口访问费用的内在不确定性。如果通过对数变换获得的线性模型,它的误差项 ε 满足正态分布,预测 $\log(Y)$ 的置信度为 95% 的置信区间可以通过经典的方法获得,参见文献[Montgomery,2006]。这个置信区间的表达式为 $\hat{l} \pm 1.96\hat{\sigma}_{PRED}$,其中,$\hat{l}$ 是基于自变量的关于 $\log(Y)$ 的预测值,$\hat{\sigma}_{PRED}$ 是预测的标准差。如果想要达到不同的置信水平,系数 1.96 也要相应变化,要么使用标准正态分布(大样本情形),要么使用 t 分布(小样本情形)。预测 Y 的等价的置信区间可以通过计算预测 $\log(Y)$ 的置信区间端点的指数幂来获得,区间的单位仍为美元。

八、分析结果

前文介绍了航母港口访问费用的分析方法。同时,我们还介绍了微软表格中的一个自动化用户界面,它使得用户只需提供一些输入信息就能获得港口访问费用的估计值。这个工具不仅可以用于预测港口访问的费用,而且关注港口访问费用的驱动因子,能方便地比较各个方案的优劣,使得费用管理者能灵活处理减少港口访问费用事宜。

(一)线性模型

我们最初开发费用变量不作变换的线性模型是为了描述港口访问费用的成本动因。我们构造了总费用模型和部队警戒费用、港口费用、运输费用和公用事务费用等四类子费用模型。图 A.4 展示的是总费用回归模型的残差关于观测值的函数图像,图像表明这个模型是典型的异方差模型。图的左边的观测值的散布小,右边的散布大,形成了漏斗形的散布,这是异方差的典型特征。这表明高费用港口访问的费用的估计误差比低费用港口访问的更大(在绝对数量上)。

图 A.5 展示了线性模型残差的 $Q-Q$ 图,$Q-Q$ 图的横坐标为标准正态分布的分位数,纵坐标为样本的分位数,由 $Q-Q$ 图可以看出该模型不满足线性关系,这也表明假设不符合实际情况,残差很大时尤其如此。

由于线性模型不适合描述未作变换的费用变量之间的关系,我们考虑基于变换的费用变量的模型。这些模型在变换后的费用测量尺度上保持线性,而作逆变换之后是非线性的,下文将对这些模型进行描述。

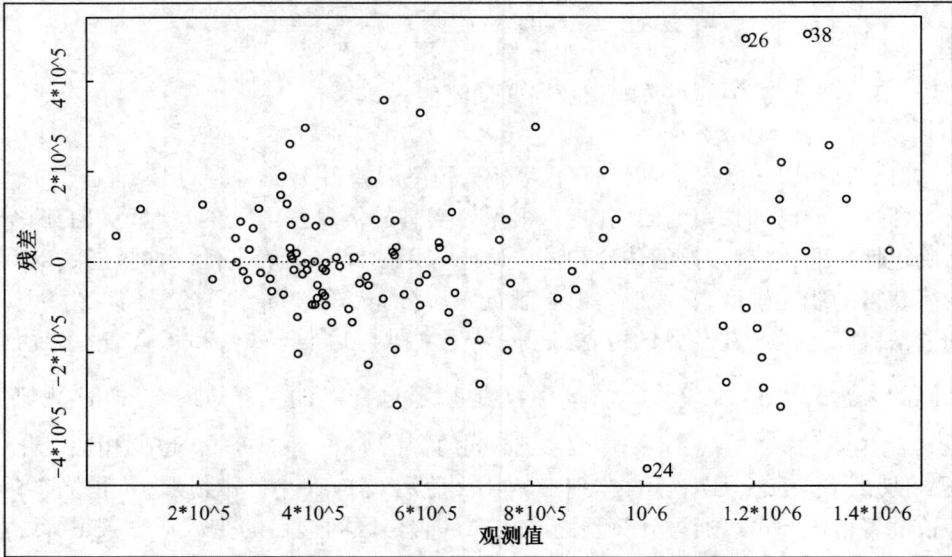

图 A.4　线性总费用模型的残差关于观测值的函数图像

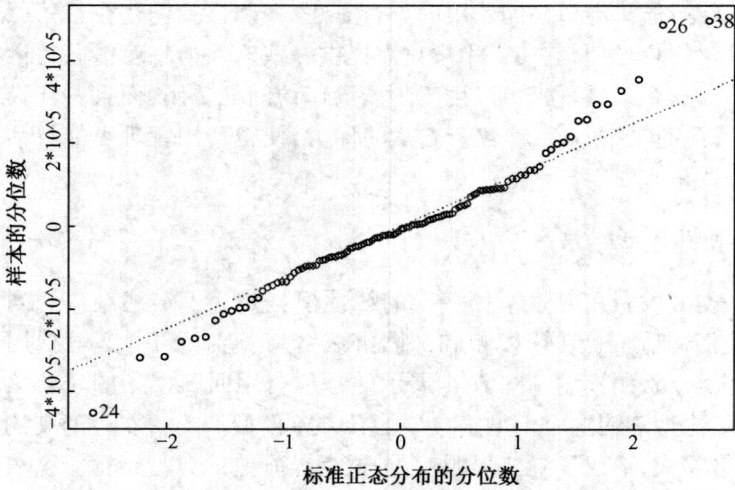

图 A.5　线性总费用模型的残差 $Q-Q$ 图

（二）非线性模型

通过对港口访问费用变量进行变换,以获得同方差且残差为正态分布的线性模型,我们对几种变换方式(如倒数、指数和对数变换)进行了评估,给出了基于变量变换的非线性模型的残差图。结果表明对数变换是最好的,对数模型的残差关于观测值的函数图像如图 A.6 所示,残差 Q-Q 图如图 A.7 所示。

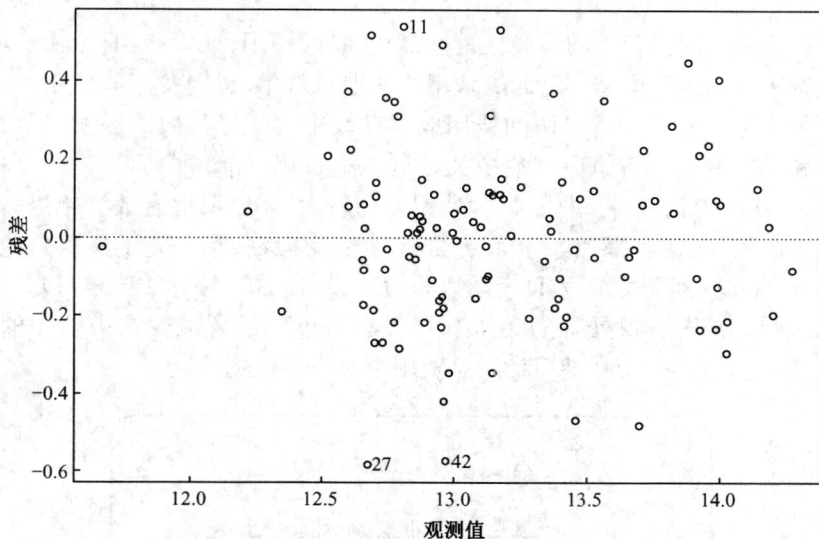

图 A.6　对数变换的总费用模型的残差关于观测值的函数图像

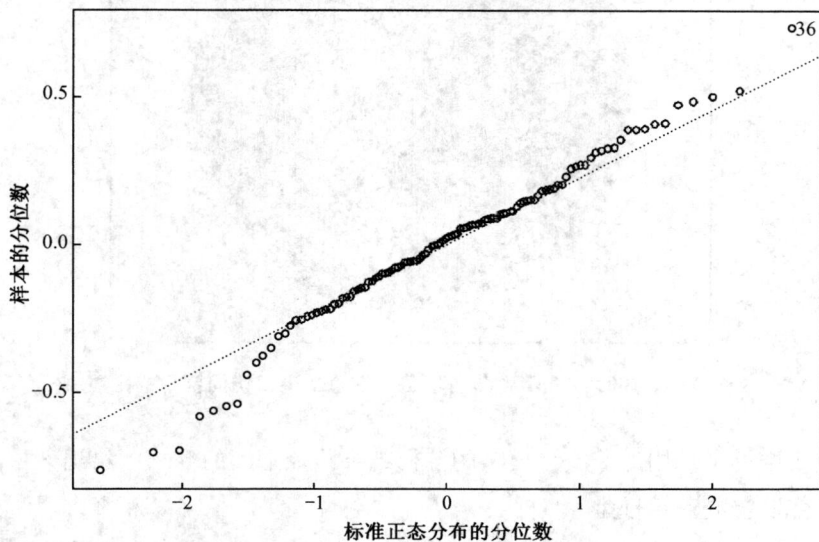

图 A.7　对数变换的总费用模型的残差 Q-Q 图

可见,对数变换改善了港口访问费用的统计模型。这些费用按照对数线性尺度进行描述在直觉上也是合理的。如果费用的对数是如航母、港口、访问时长等一系列费用的对数加和的效果,那么访问费用本身是一系列费用的乘积的效果。在基本费用的基础上,通过航母、港口和其他费用因子的乘性调整,最终获得预测的费用。

(三)推导子模型

我们建立了四类费用的非线性模型,部队警戒费用、港口费用、运输费用和公用事务费用的非线性模型。这四类费用中的港口费用、运输费用和公用事务费用是数据库中记录的航母港口访问费用成本动因中的三个最大的因素。节省费用的努力和控制费用的措施应该集中关注这三类费用。港口费用的大部分收费是固定的,每次港口访问都一样。运输费用差别较大,需要采取有效措施进行控制。为了减少出入,水费、汽车租赁费和补给车的费用应该按照一定的标准打包处理。公用事务费用差别很大,因为每个港口的污水、垃圾的收集、存放和转移的处理费用都不一样。密切监视处理的污水和垃圾总量可以极大减少这类费用的出入。图 A.8 给出了每类费用在港口访问总费用中所占的比例。

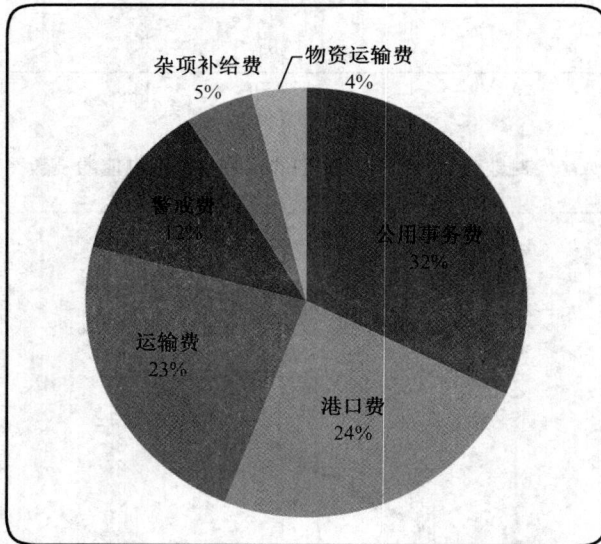

图 A.8　2003—2007 财年各项费用占总的港口访问费用的比重

关于四类子费用的非线性模型的分析结果将在下面的介绍中给出。

1. 部队警戒费用模型

我们推导的部队警戒费用模型可以采用非线性的对数形式表述为

$$\log(Y_{部队警戒}) = \beta_0 + \sum_{s=1}^{13} \beta_{1,s} X_{1,s} + \sum_{r=1}^{7} \beta_{2,r} X_{2,r} +$$
$$\beta_3 X_3 + \beta_{3,4} X_3 X_4 + \beta_{4,5} X_4 \log(X_5) \qquad (A-11)$$

其中,β_j 为对应自变量的系数(表 A.8)。

表 A.8 部队警戒费用模型的系数说明

系数	自变量
β_0	截距
$\beta_{1,s}, s = 1, \cdots, 13$	单个航母变量
$\beta_{1,r}, r = 1, \cdots, 7$	单个港口变量
β_3	停泊方式:是否靠岸(是为 1,不是为 0)
$\beta_{3,4}$	到达日期与停泊方式的综合作用
$\beta_{4,5}$	访问时长的对数与到达日期的综合作用

部队警戒费用模型的系数见表 A.9。

表 A.9 部队警戒费用模型的系数表

自变量	系数值	标准差	t 比值	P 值
截距	10.41	0.139	74.892	0.000
CVN-73	-0.388	0.297	-1.306	0.191
CVN-75	-0.313	0.256	-1.223	0.221
CVN-71	-0.323	0.258	-1.252	0.211
所有其他航母	0.102	0.046	2.217	0.027
高等费用港口	0.803	0.178	4.511	0.000
中国香港	0.565	0.248	2.278	0.023
Manama	0.203	0.269	0.755	0.450
中等费用港口	0.154	0.176	0.875	0.382
所有其他港口	-0.576	0.122	-4.721	0.000
停泊方式	-14.863	3.676	-4.043	0.000
到达日期×停泊方式	0.000 7	0.000 2	3.500	0.000
log(访问时长)×到达日期	1.893	0.417	4.540	0.000

①残差标准差:0.799 4(102 自由度);

②测定系数 R^2:0.418 3;

③F 分布统计值:7.335(10 和 102 自由度),P 值为 1.164e-008。

部队警戒费用回归模型的不可解释变异平方和占总变异平方和的比例很大。原因可能和环境有关,不同的环境,威胁的大小不同,在我们研究的这段时间内,全球各地港口的环境千差万别。为了保证港口访问的安全,必须优先保证部队的安全。停泊方式的系数为负且绝对值很大表示航母靠岸的费用比锚泊的费用低很多。我们认为锚泊时与警戒船和港口巡逻相关的费用更高时也要注意到这一点:部队警戒的费用估计关系并不是很好的工具,因为它的估计值存在的误差是不断增加的。有一个交叉项包含到达日期表明部队警戒费用模型存在时效性,而到达日期的系数很小是因为计算时使用的公元纪年的数值相对大很多。部队警戒费用模型中有访问时长的变量是很直观的,因为它的费用所占的比重很大。

2. 港口费用模型

我们推导的港口费用模型可以采用对数形式的非线性形式表述为

$$\log(Y_{港口}) = \beta_0 + \sum_{s=1}^{13}\beta_{1,s}X_{1,s} + \sum_{r=1}^{7}\beta_{2,r}X_{2,r} + \beta_3X_3 + \beta_4X_4 +$$
$$\beta_5\log(X_5) + \beta_{5,6}X_6\log(X_5) \qquad (A-12)$$

其中,β_j 为对应自变量的系数(表 A.10)。

表 A.10　港口费用模型的系数说明

系数	自变量
β_0	截距
$\beta_{1,s}, s=1,\cdots,13$	单个航母变量
$\beta_{1,r}, r=1,\cdots,7$	单个港口变量
β_3	到达日期
β_4	停泊方式:是否靠岸(是为1,不是为0)
β_5	访问时长的对数
$\beta_{5,6}$	访问时长的对数与停泊方式的综合作用

港口费用模型的系数见表 A.11。

表 A.11　港口费用模型的系数

自变量	系数值	标准差	t 比值	P 值
截距	6.082	1.803	3.373	0.001
CVN-75	0.217	0.174	1.247	0.212
CVN-68	0.481	0.142	3.387	0.001

表 A. 11(续)

自变量	系数值	标准差	t 比值	P 值
所有其他航母	−0.067	0.020	−3.350	0.001
高等费用港口	0.899	0.141	6.389	0.000
中国香港	−0.607	0.152	−3.993	0.000
中等费用港口	0.465	0.108	4.306	0.000
所有其他港口	0.020	0.048	0.417	0.677
到达日期	0.000 4	0.000 1	4.000	0.000
停泊方式	−1.936	0.736	−2.630	0.009
中等费用港口	−0.818	0.363	−2.253	0.024
所有其他港口	1.138	0.432	2.634	0.008
log(访问时长)	0.217	0.174	1.247	0.212
log(访问时长)×停泊方式	0.481	0.142	3.387	0.001

①残差标准差:0.508 3(103 自由度);
②测定系数 R^2:0.554 6;
③F 分布统计值:14.25(9 和 103 自由度),P 值为 1.066e−014。

港口费用回归模型的不可解释变异平方和占总变异平方和的比例很大。港口费用因港口提供的服务而异,正是这个原因阻碍了我们建立较好的费用估计关系。停泊方式的系数为负且绝对值很大表示航母锚泊的费用比靠岸的费用低。这看上去也是合理的。以中国香港为例,美国海军的航母一般都是锚泊在中国香港的港口,部分原因就是使用码头的费用很高。模型中包含到达日期表明部队警戒费用模型存在时效性,这表明商品以美元结算的价格在不断上升。港口费用模型中包含访问时长的变量是很直观的,因为与它相关的费用所占的比重很大。

3. 运输费用模型

我们推导的运输费用模型可以采用对数形式的非线性形式表述如下:

$$\log(Y_{运输}) = \beta_0 + \sum_{s=1}^{13} \beta_{1,s} X_{1,s} + \sum_{r=1}^{7} \beta_{2,r} X_{2,r} +$$
$$\beta_3 X_3 + \beta_{3,4} X_3 X_4 + \beta_{3,5} X_3 \log(X_5) \qquad (A-13)$$

其中,β_j 为对应自变量的系数(表 A. 12)。运输费用模型的系数见表 A. 13。

表 A.12　运输费用模型的系数说明

系数	自变量
β_0	截距
$\beta_{1,s}, s = 1, \cdots, 13$	单个航母变量
$\beta_{1,r}, r = 1, \cdots, 7$	单个港口变量
β_3	停泊方式:是否靠岸(是为1,不是为0)
$\beta_{3,4}$	到达日期与停泊方式的综合作用
$\beta_{3,5}$	访问时长的对数与停泊方式的综合作用

表 A.13　运输费用模型的系数

自变量	系数值	标准差	t 比值	P 值
截距	12.001	0.069	173.928	0.000
CVN - 70	0.221	0.136	1.625	0.104
CVN - 76	0.232	0.139	1.669	0.095
CVN - 71	0.260	0.128	2.031	0.042
所有其他航母	- 0.071	0.021	- 3.381	0.001
高等费用港口	0.860	0.089	9.663	0.000
中国香港	- 0.154	0.121	- 1.273	0.203
Jebel Ali	- 0.685	0.095	7.211	0.000
低等费用港口	- 0.051	0.145	0.352	0.725
Manama	0.109	0.131	0.832	0.405
中等费用港口	0.343	0.088	3.898	0.000
新加坡	- 0.422	0.118	3.576	0.000
停泊方式	- 6.536	1.781	- 3.670	0.000
到达日期×停泊方式	0.000 2	0.000 1	2.000	0.046
log(访问时长)×停泊方式	1.95	0.207	9.420	0.000

①残差标准差:0.392 9(100 自由度);

②测定系数 R^2:0.8113;

③F 分布统计值:35.82(12 自由度和100 自由度),P 值为0。

　　运输费用回归模型的可解释变异平方和占总变异平方和的比例很大。停泊方式的系数为负且绝对值很大,表示航母锚泊的费用比靠岸的费用更高。这看上去也是合理的。运输费用包括运水的费用(只有锚泊时才需要),不管航母在什么地方锚泊时都需要租船费。到达日期的系数比其他模型中的到达日期的系数要小,表明该模型的时效性比其他模型小。

4. 公用事务费用模型

我们推导的公用事务费用模型可以采用对数形式的非线性形式表述为

$$\log(Y_{\text{公用事务}}) = \beta_0 + \sum_{s=1}^{13}\beta_{1,s}X_{1,s} + \sum_{r=1}^{7}\beta_{2,r}X_{2,r} + \beta_3 X_3 + \beta_4 X_4 +$$
$$\beta_{3,4}X_3 X_4 + \beta_{4,5}X_4\log(X_5) \qquad (A-14)$$

其中,β_j 为对应自变量的系数(表 A.14)。

表 A.14 公用事务费用模型的系数说明

系数	自变量
β_0	截距
$\beta_{1,s}, s = 1, \cdots, 13$	单个航母变量
$\beta_{1,r}, r = 1, \cdots, 7$	单个港口变量
β_3	到达日期
β_4	停泊方式:是否靠岸(是为 1,不是为 0)
$\beta_{3,4}$	到达日期和停泊方式的综合作用
$\beta_{4,5}$	访问时长的对数和停泊方式的综合作用

公用事务费用模型的系数见表 A.15。

公用事务费用回归模型的可解释变异平方和占总变异平方和的比例很大。到达日期和停泊方式的综合作用抵消了停泊方式变量系数为正的效果,这表明航母的公用事务费用在靠岸时比在锚泊时更低。这看上去也是合理的。公用事务费用包括垃圾处理的服务费用,该费用在锚泊时比在靠岸时更高。

表 A.15 公用事务费用模型的系数

自变量	系数值	标准差	t 比值	P 值
截距	4.072	2.147	1.897	0.058
CV - 63	- 0.393	0.203	- 1.936	0.053
CVN - 69	- 0.141	0.173	- 0.815	0.415
CVN - 65 和 CVN - 73	- 0.105	0.106	- 0.991	0.322
CVN - 74	- 0.153	0.165	- 0.927	0.354

表 A. 15(续)

自变量	系数值	标准差	t 比值	P 值
CVN – 68	– 0.020	0.112	– 0.179	0.858
CVN – 71	– 0.119	0.130	– 0.915	0.360
所有其他航母	0.173	0.045	3.844	0.000
高等费用港口	1.003	0.089	11.270	0.000
中国香港	– 0.866	0.129	– 6.713	0.000
Jebel Ali	– 0.380	0.099	– 3.838	0.000
Manama	0.177	0.142	1.246	0.213
中等费用港口	0.272	0.091	2.989	0.003
其他所有港口	– 0.103	0.080	– 1.288	0.198
到达日期	0.000 5	0.000 1	5.000	0.000
停泊方式	4.025	2.769	1.454	0.146
到达日期×停泊方式	– 0.000 5	0.000 2	– 2.500	0.126
log(访问时长)×停泊方式	2.140	0.213	10.047	0.000

①残差标准差:0.395(96 自由度);

②测定系数 R^2:0.798 7;

③F 分布统计值:23.81(16 和 96 自由度),P 值为 0。

(四)推导总费用模型

除了推导四类子费用模型,每次港口访问的总费用也用于建立总费用的估计关系。我们推导的总费用模型可以采用对数形式的非线性形式表述为

$$\log(Y_{总费用}) = \beta_0 + \sum_{s=1}^{13}\beta_{1,s}X_{1,s} + \sum_{r=1}^{7}\beta_{2,r}X_{2,r} +$$
$$\beta_3 X_3 + \beta_4 X_4 + \beta_{3,5}X_3\log(X_5) \qquad (A-15)$$

其中,β_j 为对应自变量的系数(表 A. 16)。

表 A. 16　总费用模型的系数说明

系数	自变量
β_0	截距
$\beta_{1,s}, s = 1, \cdots, 13$	单个航母变量
$\beta_{1,r}, r = 1, \cdots, 7$	单个港口变量

表 A. 16(续)

系数	自变量
β_3	停泊方式:是否靠岸(是为 1,不是为 0)
β_4	到达日期
$\beta_{3,5}$	访问时长的对数和到达日期的综合作用

总费用模型的系数见表 A. 17。

在回归分析中,变量 Y 已经经过变换,测定系数 R^2 不能反映回归模型对 Y 在原始量纲下的刻画程度。更好的衡量拟合度的标准是采用相对误差平均百分度 $APRE$,总费用模型的 $APRE$ 为 17%。

表 A. 17   总费用模型的系数

自变量	系数值	标准差	t 比值	P 值
截距	9. 978	0. 768	12. 992	0. 000
CVN – 68	0. 104	0. 068	1. 529	0. 126
CVN – 76	0. 120	0. 085	1. 412	0. 158
所有其他航母	– 0. 020	0. 009	– 2. 222	0. 026
高等费用港口	0. 868	0. 053	16. 377	0. 000
Manama 港	0. 119	0. 080	1. 488	0. 137
低等费用港口、新加坡、中国香港、Jebel Ali	– 0. 332	0. 023	– 14. 435	0. 000
中等费用港口	0. 339	0. 051	6. 647	0. 000
停泊方式	– 1. 975	0. 208	– 9. 495	0. 000
到达日期	0. 000 2	0. 000	20. 000	0. 000
log(访问时长)×停泊方式	1. 039	0. 121	8. 587	0. 000

①残差标准差:0.2418(104 自由度);

②测定系数 R^2:0.814 9;

③F 分布统计值:57.22(8 和 104 自由度),P 值约等于 0。

(五)总费用模型的结论

根据航母的费用报告、分析与预测工具数据库的数据,我们采用对数线性回归分析,获得了如下一些结论,解释并确定了航母港口访问费用的成本动因,这有助于海军航空兵司令部做预算,合理安排航母进行港口访问。

为了验证一个假设:航母在不同部署阶段的消费方式不同,我们考虑把部署比也作为一个变量,而为了验证不同航母的费用不同的假设,航母也作为一个变量。经过上述逐步回归分析,结果表明部署比对航母港口访问的总费用模型而言意义不大。因此,没有证据支持航母在整个部署阶段存在某一种消费习惯。航母变量对总费用模型影响很大,但是,大部分航母的统计特性相似。在所有测试的变量中,港口访问发生的区域和港口是成本动因的最重要的因素。

1. 航母变量

每个航母变量都包含在最初的线性模型中以进行逐步回归分析。通过逐步回归分析,关于航母变量对总费用的影响,我们发现只有 CVN – 76 和 CVN – 68 在统计上与其他航母变量的差别很大。

CVN – 68 是数据库中记载的最老的核动力航母,CVN – 76 是最新的。CVN – 76 和 CVN – 68 差别很大并不是因为观测值比其他航母少。有几艘航母的观测数据比这两艘航母多,有几艘航母的观测数据比它们的还要少,但是这些航母的统计数据相同。

为了达到获得费用估计的目的,除上述两艘航母外,对所有其他航母都一视同仁,以进行逐步回归分析,探讨单个航母的效果意义不大。经回归计算,13 艘航母中的 11 艘(除 CVN – 68 和 CVN – 76 之外)的估计回归系数是 – 0.02,标准差为0.010。CVN – 68 的系数为 0.104,标准差为 0.068。这表示尼米兹级航母(CVN – 68)对港口访问总费用的影响比平均效果(以 1.00 表示)高 11 个百分点($\exp(0.104) = 1.11$)。CVN – 76 的系数为 0.120,标准差为 0.085。这表示"罗纳德·里根"号航母(CVN – 76)对港口访问总费用的影响比平均效果高 13 个百分点($\exp(0.12) = 1.131$)。所有航母的系数归纳在表 A.18 中。

表 A.18　总费用模型中航母变量的系数

航母	系数	标准差	系数的指数幂
除 CVN – 68 和 CVN – 76 外的所有 11 艘航母	– 0.020	0.010	0.98
CVN – 68	0.104	0.068	1.11
CVN – 76	0.120	0.085	1.13
所有航母的和	0.00		

通过对四个子费用模型进行分析,发现"尼米兹"号航母的港口费用是所有航母中最多的。CVN – 68 港口费用的系数是 0.481 5,标准差为 0.142,而其他航母的系数为 – 0.067,标准差为 0.020。这表明"尼米兹"号航母的港口费用比平均费

用高 73 个百分点。这些结果列在表 A.19 中。

表 A.19 港口费用模型中所有 13 个航母变量的系数

航母	系数	标准差	系数的指数幂
除 CVN-68 和 CVN-75 外的所有 11 艘航母	-0.067	0.020	0.94
CVN-68	0.482	0.142	1.62
CVN-75	0.252	0.174	1.29
所有航母的和	0.00		

通过对四个子费用模型进行分析,发现"罗纳德·里根"号航母(CVN-76)的运输费用和公用事务费用比大部分航母高。CVN-76 运输费用的系数是 0.232,标准差为 0.139,而其他航母的系数为 -0.071,标准差为 0.021。这表明"罗纳德·里根"号航母的运输费用比平均费用高 35 个百分点。这些结果列在表 A.20 中。

表 A.20 运输费用模型中所有 13 个航母变量的系数

航母	系数	标准差	系数的指数幂
除 CVN-68,CVN-71 和 CVN-76 外的所有 10 艘航母	-0.071	0.021	0.93
CVN-68	0.221	0.136	1.25
CVN-76	0.232	0.139	1.26
CVN-71	0.260	0.129	1.30
所有航母的和	0.00		

CVN-76 的公用事务费用的系数也比大部分航母高。"罗纳德·里根"号航母的系数是 0.173,而 CVN-74 的为 -0.153。这表明 CVN-76 的公用事务费用比其他一些航母高 76 个百分点。这些结果列在表 A.21 中。

表 A.21 公用事务费用模型中所有 13 个航母变量的系数

航母	系数	标准差	系数的指数幂
CV-63	-0.393	0.203	0.67
CVN-74	-0.153	0.165	0.86
CVN-69	-0.141	0.173	0.87

表 A.21（续）

航母	系数	标准差	系数的指数幂
CVN－71	－0.120	0.130	0.89
CVN－65 和 CVN－73	－0.105	0.107	0.90
CVN－68	－0.020	0.112	0.98
所有其他航母	0.173	0.045	1.19
所有航母的和	0.00		

2. 港口群变量

每个港口群变量都包含在最初的线性模型中以进行逐步回归分析。通过逐步回归分析，我们发现有几个港口的统计数据是相似的，因此这些项对应的回归系数 β_i 相同。据此我们可以把新加坡、中国香港和 Jebel Ali 归为一类，属于低等费用港口类。但是有些港口差别很大。据估计，高等费用港口的费用是低等费用港口的 3.32 倍。中等费用港口的费用是低等费用港口的 1.95 倍。Manama 的费用是低等费用港口的 1.57 倍，介于中等费用港口和低等费用港口之间。图 A.9 描述了港口群的费用次序。

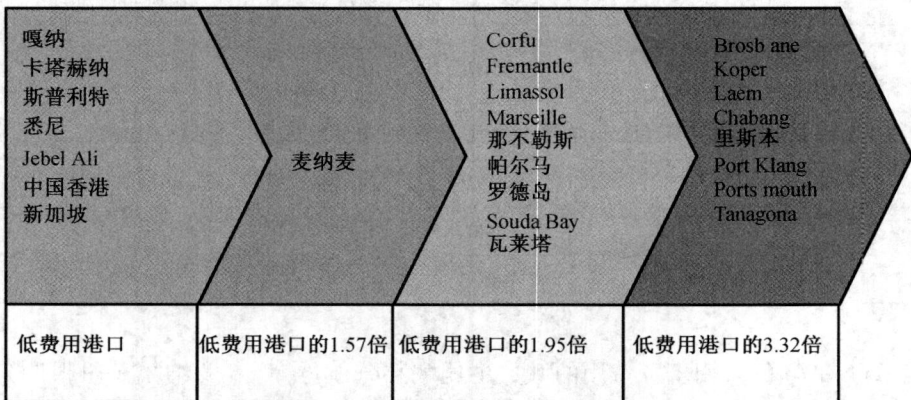

图 A.9　港口群的费用次序

因为总费用模型考虑了港口地域性效果，港口是航母港口访问费用成本动因中的一个重要因素。意识到与不同国家的交易费用大不相同是有意义的。我们发现有几个港口的费用比它们附近的港口的费用低很多。既然海军正寻求减少港口访问的费用，最好是考虑效费比高的港口，从而达到降低费用的目标。在某种程度上，海军已经在这样做：我们发现那些访问频繁的港口主要是那些低等费用的港口。不过，还有改善的空间。例如，本文分析表明在波斯湾部署的航母访问巴林港的效费比不如访问 Jebel Ali 港的高。不考虑其他计划因素(如作战行动、外交困难、显示美国的存在等),在波斯湾部署的航母最好是访问 Jebel Ali 港。类似地,部署在东南亚的航母访问新加坡、中国香港要比访问马来西亚的 Klang 港或者泰国的 Laem Chabang 港的费用更低。访问新加坡、中国香港和 Klang 港的费用差别见图 A.10。图 A.10 是由 D 部分介绍的自动化港口费用模型界面绘制的,用于描述 CVN-68 于 2007 年 6 月 3 日分别对新加坡、中国香港和 Klang 港进行为期 5 天的港口访问的总费用估计值的差别。新加坡和 Klang 港停泊方式变量值为"是",中国香港为"否"。这张图为决策者和计划人员安排 CVN-68 的港口访问提供了一个可视化的工具。

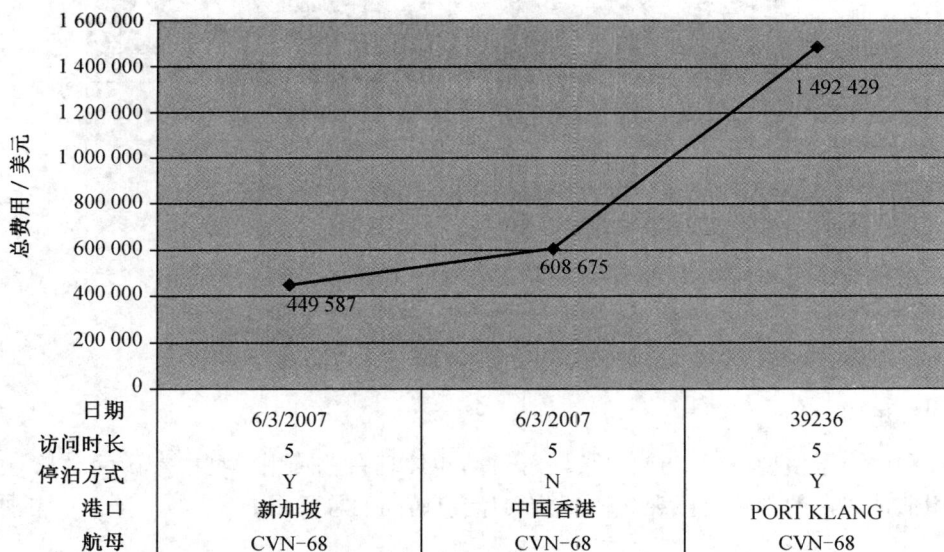

日期	6/3/2007	6/3/2007	39236
访问时长	5	5	5
停泊方式	Y	N	Y
港口	新加坡	中国香港	PORT KLANG
航母	CVN-68	CVN-68	CVN-68

图 A.10　自动化港口费用模型给出的对东南亚的三次港口访问的总费用的比较

3. 到达日期

到达日期变量对总费用模型来说和对其他四个子模型一样有意义。这表示港口访问费用具有时效性,费用估计关系受时间的影响。在所有的模型中,到达日期变量的系数均为正,这表明航母港口访问的费用随着时间的演进而增加。因为数据预先进行了标准化,以消除通胀的影响,这就存在两种可能:要么是港口访问费用的增长比通胀增长速度快;要么是本文采用的通胀系数并不能准确反映期间(2002—2007 年)的通胀率。

4. 停泊方式

和四个子模型一样,停泊方式的作用也体现在总费用模型中。在总费用模型中,停泊方式的系数为负表明靠岸的费用比锚泊的费用更低。

事实上,航母进行港口访问时锚泊比靠岸需要更多的费用。除了人员的运输费用,收集、处理和转移废物和垃圾以及给部队提供保护也增加了港口访问的估计费用。在低等费用港口如 Jebel Ali,靠岸与锚泊的费用差距达到总费用的35%。图 A.11 展示了 CVN‑74 于 2007 年 6 月 3 日对 Jebel Ali 进行为期 5 天的访问的总费用模型采用不同停泊方式的费用差距。估计费用的差距源于停泊方式变量值为"是"或"否"。

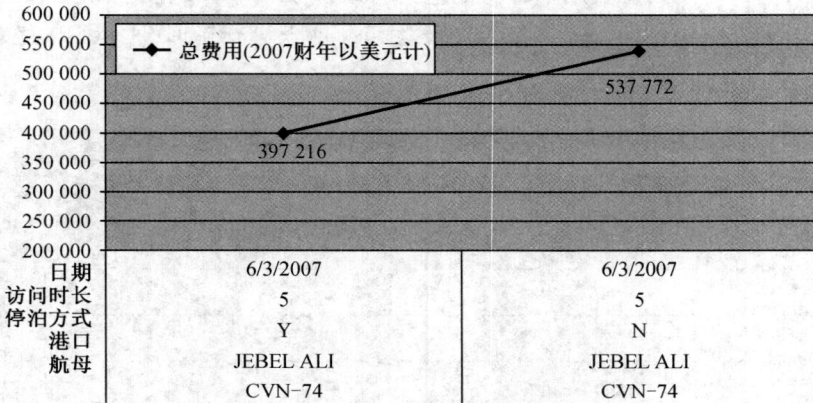

日期	6/3/2007	6/3/2007
访问时长	5	5
停泊方式	Y	N
港口	JEBEL ALI	JEBEL ALI
航母	CVN‑74	CVN‑74

图 A.11　一次港口访问采用靠岸和锚泊的总费用估计比较

5. 访问时长

和四个子模型一样,访问时长(按天算)也体现在总费用模型中。访问时长对费用估计关系的影响是直观的,它会影响港口访问的总费用。

(六)自动化的港口费用模型

我们利用微软的表格工具开发了一个用户界面,它使得海军航空兵司令部只要输入影响航母港口访问费用的成本动因的参数,而不需要分析非线性的费用估计关系,也不需要用使用 S‑Plus 软件构造回归方程,对于给定的输入,自动化的港口费用模型能够提供未来一次港口访问的总费用的一个估计,它采用的是 2007 财年的价格。部队警戒费、港口费、运输费和公用服务费也能自动计算出来。使用画图宏命令,用户可以给出港口访问费用直观的描述图像,就像对不同的决策方案进行敏感性分析一样。这个自动化的港口费用模型界面已经提交给了海军航空兵司令部。

九、结论与建议

美国航母的港口访问已经被海军航空兵司令部确定为节省费用的潜在区域。为了达到节省费用的目的,有必要确定港口访问费用的成本动因。要研究的两个

问题为:

(1)提供一种统计方法,以港口访问费用的历史数据为基础,确定港口访问费用的成本动因并量化它们的影响;

(2)提供港口访问总费用和分类费用的预测模型。

作为本研究的一部分,我们开发了电子制表软件以实现上述统计方法,并介绍了它的使用方法。

(一)保持并改善模型的精度

总费用预测模型的平均精度达到真实值的 17%。如果能提供关于这些费用更详细的资料我们还可能提高模型的精度。但是,任何统计模型都不可能确定导致(或在某一个时间段内导致)港口访问费用产生的所有重要因素。海军作战特点和港口经济的自然变化规律以及数据的质量决定了我们应该周期性地升级模型以维持它的有效性。

(二)今后研究的一些建议

由于航母港口访问费用数据库的样本量很小,因此对航母港口访问费用估计关系的全面分析无法进行。随着航母港口访问次数的增加,记录的信息将不断增加,建立更合适的模型是可能的。

1. 降低不同航母之间的费用差距

本文建立的模型确定了不同航母对费用的影响,这是有统计意义的。例如,综合考虑航母和除航母之外的所有因素,我们发现"罗纳德·里根"号航母(CVN - 76)比"约翰·斯坦尼斯"号航母(CVN - 74)的费用高 15%。虽然这个模型也许能反映出那些没包含在模型中的因素,但是仔细研究这些航母在港口访问期间的费用是怎么产生的应该是有用的。我们可能会发现某些航母采取了一些更好的可用于控制所有航母的费用策略。

2. 选择港口

我们研究的一个重要发现是航母访问不同港口,费用差别很大。一次典型的港口访问,访问新加坡的费用大约是 100 万美元,比访问邻近的马来西亚的 Klang 港的费用要低。我们理解决定访问哪个港口不只考虑经济因素,但是量化不同港口的费用差别对决策者是有帮助的。研究在这些决策者常要面对的经济和非经济因素制约下,如何优化港口访问问题,本研究为它开了个头。

3. 测试 2008 财年的数据

本文的费用估计关系是根据 2004—2007 财年的数据建立的。随着航母不断进行港口访问,已有的费用估计关系会逐渐失效。我们应该为决定何时建立新的费用估计关系制定正式的方针,即设定一个阈值,超过这个阈值就要重新评估费用估计关系。

4. 在其他类型舰艇上的应用

本论文的方法确定了美国海军的常规动力航母和核动力航母港口访问费用的几个成本动因。这个方法也可以运用于其他类型的舰艇,在其他类型的舰艇的指挥官们试图了解港口访问费用的成本动因时能有所帮助。

参 考 文 献

[1] Department of the Navy. Navy Online [EB/OL]. [2008 – 05 – 15]. https://
wwwa. nko. navy. mil/portal/templates/page/library. jsp? foldId = libfold3485.

[2] Department of the Navy. United States Navy Fact File [EB/OL]. [2008 – 05 –
20]. http://www. navy. mil/navydata/ships/carriers/cv – why. asp.

[3] United States Department of Defense. Agency Financial Report Highlights [R].
Washington:University ot Washington,2007.

[4] Gundermir M, Manalang R, Metzger P, et al. Worldwide Husbanding Process
Improvement: Comparative Analysis of Contracting Methodologies [J]. Diabetes,
2007,54(6) :1 706 – 1 716.

[5] Luthra V. Business Dictionary [EB/OL]. [2008 – 05 – 18]. http://www.
businessdictionary. com/definition/cost – driver. html.

[6] Montgomery D C, Peck E, Vining G. Introduction to Linear Regression Analysis
[M]. 4th ed. Hoboken: Wiley, 2006.

[7] Naval Center for Cost Analysis. NCCA Inflation Indicies [EB/OL]. [2008 – 06 –
25]. http://www. ncaa. navy. mil/services/inflation. cfm

[8] Pike J. Global Security. org [EB/OL]. [2008 – 05 – 09]. http://www. globalsecurity. org/
military/agency/navy/comnavairpac. htm.

[9] Venables W N, Ripley B D. Modern Applied Statistics with S – PLUS [M]. 4th
ed. New York:Springer New York,2002.

[10] Verrastro P J. Applying Commercial Practices to Navy Husbanding Service
Contracting [D]. California : Naval Postgraduate School, 1996.

附录 A.1　海军航空兵司令部内部备忘录

本附录主要介绍压缩费用与可能避免和节省的费用的项目。

【主题】　对海军司令部征求削减 2009 财年舰艇作战账户 20% 经费的意见的回应。

【问题】　削减舰艇作战账户 20% 的经费对战斗准备等级有什么影响？

【讨论】

表 A.1.1　2009 财年舰艇作战经费的预算是 16 830 万美元。

表 A.1.1　2009 财年舰作战经费　　　　　　单位:万美元

	东部	西部	总计
SR – Repair Parts	2 789.2	4 074.5	6 863.7
SO – Other	4 618.5	4 264.9	8 883.4
SX – TAD	227.3	807.6	1 080.8
总计	7 680.9	9 147	16 827.9

削减 20%(3 370 万美元)相当于东部和西部约 2.3 个月的作战费用。

1. 2009 财年的作战环境

(1)2009 财年航母数量为 11 艘。

(2)2009 财年总计进行部署 5 次(西部 3 次、东部 2 次)。

(3)2009 财年要确保下列航母的在修期:

①VIN:Completion of RCOH/PSA/SRA＊;

②GHWB:Delivery/PSA/SRA＊;

③TR:Commence RCOH;

④ENT:EDSRA;

⑤NIM:Completion of PIA;

⑥LIN:PIA(6mos);

⑦GWA:SRA(4mos inJapan);

⑧HST:end of PIA。

注:航母进行一次维护平均需要 500~600 万美元。

2. 削减经费的影响

削减下述项目会对航母的部署准备和修理产生负面的影响。下列项目是削减 20% 的经费的潜在对象:

（1）SR – SFOMS/EQOL（1 020 万美元）

①把维修推迟到今后几年,会对设备的维修产生冲击。

a.增加了维修费用,因为部队不能进行一些自助项目,如舰上厕所、床铺、设备、洗衣房、甲板的维护等;

b.失去了获得维修自助设备所需的材料的机会;

c.取消了与标准化辅助评估小组签订的关于洗衣房和厨房设备的合同;

d.延迟了推进器与二级动力的阀门和管道、航空燃油系统、舰载机发射和回收设备、损管控制装置的隔离和维护。

②失去获取资金以资助改善人力作业或高效作业的机会。为了支持数额巨大的流动经销商的食品单,厨房和餐饮服务设施需要经常更新,但是现在要延迟到航母维修时才能获得经费支持。

（2）SR – Misc Hab/Waterfront Contracts（400 万美元）

①起居设备的维修推迟几年,会对设备及其维修产生冲击。

a.航母的船体会遭受一定程度的损坏(如损管控制,上漆等);

b.甲板维护、设备阶段性的更换、修缮等将不能完成。

②失去获取资金以资助改善人力作业或高效作业的机会。为适应某些作业如核动力航母工作量的重新分配而进行的储藏室和仓库设置的改变将没有经费支持。

（3）SR – C5RAs（200 万美元）

影响:限制经费可能导致航母没有足够的 C4 设备,影响航母的战斗准备等级。

（4）SO – 港口访问（400 万美元）

①减少港口访问的次数和访问时长。海军司令部需要同海军部和国防部的几个部门协商以决定可承受的港口访问。

②研究措施优化港口访问费用,如减少港口服务需求(减少空闲的船、运输工具等)。

③选择在支付能力内的港口进行访问。

（5）SO – RCOH/Offloads（220 万）……削减 50% 合同费用

①物资都要储存在航母上,航母会很拥挤,处理它们很费事;

②可能需要扩充存货容量。

（6）SO – FAST/DRST（SMI/SMA/TAV）（150 万美元）……减少 33% 合同费用

①减少上舰训练和支援;

②舰艇的出货清单和软件实现得不到快速支持;

③支援作业实施的服务商有限甚至没有;

④服务商的支援需要额外的舰员,将增加舰员的负担。

（7）SX – TAD/Travel(SX)220 万美元……减少 20% 训练费用

①减少 TAD(SX)的费用以支撑部署的航母,还短缺的就从 SO 出,这将进一步影响 SO/SR 的短缺;

②船员因为要负责警戒,他们的知识、技能和能力会降低;

③生活质量和准备状态会受影响。

（8）SR/SO – 从未部署的航母经费中支取 760 万美元

①限制航母的维修,严格未部署航母的管理;

②延迟更换设备,等到要部署时再换。可能导致航母部署时没有足够的船员和防御武器;

③延迟船员床垫、被单、枕套、家具、制服和办公设备(打印机、复印机)的阶段性更新。

附录 A.2 美国"约翰·斯坦尼斯"号航母访问新加坡的费用及分析

美国"约翰·斯坦尼斯"号航母 2004 年访问新加坡的费用报告及分析如表 A.22 所示。

表 A.22 美国"约翰·斯坦尼斯"号航母于 2004 年 12 月访问新加坡的费用报告、分析与预测工具的样本

服务	数量	单位	价格/美元
垃圾清理	30	箱	7 391
租帐篷	3	天	4 599
码头服务协调费	4	天	2 354
污水处理	787 500	加仑	137 969
管理费	1	组	11
综合服务费	1	组	13 983
供给	1	批	341 578
航母储备物资	1	批	22 704
公汽租赁费	1 677	小时	28 371
轿车租赁费	221	小时	2 736
叉车服务费	70	小时	1 610
货车租赁费	882	小时	11 930
豪华轿车	260	小时	5 132
起重机服务费	45	小时	6 373
引水员	5	小时	709
拖船	40	小时	14 454
电话费	1	Lot	594
运输费	1	Job	3 394
警戒费	2	每次	244
水上隔离板	1	每个	17 410
移动厕所	10	每个	2 464

表 A.22（续）

服务	数量	单位	价格/美元
升降机	2	每个	5 174
便携电话	44	每个	922
驳船	1	每个	7117
跳板	2	每个	5 913
防卫板	10	每个	37 503
缆工	32	每个	4 428
饮用水	2 221	立方米	2 579
总费用	689 646 美元		
天数	4 天		
每日平均费用	172 411.5 美元		

附录 B 英国皇家海军"伊丽莎白女王"号航母费用削减策略研究

一、前言

英国国防部（MOD）当时处在一个航母项目的评估阶段，其目标是建造两艘最新航母"伊丽莎白女王"号航母（CVF）以取代现有的三艘无敌级航母，这将是有史以来为皇家海军建造的最大型航母。

1. 分析的任务

由于新航母项目的复杂性，国防部希望有一个独立、客观的分析以评估采取新技术和选择承包商对经济性的影响、对生产进度的影响以及技术领域的风险。

此项分析被划分为以下任务：

（1）降低保障费用和其他全寿命费用（WLC）①

①建立数据库和分析工具，量化评估费用削减程度；

②对现有的或新的技术、子系统或制造过程进行评估，以减少购置费或年度保障经费。

（2）减少人力需求

①找出其他有关购置方案中可削减人力的实例；

②确定和评估高效的人力削减方案，并制定实施的策略路线图。

（3）从其他案例中吸取经验教训

参考美国国防部在购置弗吉尼亚级（Virginia class）攻击核潜艇项目中使用的承包商合作方案。

这份文档是关于前两个任务的最终报告。关于弗吉尼亚级攻击核潜艇项目承包商合作方案的研究已经提交国防部（Blickstein, Held, and Venzor, 2003）。

在实现前两个任务的过程中，我们采取了一个通用的策略：首先设法了解当前的建造、保障和定员计划以建立一个基准，费用的消减不能低于这个基准。接下来，找出相应的措施。最后对成本控制措施进行评估，在兼顾技术成熟度和风险因素的前提下确定哪些措施会是效果最显著的。

在执行这个方案的过程中，我们广泛参考了国内外相关购置项目的经验，走访了英国国防部工作人员、两家 CVF 承包商、美国海军以及商业造船和保障企业，

---

① WLC 包括保有以及购置费用等，即不仅包括购置费用，还包括设备的运行费用（含配备人员）、保障费用以及处置费用。此处 WLC 的全寿命费用概念与 LCC（Life Cycle Cost）的寿命周期费用概念略有不同，寿命周期费用通常由论证与研制费、购置费、使用与保障费、退役处置费等构成。

还借鉴了兰德公司其他与购置相关的项目模型。

这项研究是在项目的竞争阶段开始着手的,有两家公司参与竞争。2003年1月,由英国国防部、英国宇航公司(BAE Systems)和泰利斯英国(Thales UK)公司结成的联盟被选定参与本项目。随后,泰利斯的设计方案被选定,并在之后得到了发展和完善。

虽然我们已经确定了许多降低费用的措施,但是对这些措施的评估往往不能如期望的那样严格或具有决定性,主要是由于CVF的设计仍然在不断发展变化,因此并不总是能够如一成不变的设计方案那样对细节的把握达到足够充分的程度。这些困难严重阻碍了对建立基准的努力。不过,我们对采取何种措施才能在削减人力以及其他方面最有吸引力做了定性的判断。我们亦提供了范例和规程,一旦可靠的数据被采用,将会帮助国防部作出更可靠的削减预测。

2. 主要研究内容及结论

本报告以航母的全寿命费用削减为目的,兰德公司在报告中主要围绕降低保障费用、减少其他全寿命费用以及缩减人员编制展开研究工作。

报告中的主要研究内容及结论如下。

(1)费用分析工具

提出了四种分析模型和工具:全寿命费用模型、未来航母日运行费用的分析方法、购置费用与运行费用的投入比、技术费用与人力资源的投入比。

(2)购置费用的控制

提出在购置环节应当选择更为先进的装备,并合理设定第二艘航母开工的时间,集中购置装备和材料,尽量使航母设计完备化,并在建造过程中减少对设计的修改。

(3)最小化年度保障费用

提出未来航母上的部分系统可以按照商业标准进行设计,并且要求对航母使用更高质量的涂装。

(4)承包商的后勤保障

提出国防后勤组织以及武器系统制造商应当担负起更多的承包商后勤保障(CLS),并且提出需要注意各个组织之间的衔接问题。

(5)航母人员编制估算

提出在人员编制估算的过程中,首先需要确定并遵守目标,同时需要注意由于传统人员编制带来的低效问题,然后提出需要解决技术投资与前期投资的矛盾,最后提到了有关人力削减的人为阻力因素,如指挥官的认知、习惯等。

(6)其他平台上人员编制缩减的措施

总结了各国海军部分平台上的人员编制缩减措施。

(7)确定和评估航母人员编制缩减的措施

确定了57个可行的与CVF潜在相关的人员编制缩减方案,并且认为其中的

12 项具有相当大的缩减潜力以及其他方面的优势,而这 12 项中又有 6 项特别有发展前景。此外,报告还提供了一些有助于更好地确定人员编制缩减方案并促进其实现的一般准则。

二、综述

英国未来航母进行全寿命费用削减的预期规模将会极为可观,因此该项目被英国国防部指定为一项"航标"计划。为了帮助实现项目的"航标"意义,英国国防部要求提供一份能够对新技术和承包商进行独立、客观分析的报告。兰德公司受命执行这一分析,其中特别是要分析降低保障费用和调整人员编制的措施与方案,进而实现削减未来航母全寿命费用的目的。

兰德公司分析的精度受限于以下情况:在研究分析的同时,CVF 的设计仍然在不断更新,因此缺乏详细设计和人员配置的数据。因此,我们进行了定性的判断并提出了一些分析范例,希望会对国防部有用。本报告的主要内容由以下几个部分组成。

(一)费用分析工具

对削减未来航母的全寿命费用的评估需要一套分析工具来权衡各费用要素。我们提出四个这样的分析范例:

(1)全寿命费用模型。用以检验购置、运行、保障和人员费用之间的相互影响,并可以快速评估取舍和成本控制提议。

(2)推断未来航母的日运行费用的方法。计算出每天的费用超过 50 万英镑。

(3)权衡购置费用和运行费用的方法。结果表明,若要每年节省 1 000 英镑的运行费用,则需要对每艘航母先期投入 25 962 英镑才是合理的。

(4)权衡初始技术费用与后期人员费用的方法。替换中级船员将节省 120 万英镑①。

(二)购置费用的削减

尽管工作的重点在保障费用和人力资源上,我们还是确定了几个可以降低CVF 建造费用的方案:

(1)在目前大多数英国造船厂的基础上,使用更多的先进设备,特别是电气,管道以及 HVAC(供暖、通风和空调)系统;

(2)确定第二艘航母的动工时间,以最小化船厂建设大型模块的总劳动费用;

(3)集中购置材料和设备;

(4)在对运行或安全无不利影响的地方考虑使用商业系统和设备取代军用标

---

① 如果所有船员全部报酬的净现值从高至低排序,该分布的中间值将为 120 万英镑。

准设备；

（5）确保对所有功能组件的综合设计进行完备的审查，从而使该航母的设计在施工前被各方所接受；

（6）尽量减少航母建造过程中的更改，并迅速解决任何必要的改动。

（三）保障费用的削减

为了明确降低保障费用的方法，不管究竟由谁负责，首先考虑那些可能减少年度开支的途径。其次，考虑承包商后勤保障（CLS），其中的大部分成本控制负担被转嫁给了承包商。

1. 尽量减少年度保障费用

首先，为了减少年度保障费用，计划中的编队规模从三艘降至两艘。三艘航母部署的形式可以保证总有一艘处于修整状态，这种部署具有一定的优势，例如，可以利用修整状态的航母来实现拆用部件和平衡工作量的功能。部署规模的减少使得国防部面临保障 CVF 的压力，国防部和保障承包商还必须保持 CVF 尽量少地依赖干船坞。

国防部还可以通过按照商业标准设计部分舰用系统来减少保障费用。我们通过分析关于美国海军的研究，推断出部分具有"酒店"功能的商业系统可以应用于两艘 CVF，此项做法可能会节约 4 亿英镑净值的全寿命费用。

涂装也是一项重要的保养开支。如果使用更高质量的涂装，预计第六年进干船坞的计划可能会被取消，这会带来费用的大量节约。

2. 承包商后勤保障

我们认为，国防部的承包商后勤保障（CLS）方案不能要求承包商完全负责做好航母工作的方方面面，国防部的工作也不应当仅仅是在舰船交付日付款。航母过于昂贵和复杂，承包商无法承担其无法运行的全部金融风险。

因此，CVF 的 CLS 将是一个修改后的版本，其中相当大的责任留给了国防后勤组织或武器系统制造商。不过，这些修改后的 CLS 很可能会出现衔接的问题，其中不同的参与者可能会把航母无法正常工作的原因归咎于另一方。

除了 CLS 在执行上的困难之外，我们有理由看好 CVF 的维护费用。由于国防部对通过执行新的维护模式来削减费用表示了相当强的决心，因此将会带来长期运行的优势。此外，在航母维护方面，很多问题可能在选择设计方案时解决掉。

（四）人员费用的削减

作为背景，我们从回顾皇家海军以及初始设计承包商——泰利斯①，如何完善

---

① 该设计现在是由泰勒斯和英国宇航共同负责。

人员编制开始,然后建议了一些改进的方法途径。然后,我们找出了一些其他军舰平台人员编制削减的措施。最后,吸取这些案例研究的经验,对部分人员编制削减措施进行确定和评估,同时对未来的发展方向提出建议。

1. 预估未来航母的人员编制设计方案

在皇家海军的人员编制过程当中,技术被认为是确定的,且对工作小时数和职能与等级的组合采用了继承性的假设。这个过程可以被视为是由一个忠实的、有经验的经纪人所做的审查和评估,在此过程中不会提出任何重组工作或增加技术、材料或设备的建议。由于没有对技术革新以及工作过程在人员削减方面的潜力进行系统评估,目前的人员编制系统决策可能会受到传统的以及过时的政策与做法过多的影响。

相反地,泰利斯似乎已经采取了"从零开始"的人员编制设计方法:估计要完成的工作量,并计算出完成工作的人员需求。泰利斯的人员编制设计方法得出的人员分配与皇家海军对 CVF 的统计分析差异很大。

当需要进一步完成人员编制设计工作时,有以下几点应当牢记。

(1)人员编制的首要目标必须预先确定并进行严格遵守,例如,最小化全寿命费用和最小化人员编制数量将会导致不同的人员编制结果;

(2)CVF 的部分系统将从目前的同级别航母继承而来,这些系统可能随之带来低效的人员配备;

(3)通过技术投资以实现人力削减的长期计划会受到前期资金的限制;

(4)操作指挥官可能不愿意接受较少的人员编制设计,因为这将会降低应对危及航母安全局面的能力。

2. 其他平台的人员编制削减措施

为了分析人力削减措施与 CVF 的可能关系,我们研究了各国海军在人员编制削减上的部分成果:

(1)美国舰船到军事海运司令部(MSC)的转换

由于海上补给船的人员配备方式由美国海军换为军事海运司令部,人员与工作岗位明显大量减少。

(2)美国航母

特别令人感兴趣的是智能航母计划,其中一系列的革新主要是在尼米兹级航母的改装中得以实施。

(3)美国海军智能舰船

在美国弹道导弹巡洋舰"Yorktown"号上的一次试验表明,通过核心/弹性(core/flex)人员配备实现了较大幅度的人员编制削减。举例来讲,在威胁较小的环境下放弃水下警戒,将会为其他岗位增加更多的人手。

(4)美国海军的最优人员配备试验

对美国海军的驱逐舰"Milius"号和巡洋舰"Mobile Bay"号的改革做到了减少

船员编制而不影响战斗力。

（5）LPD - 17 和其他两栖舰艇

智能舰船的理念被应用其中,例如,舰船系统操作员参与到设计过程当中,进而提高了工作效率。

（6）荷兰皇家海军

与英国海军相比较,荷兰受制于更加紧缩的人力上限,因此在执行最可预估的任务时使用小型人员编组来完成,此时可接受某些较高的风险。

（7）DD（X）

这是一套未来将使用在美国水面战斗舰艇上的技术。

以上不断加强的举措(如各种智能舰船项目),达到或者期望达到15%～20%的人员编制削减。更高程度的削减有望在DD（X）和某些荷兰海军舰船上实现。

3. 确定和评估人员编制削减措施

我们确定了57个可行的与CVF潜在相关的人员编制削减方案。我们判断其中12项具有相当大的人员编制削减潜力以及其他方面的优势,而这12项中又有6项特别具有发展前景：

（1）机舱无人驾驶系统,即通过技术进步,如远程舱室遥感,进而促进策略的改变;

（2）联合警戒;

（3）引入核心/弹性(core/flex)的人员配备理念;

（4）使用非现役舰员,以扩充船员数量承担非战时职责;

（5）强化具有广泛技能和综合素质的船员队伍,从而使较小的编制可以执行相同数量的任务;

（6）使用传送带,帮助工作人员从海岸向舰船装载物资。

我们不知道哪些人员编制削减措施已经包括在CVF的规划设计当中,因此不知道我们分析的目标是否乐观。不过,还是有理由相信目标能够达到,这是因为对于CVF来说：

（1）项目本身具有强烈的实现费用削减的财政目标;

（2）人员编制削减是一个关键的CVF设计目标;

（3）设计方案的不成熟使得仍然存在进一步的削减空间;

（4）军舰运行和人事策略将继续朝船员多职能方向发展;

（5）随着新技术证明其自身价值,传统的人力密集型任务完成方式将消失。

以往的工作已经证明了人员编制削减的初步目标是乐观的。不过,随后的人员编制削减工作将会变得更加复杂。例如,许多人员编制削减方案并非是技术上的而是程序上的,改变这些情况的努力可能会遇到体制上的阻力。

最后,我们提供了一些有助于更好地确定人员编制削减方案并推动其实现的一般准则：

（1）考虑革命性的 CVF 人员编制给皇家海军人员结构带来的影响；

（2）随着 CVF 设计的进展，坚持强调人员编制削减和人机系统集成的原则；

（3）把可能实现的削减重点放在人力密集型的任务上；

（4）重视设计或者选择不依赖高度专业化人员操作的系统。

三、致谢

我们在此谨表示对 CVF 计划综合项目组（IPT）领导 Ali Baghaei 的感谢，感谢他在本项目过程中的建议、支持和鼓励。我们也十分感谢 Mike Swarbrick，他曾参与 IPT 项目，促进了我们的工作，并担任许多受访人的主要联络人。

在那些提供其具体领域专业信息的人中，我们特别要感谢 CDR R. A.（Dan）Doxsey 和 Alistair Rankin，CVF IPT，从他们那里我们了解了皇家海军舰艇的保障信息。Mike Fowles，也是 CVF IPT 成员，在运行航母保障方面对我们特别有帮助，战舰保障部的 CPT Bob Leeming 和 CDR Julian Morris 帮助我们了解了国防后勤组织体系。舰队有限保障处的 Portsmouth，CDR Malcolm Lewis，Fleet Time 工程师，告诉了我们维修方面的情况。Vosper Thornycroft 的 Adrian Burt 和 Ken Blacklock 和他在 Babcock Marine 的同事们也热情地接待了兰德的走访。美国海军海上系统司令部的 E. Dail Thomas 对比了美国的海军和皇家海军的涂装工艺。Mike Cottrell 和他的同事在俄克拉荷马城（Oklahoma City）廷克空军基地（Tinker Air Force Base）的 C - 21A 项目办公室帮助我们了解了承包商对飞机的后勤保障。

我们非常感谢 CDR Brian Parsons 和 LCDR Neil Keen，CVF IPT，和 CDR Peter Hughes，他们是皇家海军人员编制设计的专家，而我们分享了他们关于皇家海军决定 CVF 人员编制设计需求的策略和程序的知识。LCDR Paul Knight，CVF IPT，提供了对船舶公司和航空联队之间的任务分配及航空联队如何影响人力需求的见解。就职于泰利斯公司人力因素分析部门的 Paul Wotton，分享了他进行 CVF 人员编制设计的程序，这有助于我们更好地了解舰船设计和人员优化间的相互作用。CDR Daniel Faulkner 从皇家海军训练需求的角度提供了丰富细节。我们感谢 IPT 的 Emma Basset，和 Price Forecasting Group 的 Brian Tanner 与 Stephen Veal 向我们提供了人力资源费用信息。人力资源专家 King Marandino，海洋工程师 Stephen Rushmeier 和皇家海军辅助舰队联络官 CDR Richard Graham 和华盛顿特区军事海运司令部所有成员，为我们详细介绍了舰船从美国海军转移到军事海运司令部的过程是如何节省人力的。荷兰皇家海军人机工程与船舶自动化集团的 Philipp Wolff 与我们讨论了海军防空指挥护卫舰减少人员配置的理念和措施。

我们兰德公司的同事们为项目做出了重要的贡献。Lowell Schwartz 提供了与保障费用削减措施相关的关键研究帮助，特别是有关对英国费用估算的规定和要求方面。Deborah Peetz 也在保障费用缩减分析方面对我们提供了帮助，例如，定位关系到涂装和 CLS 问题的来源。Frank Camm 在有关 CLS 的问题上提供了宝贵的见解。Fred Timson 提供了美国航母维护费用因素的数据。

以上所有的信息都已经按照我们的理解进行了筛选,故无须认为这些受访人都赞同我们的观点。

四、缩略语

缩略语表见表 B.1。

表 B.1　附录 B 缩略语表

缩略语	全称	翻译
AAAV	Advanced Amphibious Assault Vehicle	先进两栖突击战车
ADCF	Air Defence Command Frigate	防空指挥护卫舰
AE	auxiliary dry – cargo carrier	辅助干货船
AEM/S	Advanced Enclosed Mast/Sensor(system)	先进封闭式桅杆传感器（系统）
AOE	fast combat support ship	快速战斗支援舰
CAD/CAM	computer – aided design/computer – assisted modeling	电脑辅助设计/电脑辅助模拟
CCTV	closed – circuit television	闭路电视
CFE	contractor – furnished equipment	承包商供应的设备
CG	guided – missile cruiser	导弹巡洋舰
CIC	combat information centre	作战信息中心
CLS	contractor logistics support	承包商后勤保障
CM	corrective maintenance	故障维修
COTS	commercial off – the – shelf	民用成品
CPC	competing prime contractor	竞争的主承包商
CV	carrier vessel	航母
CVBG	sustained carrier battle group	持久的航母战斗群
CVF	Future Aircraft Carrier	未来航母
AAAV	Advanced Amphibious Assault Vehicle	先进两栖突击战车
CVN	carrier vessel, nuclear(US)	核动力航母(美国)
CVS	Invincible – class carrier	无敌级航母
DD	destroyer	驱逐舰

表 B.1（续 1）

DDG	guided-missile destroyer	导弹驱逐舰
DLO	Defence Logistics Organization	国防后勤组织
DRP	defect rectification period	缺陷整改期
ECDIS	electronic chart display and information system	电子海图显示与信息系统
FIRST	Fleet Integrated Readiness Support Team	综合快速支援舰队
FM	facilities maintenance	设备维护
FY	fiscal year	财政年度
GFE	government-furnished equipment	政府提供的设备
HMS	Her/His Majesty's Ship	女王/陛下的船
HSI	human systems integration	人机系统集成
HVAC	heating, ventilation, and air conditioning	采暖、通风和空调设备
ICAS	Integrated Condition Assessment System	综合状况评估系统
IFF	identification of friend or foe	友、敌识别
IMO	International Maritime Organization	国际海事组织
IPT	Integrated Project Team	综合项目组
JSF	Joint Strike Fighter	联合攻击战斗机
LAN	local area network	局域网
LHD	helicopter/dock landing ship	直升机/船坞登陆舰
LPD	amphibious transport, dock	两栖运输，码头
LSD	dock landing ship	船坞登陆舰
MARPOL	International Convention for the Prevention of Pollution from Ships	预防船舶海洋污染国际公约
MCS	Machinery Control System	机械控制系统
MOD	Ministry of Defence	国防部
MSC	Military Sealift Command(US)	军事海运司令部(美国)
MSCL	AUS consulting firm	一家美国咨询公司
AAAV	Advanced Amphibious Assault Vehicle	先进两栖突击战车
NASA	National Aeronautics and Space Administration(US)	国家航空和航天局(美国)
NATO	North Atlantic Treaty Organization	北大西洋公约组织

表 B.1（续 2）

NOMISETS	Naval Optimised Manning Integration Systems Engineering Tool Set	海军优化人员配置集成系统工程工具箱
NPV	net present value	净现值
OBA	oxygen breathing apparatus	氧气呼吸器
OEM	original equipment manufacturer	原始设备制造商
OM	operational manning(or watch – standing)	操作人员配置(或岗哨)
OME	Optimal Manning *experiment*	最佳人员配置试验
OPV	offshore patrol vessel	近海巡逻舰
OUS	Own – unit support	自有装置保障
PM	preventive maintenance	预防性保障
QPL	qualified products list	合格产品名单
RCM	Reliability – centred maintenance	可靠性重点保障
RNN	RoyalNetherlands Navy	荷兰皇家海军
SCBA	Self – contained breathing apparatus	自给式呼吸器
SOC	scheme of complement	配给计划
TBT	tributyltin	三丁基锡
TOPMAST	Tomorrow's Personnel Management System	未来人事管理系统
UPC	Uniform Product Code	统一的产品代码
USAF	United States Air Force	美国空军
USS	United States Ship	美国军舰
VCHT	vacuum collection,holding, and transfer	真空收集,保持,转运
VHF	very high frequency	甚高频
VT	Vosper Thornycroft	"桑尼克罗夫特"号鱼雷艇
WLC	whole – life cost	全寿命费用

五、导论

英国未来航母项目的目标是取代目前命名为 CVS 的无敌级航母。这一级别的航母包括三艘——HMS"无敌"号(Invincible)、"卓越"号(Illustrious)和"皇家方舟"号(Ark Royal),该级航母计划退役日期为 2008—2015 年。CVS 级航母设计于冷战时期,主要用于反潜作战、区域防空和指挥、控制与通信(command,control and communications)。CVF级航母降低了对反潜作战的要求,更注重空中攻击和在地面部队支持下的沿海作战。

计划要求建造两艘航母,分别于2012年和2015年交付。为了实现更高的出击频率,未来航母将承载更多的飞机,排水量将至少是CVS级的两倍。另外,至少在最初阶段,未来航母将配置短距起飞垂直降落型的联合攻击战斗机(JSF)。如果皇家海军最终以常规起降飞机取代JSF,未来航母将可以通过改装以适合承载这种飞机。

CVF项目目前正在由英国国防部的精明购置处执行,其中包括概念开发、评估、验证、制造、服役和处置六个环节(《精明购置处处长》,2004年)。项目从以前购置方案出发,以涉及各级项目负责人的频繁、细致的里程碑报告和对大量既定程序与计划的遵守的关注为主导。精明购置计划由一个相对小型综合的项目组(IPT)负责,该计划只要能够满足一套有限节点控制的要求,就可以在较大范围内制定自己的计划和程序。

两艘航母实际折算后的全寿命费用被限定在45亿英镑左右。新购置方案的主要动机正是期望找到节省系统全寿命费用的机会。以前的购置模式下,航母开发和寿命的各个阶段是由不同部门负责的。如果只靠在某个阶段增加费用才能达到目标的话,那么净全寿命费用的节省可能无法实现。IPT具有主要责任来避免这类节省——例如,找到那些需要更高制造费用以至于高于服役期间可获得的节省量的改进。

该CVF项目已被国防部指定为一项"航标"计划,因为其在依严格的时间表完成一个高性能系统的过程中包含全寿命费用节俭的特殊机会。CVF IPT被视为是有机会对精明购置目标展示明确的承诺,并为其他IPTs提供如何在概念和评估阶段完成精明购置工作的宝贵经验。为了帮助实现CVF项目的航标潜力,CVF IPT要求对经济的影响,对进度的影响,以及采用新技术和选择制造商的风险都要有独立、客观的分析。兰德公司被要求进行这种分析。

当想到航母的费用,人们通常关注于购置,但运行和保障中的人员及其他方面的费用也对全寿命费用有着重大影响(图B.1)。这些因素显示了当前分析的目标。

1. 降低保障费用和其他全寿命费用

(1)建立数据库和分析工具,从而能够对费用、效益和成本控制措施的风险进行评估。

(2)评估可能会降低费用的现有或新出现的技术、子系统及进程。

2. 减少人力需求

(1)检查现行的人员编制削减执行策略并确定其他有关购置方案中的削减人手的措施。

(2)确定高效的人力削减方案及其风险,技术可用性和对人力与全寿命费用

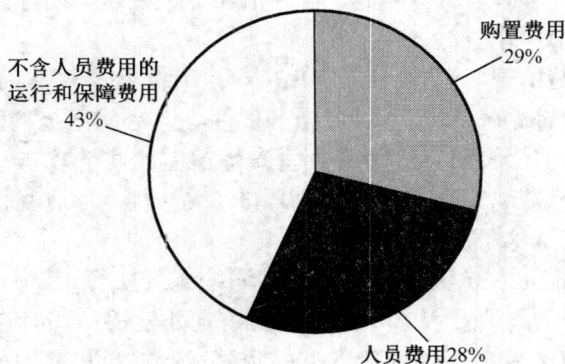

不含人员费用的
运行和保障费用
43%

购置费用
29%

人员费用28%

图 B.1 预期 CVF 建造完成所产生的大部分全寿命费用

的影响的评估,为执行这些措施规划一个方针路线图。

3. 借鉴经验教训

回顾美国国防部在建造弗吉尼亚级攻击核潜艇时的承包商使用情况,并借鉴可能适用于 CVF 承包商联盟的经验。

作为本报告的主题,在实现前两个目标的过程中,我们采用了常见的分析方法。首先,分析目前建造、保障和人员编制设计方案,用以建立一个可在其基础上通过努力削减费用的基准。然后,明确成本控制的措施。最后,对这些削减费用的措施进行论证,以确定哪些措施在考虑技术成熟度和风险问题后可能拥有最显著的效果。

在执行这个方针的过程中,我们一直依赖于广泛的国内外相关购置项目。我们拜访了英国国防部、航空母舰团队公司(英国宇航公司和泰利斯)、美国海军、商业造船和保障企业的人员。我们还参考了兰德公司为其他购置相关项目开发的模型。

在接下来的章节中,我们明确了许多降低费用的措施。我们对这些措施的评估往往不能如期望的那样严格或具有决定性,主要是因为 CVF 的设计并未完成。此外,并不总是能在设计和人员配置的细节方面获得充分的数据。这些困难严重阻碍我们建立一个基准。困难表现在两个方面:一是无法分辨一项成本控制措施是否已经被承包商纳入到设计当中;二是而且无法将可能的缩减比例转换为定量值。不过,我们对那些可能在削减人力或者其他方面具有吸引力的措施作出了定性的判断,并且还提供了分析模型和协议,一旦可靠的数据被采用,应该有助于IPT 作出更多明确的削减预测。

六、费用分析工具

对可能减少 CVF 全寿命费用措施的评估,需要大量的分析工具和模型来权衡各种费用要素。本部分介绍了兰德在分析过程中采用的四种分析工具。

（1）全寿命费用模型。研究购置、运行、维护和人员费用之间的相互作用并能够对方案选择和降低费用的措施做出快速评估。该模型还包括量化各种费用估计的不确定性影响，并能够按照国防部的费用分析要求推出以 10% 和 90% 置信区间衡量的中值费用。该模型以商业软件为基础，具有很大的灵活性。

（2）航母每日运行费用模型。根据提供的可用信息，我们计算出的 WLC 值超过 50 万英镑/天。如果将这个数字作为航母的日常运行费用数值，那么就可以将其作为后勤保障合同中规定的，评估因舰船故障而产生罚金的可行性基础。

（3）权衡初始购置费用和年度运行费用的方法。该方法基于标准的现值估计，有助于解决初始购置费用与削减年度运行费用之间的盈亏平衡点问题。评估结果表明，每年每艘航母 1 000 英镑的运行费用削减将对应两艘航母 25 962 英镑的前期投资。

（4）权衡初始技术投入与年度人员技能培训费用的方法。初始技术投入可以有效缩减航母的人员编制规模，初步统计结论表明，利用初始技术投入以替代中级船员将会节省 120 万英镑的费用。

（一）基于费效分析的全寿命费用模型

在任何武器系统的发展过程中，项目团队在性能和设计上要进行多方面的评估测试。在某些情况下，评估测试会减少某项费用以增加另一项费用。例如，项目团队可能会选择一个相对更加可靠（且昂贵）设备以减少保障和运行费用。较为可靠的设备也会减少对备件和冗余系统的需求。评估测试的目的是寻找生产、运行和保障费用之间的最佳平衡点。评估测试中首要问题是确定特定取舍的价值。费效分析是一种可以公正检验取舍的方式。通常情况下，费效分析要求对各种费用和支出的时间安排进行现金流分析。随着时间安排的确定，费用转换成净现值（NPV），这种分析往往需要开发 WLC 的模型。在本部分的介绍中，我们将描述一个针对 CVF 项目的简单全寿命费用①模型。有了这个模型，CVF IPT 就可以快速评估取舍以及成本控制的措施。

1. 方法

评估任何武器系统的全寿命费用是一项艰巨的任务。事实上，一艘航母的潜在使用寿命可达 50 年，是当今最复杂和最昂贵的武器系统之一，加大了购置工作的难度，因此预测 50 年内的费用是非常困难的。此外，一些 WLC 要素是一次性投入（如购置费用），而其他舰船运行费用（如人员费用）则每年都有。因此，分析某一个复杂因素需要了解航母编队各种费用的时间安排以及相应的巨大数量。

---

① 本文使用术语"费用"具有普遍的含义：一些分析家将费用和价格加以区别，当本文提到费用时，是指包括费和利的费用——价格的定义。

对于 CVF 的 WLC 模型,基于 CVF IPT 提供的费用汇总,主要包括了以下 WLC 要素①:

(1)一次性费用,主承包商办公费用、试验、研究,开发,测试和评估、保障品、设施;

(2)生产费用,包括人工、材料和设备(包括由政府提供的);

(3)服役费用,主要指养费用;

(4)日用品管理和基础设施;

(5)备件;

(6)海军装备和一般储备;

(7)现代化更新,包括人员、运行费用;

(8)石油,机油和润滑油;

(9)服役期测试,包括设施、相关设备和培训,以及基本的合约公务活动;

(10)处置。

另外,CVF 项目 WLC 模型需要考虑在评估中包含的不确定性分析。国防采办局采用三个费用估计值(置信区间为 10%,50% 和 90%)来描述费用风险和不确定性。由于费用削减措施可能有不同程度的不确定性,任何用于费效分析的 WLC 模型必须包括评估不确定性的能力。例如,人员编制的缩减是难以准确量化的。一项新技术的投资(通常是比较容易评估的,即更有把握)也许可以减少特定数量的船员。然而,这种减少是很难预测的。正确地反映收益的不确定性(缩减人员编制)可以使 IPT 可以更好地判断一项削减措施是否符合费用效益,以及对整体方案费用风险的影响。

最后,任何开发的费效分析模型都必须易于修改或扩展。通常情况下,当费用模型开发出来时,很难确定所有将要考虑的削减措施。因此,任何模型都必须能够进行改变或调整,以便全面考虑所有措施。WLC 模型必须广泛考虑 WLC 的各个方面,并具有一定的模块化程度。

为了解决 WLC 模型的适应性和不确定性问题,我们选择采用 Lumina Systems 公司出售的 Analytica 软件建立模型。Analytica 是一个商业决策分析软件系统,包括蒙特卡罗(Monte Carlo)仿真能力。由 Analytica 系统建立的模型是模块化的,因而比传统的电子表格模型适应性更强,更易于修改。我们建立了该模型的高层次体系结构,如图 B.2 所示。

图 B.2 说明了各种组件和模型变量是如何相互作用的,每个方框代表一个子模型、变量或常量。

图 B.2 可能有助于初步阐明该模型的大体流程。图中,计算流程从左到右,制造时间、服役日期和船体寿命为主要变量,并设定了所有现金流的时序,各项支

① 各种要素包括适当的管理费用。

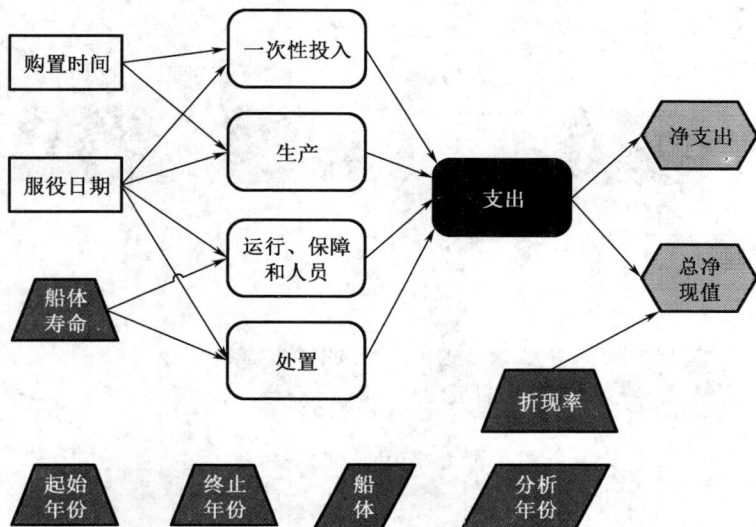

图 B.2　针对 CVF 项目的高层次的体系结构或全寿命费用模型

出与这些输入量相关联。因此,了解在役日期和生产时间,可以对一次性费用和生产费用的现金流量排序(即预算批准)。上图底部的方框是模型的其他输入变量。终止年份和起始年份指定了分析的时间范围;船体变量指定了同级舰船的数量。图中一次性投入,生产,运行、保障和人员,以及处置代表了 WLC 的主要因素,分别作为运行子模块。这些子模型包含了模型中各种费用因素与输入变量相结合的费用计算方程。换句话说,每个 WLC 因素都有产生费用的过程。作为例子,图 B.3 描述了生产因素的费用产生过程。

对于每个子模型,年度现金流量是确定的。所有这四个子模型的输出组合成为一个单一的现金流:"支出"项。从那里,计算得出两个输出量:净支出(一个整个分析期间的简单的支出总和)和总净现值(开销的净现值)。

2. 费效分析实例

假设 CVF IPT 要进行一项评测,对舰船额外增加 100 万英镑的设备并减少 40 名初级船员。对于从全寿命的角度考虑,增加的设备费用能否产生效益这一问题。图 B.4 给出了一个理论上的评估。图中显示了两种情况下的总净现值累积概率曲线:基准(CVF 基准)和方案 A(其中包含了缩减船员后的改善)。在概率分布的中间区域,方案 A 费用比基准少了 3 500 万英镑,这表明了 WLC 的净整体缩减。

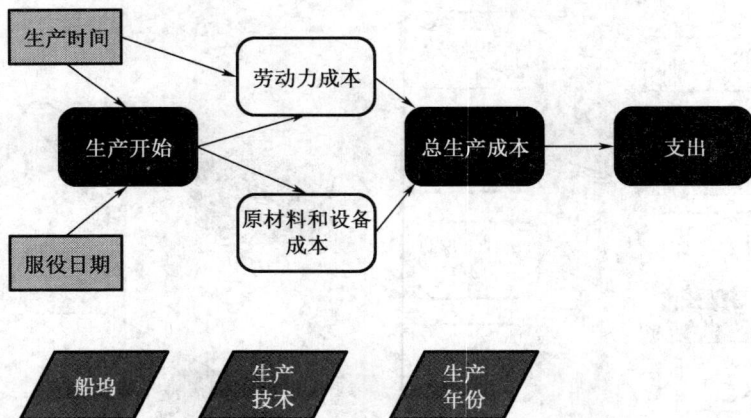

图 B.3　生产因素的过程示意

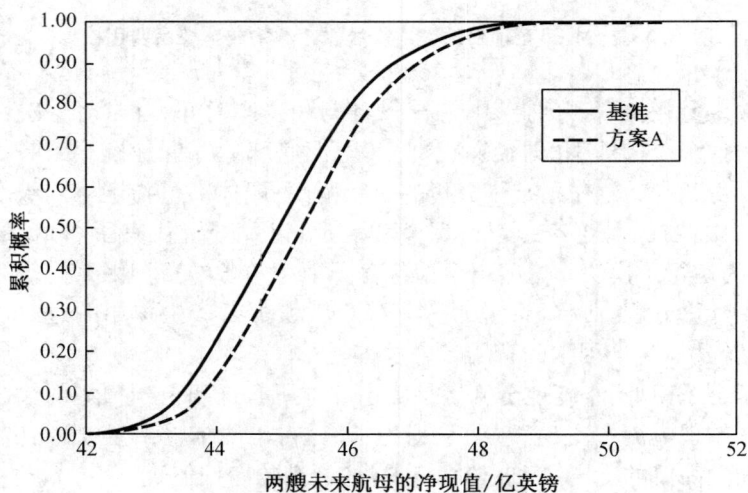

图 B.4　CVF 的净现值累积概率图

方案 A:每艘船减少基准数量的船员需要每艘船 100 万英镑的投资

3. 小结

针对 CVF 项目,我们开发出一种简单的 WLC 模型,IPT 可用其快速评估取舍和费用削减措施。该模型基于商业软件,灵活多变并且包含了不确定性分析。但是,要提醒的是,该工具不能估计费用——换句话说,分析人员将需要为每个费用要素输入相关因子。

（二）计算航母的日运行费用

CVF 项目正在考虑承包商后勤保障合同的使用,用以维护和保障两艘航母。根据此项安排,承包商须保证每艘每年的最小运行天数,如果达不到规定的天数就会产生按天数计算的违约金。这里存在违约金数额是否适当的问题。保证航母正常运行对英国来说有着特定的价值,因此对失去一个正常运行日的违约金应当等同于该价值。这个价值无法直接估算,但设定此价值至少等于国家为航母提供的每日开支是比较合理的。在这里,我们提出了一个 CVF 的寿命周期费用账单,该账单表明英国的纳税人每天需要支付 50 万英镑以上方可保证 CVF 正常运行。

图 B.4 表明,折算后的总费用大约为 45 亿英镑。那么,两艘航母将运行多长时间呢? 根据用户需求文档,CVF－1 于 2012 年 10 月服役,CVF－2 于 2015 年 8 月服役。在"正常"年度,52 周中每艘 CVF 将有 46 周在役。然而,每六年 CVF 就需要进行一次为期半年的大修(根据目前的计划,其中还包括几周的进干船坞时间)。CVF－1 的干坞保养年为 2018 年、2024 年、2030 年和 2036 年,CVF－2 为 2021 年、2027 年、2033 年和 2039 年。我们假设每艘航母服役 30 周年后退役。

根据上述设定以及英国财政部规定的 3.5% 实际利率,我们就可以计算出折算后可运行的 CVF 年度费用总和[1]。在 2003 年的现值计算中,我们发现皇家海军将获得 CVF 舰队 21.65 个可用的舰船年(ship－years)[2]。以 2003 年的英镑市值,如果我们将 45 亿英镑除以 21.65 个有效的 CVF 舰船年,就会得到大约 2 亿英镑/有效舰船年,或者 57 万英镑/有效舰船日。

我们认为没有任何 CLS 承包商愿意支付这样的可用性违约金。如果将国防部能够承担的费用从 57 万英镑中减去,其差异可用于度量由政府承担的可用性风险(当然,不管 CLS 是否负责保障,国防部始终都必须承担一定的风险)。

我们已经完成了日运行费用的计算,主要是得到了一个用于 CLS 可用性违约金的计算基准值,而这个数值还有其他用途。例如,日运行费用可以作为粗略估计舰船暂停运行所导致的费用。

鉴于我们得出的日运行费用超过了 50 万英镑,国防部可能会在某些方面作出调整,这需要视其目标而定。如果有效舰船年和英镑同时采用同样比率,则国防部有可能会调整折现率,或者调整基准年。

---

① 此种情况似乎有些不同寻常,但本文认为折算的舰船年与折算的未来现金流量相对应是比较合适的。财政部绿皮书(2003 年)指出:"折扣率是用来把所有费用和收益转换为'现值',使它们能够进行比较的工具"。在这种情况下,舰船年属于收益,所以其应该被折算。(美国管理和预算办公室的通知 A－94,1992 年,有非常类似的描述:"所有的未来收益和费用,包括非货币化的收益和费用,应该进行折算。")

② 这个结果似乎较低,但第一个 CVF 的运营"全"年——实际上为 46 周或 0.88 个可用舰船年——在 2013 年,这在折算时仅相当于今天的 0.63 个可用舰船年。之后的几年,折扣甚至更大。

(三)购置费用与年度运行费用的比较

国防部必须考虑的一个重要问题是如果前期投资在航母的服役期内可获得经费削减,那么多少投资易于承受?假设国防部确定了一项投资,其可以在航母每个运行年内实际、折算后节省 1 000 英镑,那么它值当时的多少钱呢?

对于 CVF – 1,2003 年的现值 1 000 英镑/年将是

$$\frac{1\ 000}{4 \times (1 + d_{GB})^9} + \sum_{i=l}^{29} \frac{1\ 000}{(1 + d_{GB})^{9+i}} + \frac{3\ 000}{4 \times (1 + d_{GB})^{39}}$$

其中,d_{GB} 是绿皮书规定的实际利率。在这个表达式中,中间项是在 29 个"全"年里每年的总折算金额;第一项是 2012 年四分之一年的总量;第三项是 2042 年四分之三年的总量。类似的,从 2015 年 8 月开始运行的 CVF – 2 的表达式是

$$\frac{5\ 000}{4 \times (1 + d_{GB})^{12}} + \sum_{i=l}^{29} \frac{1\ 000}{(1 + d_{GB})^{12+i}} + \frac{7\ 000}{4 \times (1 + d_{GB})^{42}}$$

使用目前的绿皮书利率 3.5%,对于 CVF – 1 每年节省 1 000 英镑的现值是 13 613 英镑,对于 CVF – 2 为 12 349 英镑(由于服役时间更晚,CVF – 2 的现值略低)。

结合两艘航母的总数,我们可以看到,按现值计算公式,当前对二者投入 25 962 英镑将获得每年 1 000 英镑的经费削减,这是值得的。按照规定的实际利率,为获得 1 000 英镑/年的经费削减,而超出支出 25 962 英镑就可以认为是不值得的。

上述计算可以通过多种方式推广。若预期的每个拥有的舰船年年度开支削减不同于 1 000 英镑,显然会对应的上调或下调 25 962 英镑的估价[①]。另一种可能性是,费用削减可能无法每一年都实现。例如,这可能只在每个第六年进干船坞保养才实现。如果在总有一艘停靠码头的条件下估计每年的削减额为 1 000 英镑,这样的投资的 2003 年现值会是

CVF – 1:

$$\frac{1\ 000}{(1 + d_{GB})^{15}} + \frac{1\ 000}{(1 + d_{GB})^{21}} + \frac{1\ 000}{(1 + d_{GB})^{27}} + \frac{1\ 000}{(1 + d_{GB})^{33}}$$

CVF – 2:

$$\frac{1\ 000}{(1 + d_{GB})^{18}} + \frac{1\ 000}{(1 + d_{GB})^{24}} + \frac{1\ 000}{(1 + d_{GB})^{30}} + \frac{1\ 000}{(1 + d_{GB})^{36}}$$

按照 3.5% 的折算利率,CVF – 1 入坞年总和为 1 799 英镑,CVF – 2 入坞年的总和为 1 622 英镑。因此,每个入坞年削减 1 000 英镑费用将对应最多 3 421 英镑的前期投入。

---

① 对于一个不同于 1 000 英镑的削减值,将其替代公式中的 1 000 作为分子。例如,CVF – 2 公式中第一项的分子变为 $5x$,其中 x 为削减值。

（四）购置费用与年度人员费用的比较

作为完成人员编制削减测试的一部分,我们计算了未来航母中减少一名中级船员对应的全寿命费用削减值。在 30 年中采用 3.5% 的折现率,包括所有的士兵和军官等级,削减值将达到 119 万英镑。当然,给定的人力削减前期投资是否合理取决于被替代人员的具体等级。总的来说,每人 100 万英镑可以作为一个初步筛选的粗略标准来表明技术投资是否有收回其初期费用的可能。

此外,我们还考虑了削减预期 CVF 人员编制进而减少费用的权衡措施,并探讨了某些影响人员编制削减决策制定的外部因素。

1. 削减人员编制的权衡措施

皇家海军尝试通过不同技能的组合来削减人员编制费用。图 B.5 显示了五种技能类别的军官和五种技能类别的士兵所对应的全寿命费用①,这些费用是以最低人员费用的倍数给出的。

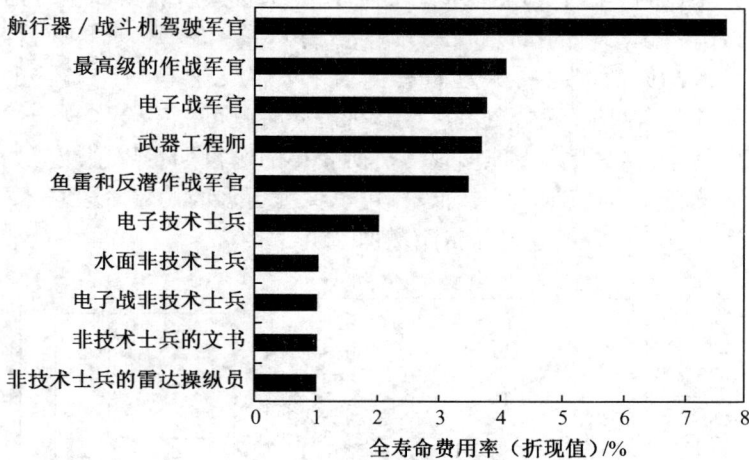

图 B.5　各类职能人员的全寿命费用比率

对于人员编制费用(不包括住宿和餐饮费用),使用 2 个、4 个,甚至 8 个初级船员置换较高级别的船员都可以更加节省费用。这意味着以一对一的原则,以低费用等级的人员置换高费用等级的人员可能有利于减少人员编制的全寿命费用。

另外一项范围更加广泛的分析表明,不同等级的军官费用也有巨大差异。如果皇家海军要将费用减至最低,应设法尽可能一对一地将飞行员置换为作战和工程军官,以及将后者置换为初级军官和后勤军官(我们对无军官级别和职能的人

---

①　图中上面的五个条形图表示军官,其他表示士兵。技工指训练有素、技术精湛的技师。非技工是指正在学习职能或技术的新手,可能没有经过培训。

员没有进行类似的广泛分析,估计也将同样符合费用效益的替代原则)。

2.影响人员编制费用的其他因素

(1)训练

皇家海军的训练设施应当争取效率,这将有助于降低训练费用。其费用削减估计可以将 CVF 的人员编制的 WLC 降低 2%~4%。IPT 应当考虑使用不同的费用因素来计算将来的费用。其中有两个因素需要注意:第一,如果人员编制的全寿命费用较低,则前期为人员编制削减进行的技术投入将更加昂贵。也就是说,使用技术投入替代人员编制的回报更少。第二,CVF 的人员编制依靠使用具备综合素质的工作人员,来实现人力资源的减少。这意味着需要进行更多的培训;当效率期望值增加而培训预算却同时下降的话,就会产生一些风险。

(2)折现率

计算 WLC 所用的折现率可影响人员编制的确定。图 B.6 和图 B.7 显示了折现率对不同等级人员的全寿命费用影响。在人员编制一定的情况下,随着折现率不断降低,全寿命费用将会增加,固定的前期技术投入所获得的全寿命费用削减就会增大。例如,以 3% 的折现率,2003 年度减少一个海军士官将获得 83 万英镑的投资能力;以 4% 的折现率,减少同样的一个人将只获得 73 万英镑的投资。以低折现率可以得到回报的技术投资,在高折现率时就可能不会实现。在这种情况下,就需要更多的前期投入才能实现减员所获得的服役期费用削减。如果船员的技能和级别较高,同时折现率又较低,则可以保证更多的购置阶段技术投资,从而避免人员编制方案导致的全寿命费用增加。

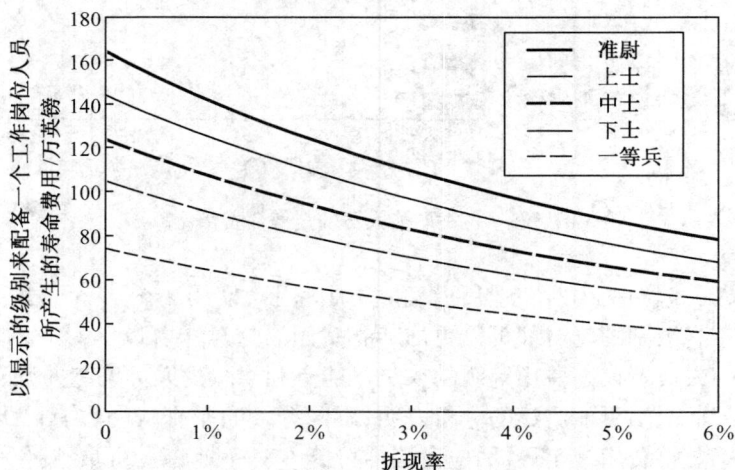

图 B.6 不同折现率对应的全寿命费用(不同士兵等级)

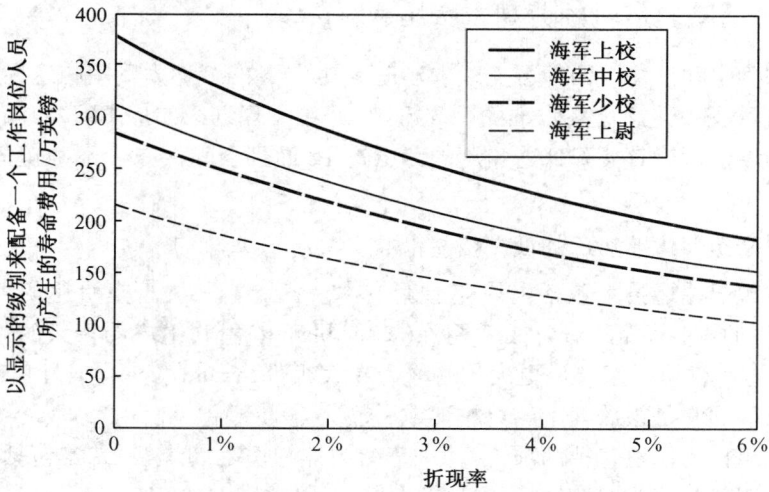

图 **B.7** 不同折现率对应的全寿命费用（不同军官等级）

七、购置费用削减方案

在这一章中,我们研究可能降低两艘 CVF 建造费用的方案。粗略地统计,基于美国航母费用和英国宇航公司与泰利斯公司的初步数据,航空母舰的建造费用分配如图 B.8 所示。理论上,航母建造费用的 40% 为劳动力费用和管理费用,30% 为政府配套设施费用,其余 30% 为船坞原材料和设备。下面,我们首先解决削减劳动力费用的措施,然后是削减材料和设备费用的措施,最后是其他可以削减购置费用的措施。

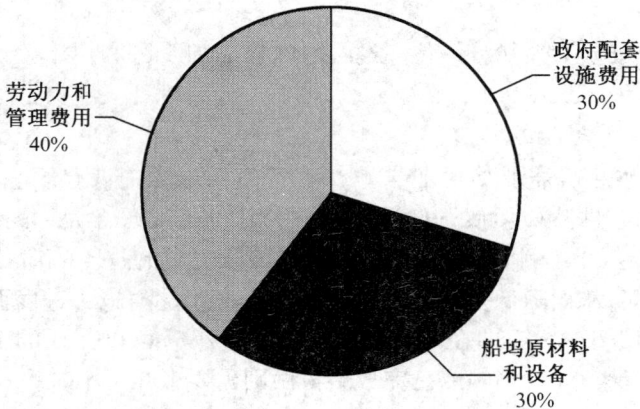

图 **B.8** 航母建造费用分配示意图

（一）削减建造时的劳动力费用

我们确定和评估了两种可能减少建造两艘 CVF 的劳动力费用的途径:在大模块的建造过程中使用更高水准的预先舾装,并精心规划第二艘 CVF 的动工时间。这些措施不仅可以直接降低造船厂的劳工费用,而且会间接减少不确定的一般性开支。

1. 提高组件建造船厂的预先舾装水准

现代舰船建造技术包括模块化造船技术。各造船厂关于模块化的术语不尽相同,小件的称为单元(unit)或装配件(assembly)[①],由其组成的较大的件称为组件(block),组件可以组装成更大的件称为超大组件(grand block)或环(ring)。超大组件或环通常是被放入干船坞拼装成一艘完整的舰船。

这些组件的构建包括两项工作:一是结构件的切割和焊接;二是包括电气、管道及其他舰船系统材料和设备的结构舾装。

舾装工作包括以下内容:

(1)结构

安装设备基体、门、梯子、舱口和窗户。

(2)管道

安装及焊接管道,包括线轴和接头。

(3)配电

安装主电源配电板的次级配电系统,包括吊拉电缆、安装本地配电板和配套的电气设备。

(4)供暖、通风和空调系统(HVAC)

安装空气处理机组、管道及配套设备。

(5)木工

安装居住设施,如船舱或铺位、餐饮设施、食品加工区和用于会议室或其他管理活动的房间。

(6)涂装和绝缘

预先舾装意味着需要尽可能早地在装备施工过程中展开舾装工作,即在单元、组件或超大组件阶段就展开舾装工作。公认的造船理念是,相比完成舰船建造后再展开舾装工作(例如,在超大组件建造阶段之后的进干坞阶段),预先舾装可减少生产时间,从而降低费用。该理念体现了工作量随施工进度而成倍增长的经验法则,如"1-5-10",即在单元或组件阶段一小时可以完成的工作在超大组件阶段将需要五个小时,当舰船已完成后再做则需要十几个小时。

---

① 单元或装配件可以是结构件或"封装产品"。例如,机械单元为安装和连接在一个共同基体上的设备组合。又例如包括复杂管道的单元,或者模块化的船舱。

预先舾装可减少劳动时间有以下几个原因。较小的单元和组件通常在室内厂房制造,材料和设备都是现成的,而且可以通过定位以减少或消除复杂耗时的工作(例如,定位零件从而使设备和材料的焊接和安装易如反掌)。这些优势在超大组件阶段将减弱,尽管超大组件同样可以在室内厂房或在干船坞旁边的露天区域建造。建造超大组件时通常不是在一个遮挡的区域,不过也还是可以用压板方便的定位建造所需的材料和设备。而一旦超大组件进入干船坞,舾装工作将变得更加困难和耗时。材料、设备和工人必须被带到干坞里的船上,工作条件更加受限,而且生产效率会受天气影响。

在预先舾装的实践方面,英国造船厂落后于欧洲其他国家和亚洲的造船厂。英国造船厂较大比例的舾装工作都是在完成舰船建造之后的阶段进行,特别是在配电、管道和空调系统方面。

文献调研和对现有数据的分析表明,根据不同的任务和舾装舰船的类型,预先舾装可以减少20% ~ 50%的劳动时间。由于舾装时间占据了50%或者更多的航空母舰总建造时间,采用更高水准的预先舾装将对总建造时间具有显著影响。

CVF IPT 有一个在大组件阶段完成80%以上舾装工作的目标。我们的分析表明,这个目标是合理可行的,但前提是造船厂需要改变现有的舾装流程。涉及大组件建造的船厂应该与欧洲其他国家以及亚洲的造船厂比较舾装流程,他们应该在每个船厂调整自己的施工方法以优化预先舾装的水准。此外,较大程度的预先舾装只有在舰船的设计已接近完成,且所需的材料和设备都已具备的情况下才可能实现。因此,CVF 联盟必须努力工作以实现更高水准的预先舾装。

2. 规划 CVF – 2 的动工时间

拟议中的 CVF 建造计划,涉及多达四个同时独立建造组件的造船厂。在各个造船厂之间,建造好的组件运送到另一个造船厂进行最后组装、测试和交付。按照目前的计划,每个负责组件建造的船厂在第一艘 CVF 的组件建造期间将有很大的工作量,然后是一段空闲期直至动工建造第二艘 CVF 组件。第一艘 CVF 组件完成建造与第二艘 CVF 组件动工之间的潜在延迟对劳动力有着显著的影响。在没有其他工作的情况下,造船厂可能不得不解雇大部分工人,并在之后重新组建这样的工人队伍以动工建造第二艘 CVF。工人队伍的不稳定增加了劳动力费用,并且工人的熟练程度也得不到保证[1]。

图 B.9 显示了两艘 CVF 潜在的劳动力需求,在第一艘 CVF 大组件建造完成和第二艘 CVF 建造开始之间有三个季度的差距。图 B.9 中所示的工作量和时间表是基于泰利斯公司在 2002 年年中提供的数据,以及兰德公司对当时设计方案潜在总工作量的需求分析而作出的。CVF 的尺寸、关于大型组件数量与大小的总

---

① 兰德曾审查了美国航母项目生产计划对费用的影响。分析表明,比原计划提前两年启动 CVN – 77 的建造,但保持交付日期不变,则可以降低数亿美元的整体建造费用。

体建造理念和施工进度,以及组件建造船厂和装配船厂之间的工作分配一直会有些变化。因此,图 B.9 所示曲线仅供参考。

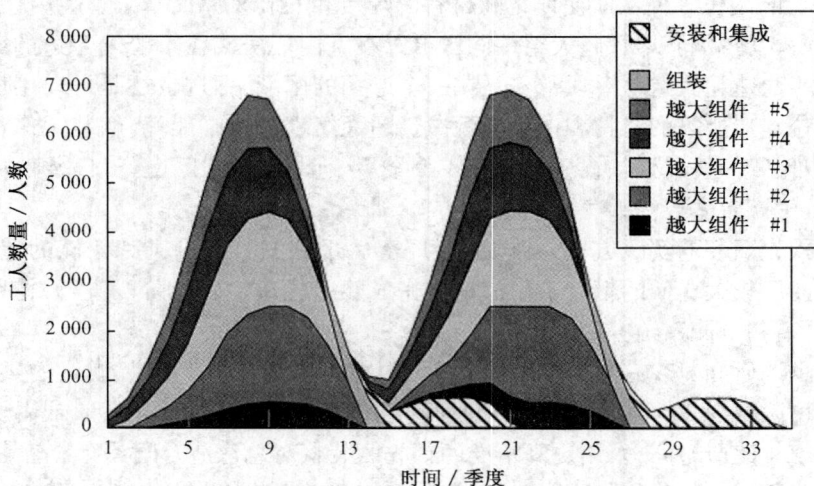

图 B.9　两艘航母在超大组件建造中的潜在劳动力需求

　　使用兰德公司为美国海军和国防部研究开发的模型,我们评估了组件建造船厂不同生产空闲期之间的劳动力费用差异。图 B.10 显示了第二艘 CVF 不同的动工期对费用的影响。较图 B.10 所反映的计划提前三个季度动工建造第二艘 CVF 将会导致超过 2 000 万英镑的劳动力费用削减;即在第一艘 CFV 的大组件建造结束后,动工建造第二艘 CVF 的大组件将使劳动力费用最小化。进一步扩大计划中的生产空闲期则会导致劳动力费用提高。

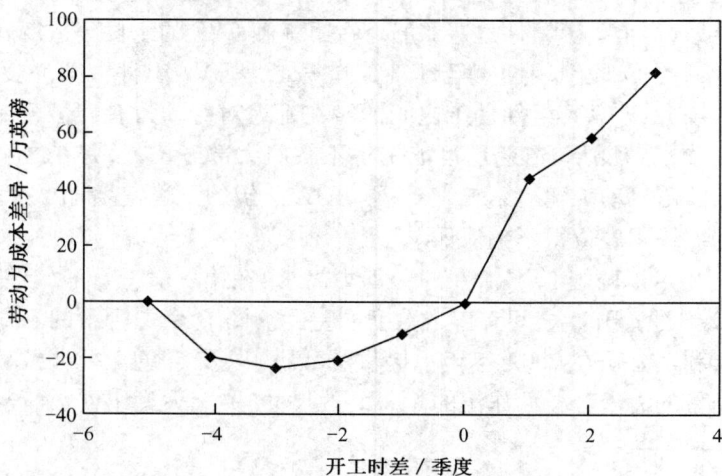

图 B.10　改变第二艘航母的动工期对费用的影响

当船厂每个技能组的工作量保持相对平稳时劳工费用将会降低。稳定需求的能力依赖于船厂的项目时间表。因此,不同的第二艘 CVF 动工时间对于劳动力费用的影响变化取决于各个特定船厂的其他工作。根据组件抵达组装船厂以及船厂其他所有工作的时间表,各个船厂应当仔细规划第二艘 CVF 的动工日期以实现最小化费用。

(二)削减建造材料费用

如前所述,材料和设备的费用,无论是政府提供的设备(GFE)还是承包商购置的设备(CFE),将占到超过 50% 的 CVF 建造费用。我们检验了两个减少这些费用的措施:集中材料购置并在可行的情况下采用有别于军用的商业规范。

1. 集中材料购置

通常情况下,每个涉及建造某一级别舰船的船厂将会订购建造舰船所需要的设备和材料。建造 CVF 将会有四家或更多造船厂参与,每个船厂都需要订购阀门、泵、结构件,以及其他各种材料和设备。通过采用经济的订购数量购买方式,集中购置所需物资和设备将会削减费用。此外,集中购置可以使所有参与 CVF 建造工作的船厂将材料进行标准化。

美国海军的 DDG-51 项目和国防部的 45 型项目均使用了材料和设备集中购置的形式。通过集中购置合同,每个造船厂在建造期间各取所需,这种做法可削减 10% ~20% 的费用。

CVF 联盟应与船厂共同合作,以确定材料和设备的种类、数量并确定可供选择的供应商。然后,具备资质的供应商应当对集中购置项目进行竞标以达到最佳的购置价格。

2. 使用商业系统和设备

减少材料和设备费用的第二个措施是,在对 CVF 的安全和运行没有负面影响的部分,考虑采用有别于军用标准的商业系统和设备。军事装备基于比商业系统更严格的冲击和破坏标准而设计,这些标准提供了更高的可靠性,但也增加了整体费用。

为 CVF 制定标准时应当考虑借鉴"海洋"号(HMS Ocean)的经验,"海洋"号就是主要采用商业标准进行建造的。由于"海洋"号是在紧缩费用为目标的情况下购置的,因此皇家海军牺牲了一些作战能力。联盟需要重点考虑的是,应当慎重考虑作战能力与费用价格之间的取舍。如果联盟决定以后升级作战能力,则需要比初始购置支出更高的费用。要想减少这种损失,就需要在建造过程中为计划中的升级预留可扩展的功能。

由于"海洋"号是皇家海军唯一的直升机攻击航母,因此在使其充分发挥功效方面存在着很大的压力。这意味着,"海洋"号的维护保养以及入坞的时间表必须加以非常严格的管理。因为执行任务的需求,"海洋"号的初次入坞期推迟了三年。现在假定两艘 CVF 取代三艘 CVS,将来则可能会有类似"海洋"号的行动需求。舰船必须具有足够的可靠性以在超过维护轮换期后保持行动能力。

联盟必须明确界定对造船厂的要求。在"海洋"号的案例当中,一些发送给承包商的最初要求含糊不清。由于存在固定价格合同的压力,承包商遵循了低于国防部所设想的标准。通过确保造船厂理解要求,联盟可避免重复工作和额外费用。

联盟必须非常明确哪些舰船系统将以商业标准建造和哪些将以军用标准建造。对系统应用错误的标准将会导致费用增加或性能降低(在某些情况下,有可能两者都有)。只要联盟了解商业标准潜在的局限性,并确定这些局限性不会损害舰船的执行任务能力,就可以采用商业标准。作战系统几乎肯定会要求采用军用标准,但商业标准可能适用于类似"酒店"功能的场合,如餐饮服务、垃圾管理、洗衣和空调。

当在 CVF 的某些部分着手采用商业标准时,联盟必须确保船厂了解这些商业标准将对费用和产品造成的影响。很少有船厂拥有建造商业船只的经验,可能不完全了解如何以商业标准估算费用的情况。唯一例外的也许是 Swan Hunter,因为它的管理人员曾经在商业环境中工作过;也可能是以前的 Govan,因为其前身为商业船厂且有建造"海洋"号的经验。根据我们与英国和美国各船厂的讨论,军事造船厂惯常于以更为苛刻的标准进行建造。采取"较低"的标准对他们来讲可能很难适应。造船厂将必须有意识地努力确保其员工以及实际工作能够反映出更大的商业着重点,这些着重点将会表征出 CVF 项目的商业特点。(在下一章中,我们将确定几个可能适用于 CVF 的商业系统,并评估采用这些系统对费用的影响。)

(三)其他可能削减购置费用的途径

联盟在试图控制 CVF 购置费用时还应当考虑一些其他措施。这些措施主要是在联盟和国防部的层面,主要涉及在动工之前设计方案的成熟度,修改订单的频率,以及计算机设计工具的使用。

对于组装大组件的造船厂来说,在动工前有近乎完整的生产设计是非常重要的。一个近乎完整的设计使船厂可以规划其生产流程,并且有利于预先舾装和材料集中购置。当生产过程不顺畅或者工作没有以最具费用效益的顺序完成时,生产建造费用将会增加。相比在设计还没有固定完成前开始建造,延迟组件建造,甚至延迟第一艘 CVF 的交货日期可能会更加符合费用效益。

联盟必须努力减少整个项目过程中修改的数量。根据我们的经验,在舰船建造过程中军事项目通常比商业项目有更多的修改,而修改就会增加费用。图 B.11 显示了军用和民用船只修改订单导致费用增加的平均比例,数据来自对美国、英国和其他欧洲造船厂的调研。

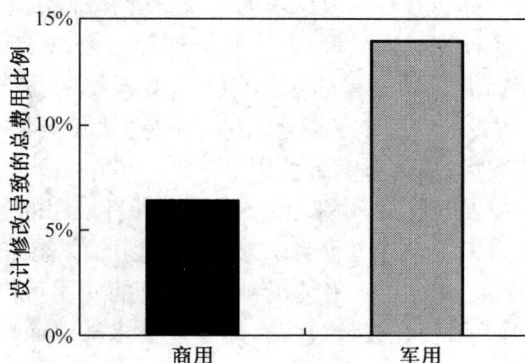

图 B.11　设计修改导致的总费用比例（军用与民用对比）

军事项目不仅会受到较高频率修改的影响,而且发生在建造过程的修改往往要比商业项目更晚。在其他条件一致的情况下,较晚的施工修改将会大幅增加费用。图 B.12 显示了商业和军事项目修改订单的模式,数据基于最近对美国、英国和其他欧洲造船厂的调研。组装、舾装、测试和验证阶段的修改对造船厂来说,代价最大。

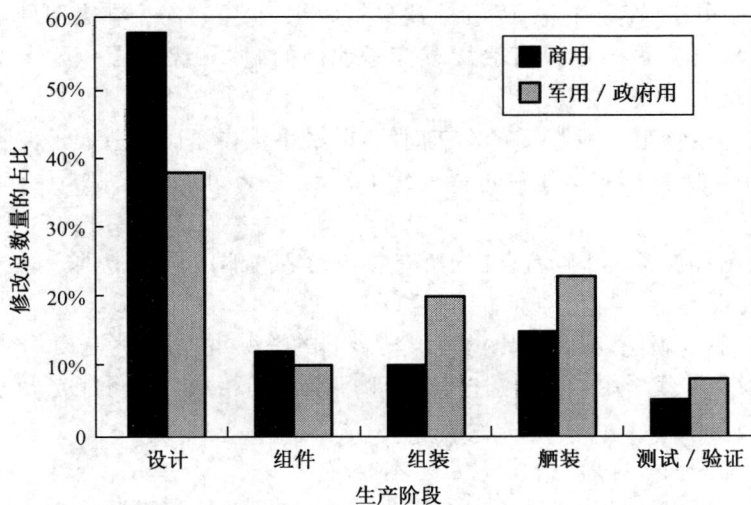

图 B.12　军用和民用项目修改订单的时间各阶段示意

除最小化 CVF 建造期间修改的数量,联盟应着力于尽快解决修改请求。商业船只的买家解决问题很迅速,在两至三个星期之内。军用舰船的修改耗时会超过这一时间值的两倍。商业船舶的买家通常会在船厂驻有很少数量的代表,这些代表有权力解决大多数的修改请求。对于军用舰船,通常有好几个关注舰船的团体或组织。这些组织通常都会参与修改请求的决议,从而减慢了审批程序。

智能化的三维实体计算机辅助设计/计算机辅助建模(CAD/CAM)系统,正在迅速成为所有承包商标准设计过程的一部分。这些系统的益处难以通过费用和时间表量化,但大多数专家一致认为这些系统能够产生更高质量的产品,并减少项目后期设计修改的数量,从而影响到费用。

关于设计工具的主要问题是,由潜在的 CVF 设计者使用的各种工具是否具有足够的协同性。我们收集了设计过程当中人员和行动的信息、信息共享需求的规范以及美国军用造船的经验,并得出结论,单一工具的使用可产生更高质量的设计,并且能够降低因返工以及在设计过程后期发现技术缺陷而修改订单所产生的费用。例如,在美国海狼(US Seawolf)项目中,数据需要从设计代理的电子设计系统移植到建造公司的系统。这种移植产生了许多问题,导致不得不发布了超过 50 000 份的工程图修改要求,显著地增加了该项目的费用。而在 Virginia 级项目当中,由于采用了统一的 CAD/CAM 系统,绘图修改量下降了 90%。

(四)小结

有多项措施可能会降低 CVF 的建造费用,它们包括下列内容:

(1)相比较大多数英国造船厂采用的舾装方式,CVF 项目应当采用更多的预先舾装,对于电气、管道和空调系统来说更是如此。IPT 有一个在大组件建造阶段完成 80% 舾装的目标,而只有船厂改变了他们的舾装做法,这一目标才有可能实现。

(2)合理规划第二艘 CVF 的动工时间,以最小化在船厂建造大组件阶段的总劳动力费用。如果 CVF 大组件可提前 9 个月动工,将可能节省 20 万英镑的劳动力费用。

(3)材料和设备集中购置,并让所有参与建造的船厂从集中供应商那里统一获取材料与设备。

(4)在对执行任务或者安保没有不利影响的情况下,可以考虑部分项目采用商业系统设备取代军用标准设备,其中类似于酒店的相关功能可能是商业化设备比较适用的区域。

(5)在动工前确保航母的设计已基本完成。

(6)尽量减少航母建造过程中的修改,并迅速解决任何必要的修改。商业部门处理修改请求所产生的费用只相当于军事部门的一半,并且更大比例的修改在购置的早期阶段就已经被提出,这一点可以在 CVF 的建造过程中吸收借鉴。

八、年度保障费用的最小化

在这一章当中,我们主要考察减少年度运行和保障费用的几种可能方案。首先,我们描述了 CVS 航母的实际维护工作,并且提出了 CVF 的维护概念。然后,我们确定了对年度运行费用影响较大的领域。基于这些产生费用的驱动因素,我们考察了几个商业邮轮制造业所采用的系统。之所以考察这些系统,是因为商业邮轮制造业对于减少 CVF 购置和运行费用具有潜在的借鉴意义。最后,我们讨论了对舰船的涂装,特别是干船坞需求的可能影响。

(一)CVS 航母的维护

在三艘 CVS 级航母当中,"无敌"号(HMS Invincible)在 1980 年开始委托制造,而"卓越"号(HMS Illustrious)和"皇家方舟"号(HMS Ark Royal)分别是在 1982 年和 1985 年。位于坎伯里亚大湖区(Barrow-in-Furness)的 Vickers 造船与工程公司设计并建造了"无敌"号;位于沃尔森德市(Wallsend)的 Swan Hunter 造船厂按照"无敌"号的设计建造了"卓越"号和"皇家方舟"号(Sharpe,2000)。

和其他皇家海军舰艇一样,CVS 航母同样也有一个维护和保养的周期。当处于舰队所辖的时候,舰船只能进行一部分的维护("舰队时间维护");更为细致的维护和保养是在舰船处于船厂等维修设施中时进行的,这时称为"非舰队时间"。

舰船的维修计划也会发生变动。国防部在 1998 年改变了 CVS 的预定维护周期。此外,在 20 世纪 90 年代后期,CVS 的改装(干船坞中的维护)从位于普利茅斯(Plymouth)的德文波特(Devonport)管理有限公司,转移到位于罗赛斯(Rosyth),并由 Babcock BES 公司拥有和经营的修理船厂进行。

"无敌"号是 CVS 航母中第一艘进行改装的,改装在德文波特从 1986 年 5 月持续到 1988 年 11 月(图 B.13)。"卓越"号于 1991 年 9 月—1994 年 1 月在德文波特改装。罗赛斯的第一艘 CVS 航母改装始于 1999 年 6 月,当时"皇家方舟"号进驻船厂。自那时开始,除了 2001 年 7 月"皇家方舟"号离开,"无敌"号 9 月到达的两个月间隙,罗赛斯船厂始终至少有一艘 CVS 航母进驻。在"无敌"号 2003 年 1 月离开之前,"卓越"号于 2002 年 11 月就已经抵达。

如图 B.13 所示,CVS 的改装平均在一个日历周中要有 350~500 个工人周。图中垂直线左侧的改装在德文波特进行,而在其右侧的改装则在罗赛斯进行。最近的一个阶段对于"无敌"号的改装已经很少,可以说是非常有限,这反映出该舰已经临近退役。

虽然"无敌"号的改装幅度相对较低,但是自从改装转移到罗赛斯以来,造船厂已经有了相对稳定的 CVS 工作流程,从而使得它的工人队伍也比较稳定。实际上,图 B.13 有些低估了改装船厂承担的 CVS 相关工作流程。改装过的舰船需要进行海试。造船厂根据海试的结果,会再次对舰船进行相对短暂的整修,也称之为缺陷整改期(DRP)。如前所述,"无敌"号的有限改装到 2003 年 1 月截止,但在 2 月和 3 月舰船将有一段短暂的时间返回船厂进行 DRP 工作。

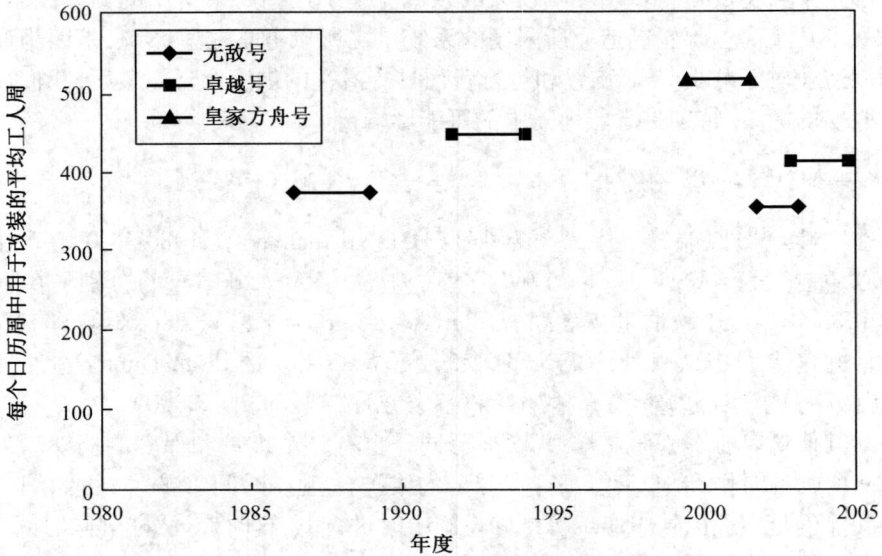

图 B.13　CVS 改装的时间和强度

改装工作最耗时的部分是新装备的安装,例如武器系统。这种新的安装被称为"升级"。装备生产厂商交付新装备之后,船厂才能展开改装工作,据说这个过程很容易发生延误。

相比之下,维护或者"保养"航母的过程更可预见,也更容易为改装船厂所掌握控制。已经完成改装的"无敌"号和正在进行改装的"卓越"号,为了修复损坏的变速箱,需要在船侧开一个洞来拆除和更换损坏的部件。不幸的是,由于 CVS 航母设计的原因,完成这一过程相当困难,需要对变速箱临近的船体部分进行拆卸。拆除"无敌"号变速箱的过程包括了拆卸三个辅助锅炉以及相关的系统管道工程、通风口以及排气装置。此外,还有必要拆除燃料和蒸汽系统管道工程以及重要的电缆,然后通道才能清理出来。

我们了解到,目前 CVS 航母之间已经存在着装备共享的情况。改装中的航母会拆卸下一部分装备(最常见的是武器系统,但也可能会是其他装备),安装到其他两艘在航的航母上以更好地执行任务。

(二)CVF 的维护

国防部为 CVF 设想了明显不同于 CVS 的维护方法。这主要因为只有两艘 CVF 用以取代三艘 CVS 航母。因此,对于之前随时都有一艘航母在进行改装的情况,国防部已经不可以接受。

国防部在 2001 年 2 月 28 日的研究报告中详细陈述了 CVF 的维护计划。计划中 CVF 进坞维护的时间为 26 周,进坞维护的频率不超过 6 年一次。国防部希望把这一维护周期延长至每 12 年进行一次,不过无论是英国宇航公司还是泰利斯公司都不同意这样的延长。例如,泰利斯公司指出:

军舰需要持有国防部海洋科技组颁布的认证,这一规定将会继续执行。我们进一步考虑后认为,(如果每 12 年进行一次维护)无论是通过船级社的认证,或是超过 6 年没有实际调查而想要进行再次认证都是不可能的。这一事实是不可否认的。

CVF 的进坞维护并没有像 CVS 改装那样涉及下面广泛。事实上并不会采取重大改装。在 6 个月的进坞维护期间,将会只有几周时间在干船坞内进行。

鉴于国防部制定的关于干船坞的规定,干船坞中的工作似乎也只剩下船体涂装了。像 CVS 变速箱维修那样的工作已不需进行。取而代之的是,国防部明确规定了 CVF 的相关设计。举例来讲,损坏的变速箱在普利茅斯的母港就可以拆卸和更换,并且是在对舰体其他部分不进行大量破坏的前提下进行的。事实上,无论是英国宇航公司还是后来选定的泰利斯公司,两者的设计都允许在干船坞外进行类似即插即用型的修理工作。

国防部认为以可靠性为中心的维护(RCM)可以实现大量的节省。John Moubray 把 RCM 定义为一个过程,这个过程用于确定运行任一有形资产的维护需求。确定可能会发生的故障,进而采取措施以减少出现故障的可能性以及相应的费用。基于一个给定的部分故障模式,传统固定的全寿命中期检查未必就是合适的。代替的做法是进行接通条件(或者是基于条件)形式的维护,即在当且仅当有迹象表明代价高昂的故障即将发生时进行的维护工作。上述工作的目标就是,确保为每件资产仅选择最有效的维护形式。

(三)费用驱动因素

当考虑到如何保障 CVF 级航母以实现最佳效费比时,人们自然就会关注舰船最大的费用驱动因素。表 B.2 以百分比的形式给出了一项泰利斯公司对 CVF 费用驱动因素的估计,其中包含了 20 项最大的购置以及正在使用的费用驱动因素。

表 B.2 CVF 的购置以及正在使用的费用驱动因素(泰利斯)

工作细分结构(WBS)代码	项目内容	百分比
X1 – 01	补给品	26.3%
P0 – 07	主承包商利润及管理预留	5.9%
J0 – 01	保障合作资金	4.6%
X1 – 02	燃料	4.4%
J0 – 02 – 05	训练	3.4%

表 B.2（续）

工作细分结构（WBS）代码	项目内容	百分比
K1 – 02 – XX – 02 – 622	内外部涂装	2.7%
P0 – 09	增值税	2.4%
A1 – 01 – 01	燃气涡轮交流发电机	2.2%
T1 – 01 – 03	通信	2.1%
T1 – 01 – 05	通信传递基础设施	2.0%
K1 – 02 – XX – 01 – 04	结构甲板	1.9%
P0 – 01	项目管理（项目控制）	1.8%
T1 – 01 – 01 – 11	多功能雷达	1.8%
T0 – 01	信息系统综合代理商	1.8%
T0 – 02	作战系统支持试验设施	1.5%
P0 – 04	设计权威（技术仲裁）	1.5%
K0 – 01 – 04	整舰设计	1.5%
K1 – 02 – XX – 05	电气设施	1.5%
T1 – 01 – 06	导航/综合舰桥系统	1.3%
T1 – 01 – 01 – 09	内层导弹系统	1.2%
其他		28.2%

我们也获取到了美国海军关于最近退役的常规动力航母"星座"号的一些数据，包括了该舰在全寿命期间不同级别的维护时间。图 B.14 显示了该舰最大的九个全寿命维护种类。很明显，它们与包含了购置和补给费用的表 B.2 有所不同。

显然，表 B.2 和图 B.14 中的费用种类并非都是容易削减的（例如，承包商的利润、增值税等），需要认真审议。在下一节，我们将关注与居住相关的各个系统，讨论从中可能产生的费用削减。随后我们将探讨涂装的相关问题。

（四）大型邮轮的详细考察

在考虑如何使 CVF 的全寿命费用（WLC）最小化时，邮轮是一个非常有价值的参考范例。类似于航母，邮轮也是能够乘载成千上万人的大型船只，它们在乘客的舒适性以及环保责任方面有很高的标准，也具有很高的实用性。

在邮轮制造商和维修人员之间的良性竞争导致了一系列的革新措施。我们认为，这些革新措施中的一部分可能会用于航母的制造和维护。

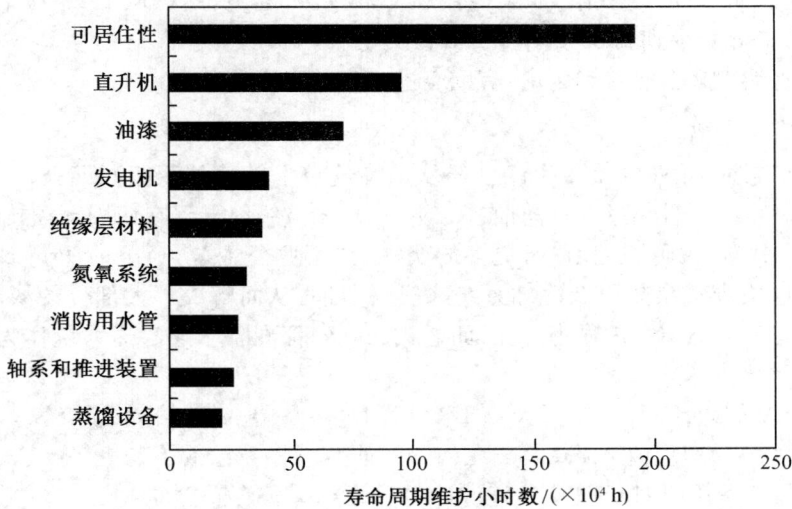

图 B.14 "星座"号航母全寿命维护的类别

MSCL 公司是一家海军研究公司,它与兰德公司合作密切,该公司承担了 1999 年关于美国航空母舰商业系统潜在应用的研究,特别是研究了即将量产的 CVN-77。在本节当中,我们总结了该公司一些可能将会被 CVF 考虑采用的研究结果。事实上,正如第一章中所提到的,我们无法判断这些想法是否已经被部分包含在 CVF 的计划当中,但希望对此保持关注。这些想法都体现出了与前述章节一样的原则,即,国防部应该认真考虑在没有必要应用军用标准的系统上实施商业标准设计。

1. 污水处理系统

MSCL 研究调查了 VCHT(真空收集、装载及传输)系统。基于美国海军海上系统司令部的估计,该公司计算,如果使用真空系统代替目前的重力排水系统,那么全部生活污水,洗涤废水和食品垃圾的体积可大约减少到目前的 70%。如果处理总量少了 30%,那么处理费用将大幅下降。MSCL 认为,航母上的 VCHT 维护只需要一个人就可以完成。由此可以认为,使用商业 VCHT 材料节省 1~2 万英镑的材料费用是可以实现的。

值得注意的是,在 1999 年,在准备用于处理舰船垃圾进而减少垃圾处理费用的技术中,有一部分仍处于早期开发阶段,当时并没有继续跟踪了解。不过,这些技术应该已经发展得足以在 CVF 上考虑使用了。但是他们对 CVF 的考虑还远远不够。与 CVF 相关的,邮轮使用淡水 VCHT 污水收集技术和淡水食品垃圾收集器的优点主要有:

减少了维护工作,因此人力资源耗费大约从 10 人变成了 1 人。

降低了生命周期费用,如果应用在 CVN-77 上,费用将从 1998 财年净现值 4 600 万美元减少到 2003 财年 3 200 万英镑。

盐水消除来自船首和厨房,有助于进一步节省维护和人力。

2. 淡水系统

近年来,邮轮业的淡水生产已经从逆渗透技术转变到蒸汽蒸馏技术,而美国海军却一直在朝着相反的方向前进。不过,尼米兹级航母仍在使用蒸馏技术。

有些邮轮必须生产比航母更多的淡水。"至尊公主"号(Grand Princess)邮轮利用发动机废气余热以及冷却系统来实现蒸馏,从而解决了大部分的淡水需求。该船还有一个燃油锅炉作为补充,而老式的邮轮都配备了逆渗透系统作为进一步的补充。

MSCL 估计,CVN-77 每天 1.82×10^6 L(40×10^4 gal)的蒸馏系统,其全寿命费用(WLC)为净现值 2 780 万美元(1998 财年),其中包括了购置、安装、耗材、维护和人员的费用。对于每天 1.59×10^6 L(35×10^4 gal)需求的"太阳公主"号(Sun Princess)邮轮来说,类似系统的费用为 790 万美元。这种差异部分是由于更大的冲击硬化、海军系统的其他军事规范以及海军更加昂贵的预防式(与修正式相对应)维护方法造成的。即使考虑到军事领域的需求和实际,似乎仍然可能节省约 1 200 万美元。

由于较低的费用和更高的可靠性,海军已经开始转而使用逆渗透技术了,CVN-77 就在考虑这种系统。MSCL 估计这样一个系统的全寿命净现值为 1 570 万美元(1998 财年)。邮轮经营者却发现逆渗透系统并不那么可靠,而且比蒸汽蒸馏系统维护费用更高。这种经验差异的原因还不清楚。不管如何,无论海军采用蒸气蒸馏还是逆渗透,在全寿命期间(WLC)都会在 1998 财年节省约 10 200 万美元的净现值(800 万英镑 2003 财年)。

3. 废物处理系统

MSCL 研究了邮轮业如何进行废物管理,并考察了美国航母废物处理的各种方案。"太阳公主"号装载约 3 200 名工作人员和乘客,这些人每天一共产生约 4.3 t 的废物,每人每天有 2.7 磅的食品垃圾。

邮轮进行废物管理主要是依靠船上的焚烧炉。一个或两个操作员,在总共五个废弃物管理处每天二十四小时运行废物管理系统。每个操作员每年工作八个月,每周六天,每天十小时。相比航母,这些船只的废物管理基本上不需要分类。大约 75% 的垃圾焚烧——食品垃圾和废油。不燃垃圾被压缩,存储到岸上。政策禁止任何废物排放到海洋,除了 MARPOL 公约许可的灰渣。"太阳公主"号邮轮上有两座焚化炉,每个焚化炉那里都有一个粉碎机。如果没有食品垃圾,该系统可大约减少一半的工作量。船员或承包商负责焚化炉的维修。该粉碎机每天进行清洁和消毒。焚化炉每月关闭两次,每次关闭后船上的垃圾工作人员对其进行检查和清理。这个维护需要一个人工作一天。两名由供应商负责雇佣的技术人员每年会进行一次检查和调整,约花费 5 000 美元。玻璃和金属压制设备价格高达15 000 美元每个,使用寿命可达 10 年。铝罐会被压缩并在岸上捐赠或出售,大约每周会有 200 美元的收入。

美国的航母上拥有约 3 200 名船员,这些人每天共产生 1.5 ~ 3 t 的垃圾,这里面还不包括航空兵。目前有 18 名船员管理航母的(废物处理)设备,其中包括两名主管,四名维修人员以及 12 名 E - 1 级至 E - 3 级的人员。

与"太阳公主"号相比,CVN - 75 只能处理较少的垃圾,但费用几乎是太阳公主的 10 倍。这么大代价的部分原因是航母上需要更多的废物管理人员进行垃圾的分类处理。在核动力航母上,所有的塑料、金属、玻璃和纺织品都要进行分类,食品也要和塑料分开。而在"太阳公主"号上,只有金属和玻璃需要和其他的废物分开。

"太阳公主"号的全寿命费用比美国航母少 5 500 万美元(1998 财年净现值)(表 B.3)。造成这种差异的因素包括以下内容:

人力是海军舰艇或邮轮最大的费用;海军人力平均每人 6.7 万美元左右,而邮轮人力平均每人约 2.4 万美元。

海军的装备是海军独有的,而且需要大量的机械,而邮轮的设备则是通过商业途径购买的。

相对于邮轮设备,(海军)维护费用反映了装备的非商业性质。

海军的大部分废物垃圾依赖岸上处理,这是废物处理费用高昂的驱动因素之一。相比之下,邮轮在船上就可以焚烧大部分垃圾。

海军花费约 200 万美元净现值用于塑料和粗麻包装袋。

表 B.3　目前美国海军航母与商业邮轮的废物处理费用比较

	目前海军实况 (1998 财年净现值/万美元)	"太阳公主"号 (1998 财年净现值/万美元)
人力	2 600	2 500
设备与购置	700	200
设备维护	400	50
岸上废物处理	2 100	100
消耗品	200	0
总计	6 000	600

MSCL 的研究中建议了两个方案。第一个方案是焚烧塑料垃圾和其他"个别无其他处理方法的垃圾",这个过程将会消除废塑料处理器以及相关的人力资源。第二个方案是焚烧塑料和所有的易燃垃圾(不包括可以在"太阳公主"号上焚烧的

食品垃圾),并对金属和玻璃加工进行商业的废物利用。估计第二个方案将会产生更大的全寿命净效益。如果在 CVN－77 上实施第二个方案,将会使舰船全寿命费用(包括较少的前期费用)减至 1 300 万美元,从而 98 财年总计节省 4 800 万美元(3 400 万英镑,2003 财年)。

4. 供热和通风系统

MSCL 在尼米兹级航母与大型邮轮之间,对供热和通风系统的安装和运行费用进行了对比,其中邮轮上使用的是民用的供热和通风系统(欧洲军舰也使用了类似的系统)。废物处理、供热以及通风系统仅仅只是邮轮上的子系统,邮轮上会有专门的工作人员进行运行和维护,这也对民用系统具有附带的效益。

邮轮上的民用系统在购置、安装、运行和维护方面的费用是 CVN 航母上的十三分之一(在净现值全寿命的基础上)。邮轮使用三名专业人员;而 CVN－77 估计会使用 45 名基础人员操作和维护系统。对比结果见表 B.4。可以看出,邮轮系统在人员数量和费用方面更为有效。

表 B.4 供热与通风的费用和人力:美国海军航母与商业邮轮的比较费用

	总净现值费用 (1998 财年/美元)	人力 /人数	人力净现值 费用/美元	总费用的 百分比
CVN－77	188 410	45	58 622	31%
邮轮	14 295	3	3 001	21%
倍数	13.2	15	19.5	

此外,研究结论表明,CVN 航母上使用民用系统过滤土和盐也会减少维护工作,从而可以减少工作人员的数量。这项研究引用的数据显示,尼米兹级航母上的 5 458 名士兵每人每周清洁舰船的时间约为 8.4 小时。假设每天工作 12 小时,每周工作七天,那么清理工作就相当于 550 名船员全负荷的工作量,这就占去了舰上全体船员的十分之一。基于对某些过滤器和聚结器的测试,研究估计可以减少百分之二十的清洁工作,这就可以减少约 100 人,这些人可以从事其他职责或者离开舰船。由此推断,CVF 设计使用商业供热和通风系统具有较高的潜在回报,估计 1998 财年达 1.48 亿美元(1.04 亿英镑,2003 财年)。

5. 木工和家具

木工和家具对于舰船噪音的控制、防火以及舒适性都有重要的影响,近几十年邮轮业在这三方面都有所进步,并且在费用方面一直保持低于军事用户。MSCL 要求一家进行轮机工程和费用估算的公司以及一个提供木工和家具的供应商,对一艘美国军舰上军官和士兵的宿舍与一艘商船进行分别估算。按照住宿人员数量划分,估计相当于 CVN－77 的大小以及一艘同样大小的商船。预计军舰的购置费用为 6 100 万美元(1998 财年),商船的购置费用为 2 400 万美元。按照现值从计划中 CVN – 77 的安装日期折算下来,预计会节省净现值 2 900 万美元(2 000 万英镑,2003 财年)。

6. 小结

据估计,通过对废物处理、食品垃圾管理和污水处理、淡水生产、供热和通风以及木工和家具等系统采用民用系统,将会节省全寿命费用(WLC)中的 2.83 亿美元 1998 财年,或 1.98 亿英镑 2003 财年(表 B.5)。如上所述,实现这些费用节省需要技术投资,在某些情况下,政策和程序的改变可能会产生其他的软费用或影响。

表 B.5 CVN – 77 上使用民用系统产生的节省净值:
相对于原有美国海军(用于"酒店"功能)

	投资节省净值(2003 财年)/万英镑
污水处理系统	3 200
淡水系统	800
废物处理系统	3 400
供热与通风系统	10 400
木工与家具	2 000
总计	19 800

上述节省的数据是对于一艘船而言的,所以可想而知,对"酒店功能"使用商业系统将会为两艘 CVF 节省 4 亿英镑。不过,节省费用会因平台的不同而有所不同,其中有可能一部分改变不会带来费用的节省,这个要到设计完成后我们才会知道。但是,采用前面谈到的技术和方法,可能节省一些费用。

(五)涂装问题

涂装是航母维护工作的一个核心问题,它也会对安全和性能产生影响。如果舰船涂装不合适的话,腐蚀问题会缩短其寿命。在航空母舰甲板上涂装防滑漆是一个安全问题。此外,船体防污涂料对有机物的生长有重要的抑制作用,这些有机物会使舰船的速度变慢,增加其燃料消耗。为了更好地了解与涂装有关的问题,我们请教了英国和美国的涂料专家,还查阅了关于这一问题的最新文献。

关于 CVF 的涂装问题英国和美国有着明显不同的观点。如上所述,英国宇航公司和泰利斯都认为航母进入干船坞重新涂装的时间间隔不得少于六年。至少,这种观点部分来源于对遵守劳合社注册标准(Lloyd's Registry standards)的要求。

美国海军不遵循劳合社的标准,因为它认为民用涂料标准和海军军舰没有多大关系。军舰是没有投保的,所以它和保险公司规定的标准是不相关的。此外,美国海军认为它使用的涂料比典型民用涂料具有更高的品质,部分原因是对于军用涂料的期望值的确实现了——军用涂料确实能够使舰船比商船更为长久。与 CVF 六年涂装周期的计划相反,美国海军海上系统司令部的网站 www. nstcenter. com 断言:美国海军水下船体涂层系统的设计周期超过了舰船进坞的周期,可能会超过 10 年。不过,海军确实要在每次涂装之前对水下船体进行清洗。

这里有一个重要的问题是关于民用涂料的文献,2003 年 1 月 1 日,国际上禁止应用基于三丁基锡(TBT)的防污涂料。TBT 是一种人造锡化合物,被认为是有史以来添加到海洋环境里最毒的物质。不幸的是,TBT 已经渗透到一些造船厂和港口周围的海洋食物链。(Champ,2002)

美国海军舰船不使用 TBT 涂料。作为代替品,如表 B.6 所示,海军已有非 TBT 的合格产品清单,而且已被证明能够满足他们的标准。美国海军合格产品清单信息都是通过 www. nstcenter. com 公开的,皇家海军可以选择进行访问。

表 B.6　军用规范的美国海军合格产品清单 MIL – PRF – 24647:
涂装系统,防腐与防污以及船壳

生产厂商	厂址
AkzoNobel 国际涂料	休斯敦,德克萨斯;Union,新泽西
Ameron 涂料集团	亚历山大,亚利桑那;Riverdale,加利福尼亚
Hempel 涂料(美国)有限公司	休斯敦,德克萨斯
Sherwin Williams 公司	休斯敦,德克萨斯

正如人们所预料的,更高质量的涂料以及相应更好的技术应用将增加 CVF 的购置费用。这种做法产生的好处是不确定的。然而,作为一个非常简单的算术问题,如果使用更高质量的涂料可以避免 6 年后的重新涂装,那么部分购置费用的增加就是合理的。财政部的绿皮书规定了 3.5% 的实际利率,这意味着目前的折现值比六年后的费用低 19%。有了这个基准,如果不再需要六年后的重新涂装,我们即使把涂料购置费用提高 80% 也是合理的(0.80 < 1/1.035 = 0.81)。

不过,一个全面的费用效益分析将会更加复杂。有一些涂装在舰船建造时只进行一次,例如:深埋内部箱柜。因此,对于这种类型的涂装需要权衡增加费用购置更高品质的涂料,还是考虑减少长期腐蚀损害造成的费用,后者的费用看似遥远但却非常昂贵。

另一个问题是,即使消除了 6 年周期的船体重新涂装,但这是否就意味着舰船不需要在时间节点(6 年)上进入干船坞。从实用性和费用的角度来看,如果不需要六年一次进入干船坞,这将是非常有吸引力的。然而,即使不是出于涂料的原因进入干船坞也是必要的。但是,如上所述,假设进入干坞的时间短暂,我们将不清楚在干船坞里除了涂装之外还会发生什么。

更加复杂的是,取消 6 年一次的 CVF 进坞将意味着最初的 CLS 合同会在首次中期寿命进坞维护之前到期。没有看到最初的承包商在干船坞工作,国防部会舒服的重新安排 CLS 吗?

(六)小结

国防部在 CVF 的维护工作上面临着各种挑战。把三艘 CVS 航母转变为两艘 CVF 级航母的决定,大大提升了航母维护的重要性。三到二的转变也结束了总一艘航母进行改装的安排,其具有某些优点,例如,在罗赛斯改装船厂的那艘航母可以共享零部件并且可以保证稳定的工作量。有关于很少的零部件共享以及稳定工作量的管理是很困难的。国防部和支持它的承包商不得不在大大减少对干船坞的依赖的情况下对 CVF 的进行维护。根据目前 CVF 的维护理念,在简短的进入干船坞期间只适合进行船体涂装,除此之外也没有更多的时间进行其他的工作。

在 CVF 与邮轮相类似的系统上应用商业标准进行设计,这种做法可能会使国防部获益。美国海军研究表明,使用商业标准的 HVAC 系统和淡水蒸馏系统以及垃圾分类的减少,在全寿命费用(WLC)上将会一共净节省 4 亿英镑。

涂料也是一个主要的维护费用。如果美国海军航母使用的高质量涂料也被 CVF 所用,那么预定的 6 年周期的干坞维护就可能会被取消,这样就可以节约大量费用。不过,国防部可能会有其他的原因需要(航母)进入干坞。

九、承包商的后勤保障

在 2001 年的应用研究报告当中,国防部标示出了(关于承包商后勤保障的)政策,即"在估计价格、演示验证以及生产制造的过程中,评估对承包商后勤保障(CLS)的需求"(应用研究报告)。不过,鉴于应用研究报告中关于 CLS 的陈述不够清晰,我们在 2003 年与国防部的工作人员进行了会谈,确认了他们计划将会对 CVF 的 CLS 工作实施一些变化。

当然,每艘皇家海军舰艇都会有一些承包商提供的保障工作。例如,来自朴次茅斯 FSL 公司以及罗赛斯 Babcock 公司的承包商,在 CVS 的维护工作中都有自己的任务。

CLS 工作方式的一个显著特征是,CLS 承包商是基于舰船达到的可用性水平领取薪酬,而不是基于成本增加的基础。CLS 承包商对保持舰船运行的很多底层决定负责。举例来讲,对于损坏的设备,CLS 承包商将会决定更换和修理哪一种方式更具效费比。CLS 承包商也会权衡是在船上储备备件,还是进行快速再次补给的工作安排。承包商非常希望能够有效平衡前期成本与后期成本,这些成本中可能包括了某种形式由于设备失效而导致的罚款。因此,如果承包商认为设备失效或者推迟更换的风险太高,那么承包商可能会选择更大的费用进行更换而不是修理。

一项包含了舰船设计者和制造者的 CLS 工作安排最为可取的。这是因为 CLS 承包商将会适当地考虑在设计和建造舰船方面的长期保障问题。如果舰船是由不同的承包商提供保养服务,这种优势可能会丢失。

CLS 的合同通常是漫长的。合同期限很重要,因为 CLS 承包商应该被鼓励充分考虑其选择的长期影响。期限非常短的 CLS 合同的工作效果可能不好,因为承包商会倾向于推迟修理或更换的工作。这些工作短期内将是费用高昂的,但从长远来看又是有好处的。

从长远来看,折算为现值的情况下 CLS 将会产生一个净效益的结果。这种结果对于非 CLS 的工作安排将会是一个进步,而且是可能的。上述这种进步能否转化成为 WLC 的节省尚不能确定。不过,CLS 或许也会减少国防部的合同监督费用。在 CLS 的架构下,国防部只需要监督舰船的可用性即可;而在传统的合约下,国防部需要具有更多说明解释的功能,需要告诉修理承包商需要修理什么地方,甚至如何去修理。

为了协助发展 CVF 的 CLS 工作,我们考察了三个以 CLS 为主题方案的例子:美国空军(USAF)的 C-21A 飞行器,皇家海军的调查船和近海巡逻舰(OPVs)。我们将逐个讨论上述案例,然后通过获取对 CVF 的相关启示来总结本章。

(一)当前 CLS 的工作安排

1. C-21A 飞机

C-21A 飞机是里尔 35 客机的美国空军版本,是一种远程执行运输机。它有两名飞行员,可以容纳八名乘客,可以运输高达约 450 千克的行李,并拥有约五小时持续的洲际飞行能力。

美国空军在 1984 年 1 月 4 日至 1987 年 9 月 25 日之间一共接收了 76 架 C-21A 飞机。这种飞机的价格按现在的币值算约为每架 270 万英镑(根据通货膨胀以及当前汇率差额调整)。美国空军主要使用 C-21A 运送高级军事将领。

美国空军购买了 C-21A,但飞机无法通过它的标准支持系统获得保障。相反,由于大型商业基础设施支持里尔 35,所以美国空军决定依靠 CLS。最初 10 年 C-21A 的 CLS 合同是与里尔公司的一个子公司(飞机的原始设备制造商(OEM))签订的。(C-21A 项目办公室同意国防部的理念,即第一个 CLS 合同应当与 OEM 合作)该合同于 1994 年到期,然后另一个承包商 Serv-Air 公司赢得了续约。Serv-Air 公司随后被 Raytheon 公司收购,后来又作为 Raytheon 航天公司分离了出来。

C-21A 合同中规定了飞机可用性水平的最低要求,对飞机所需的修改(如地形防撞系统的安装)则定为具体情况具体分析。

除了军队特有的敌我识别(IFF)设备,值得我们注意的是,C - 21A 本质上就是一个商业产品。Raytheon 航天公司负责维护飞机的商业组件,但不负责敌我识别设备。

2. 调查船

皇家海军有两艘调查船,它们的职责是协助海军导航,例如,地图频道。船上设备的关键部分是技术水平极为先进的商业调查系统。

根据与 Vosper Thornycroft(VT)公司的协议,调查船由 Appledore 公司建造但由 VT 公司负责维护。皇家海军拥有这些船只。由舰船的可用性标准,VT 公司是按照每天每艘的形式计算薪酬的,公司必须保证调查船每艘每年至少有 334 天是可以使用的。除了通货膨胀产生的调整,该调查船的合同以稳固的价格一直保持了 25 年。每艘调查船上都有两个 VT 公司的员工,他们也是皇家海军赞助的储备。

3. 近海巡逻舰

皇家海军使用三艘 VT 公司的近海巡逻舰(OPV)进行渔区巡逻。和调查船一样,海军与 VT 公司也有关于 OPV 的 CLS 合同。不过,合同的细节有所不同:VT 公司建造了三艘近海巡逻舰,实际上也对它们拥有所有权。海军与 VT 公司有一个为期五年的合同,合同中规定海军以固定价格向 VT 公司支付 OPV 的使用费。类似于调查船的合同,VT 公司也是按照可用性每艘每天计算薪酬。VT 公司负责每艘船每年至少 320 天可以使用。在近海巡逻舰合同上,VT 公司也得到了一个固定的年度管理费。

鉴于渔业保护有可能是皇家海军的一项持续需求,拥有 OPV 的 VT 公司实际上没有感到风险负担。此外,还有很多其他国家,例如加拿大,都在从事渔业保护。因此相对而言,如果需要的话,VT 公司将会很容易在国际上出租或出售舰船。

(二)对于 CVF 的启示

CLS 将如何为 CVF 工作?将工作安排作为基线,我们在这里讨论适合 CVF 的可行性。然后,我们讨论有关 CLS(或其他维护合同)执行的几个问题。

1. CVF 上 CLS 概念的适用性

前面提到的三个案例中的 CLS 工作安排与国防部关于 CVF 的设想之间存在显著的差异。首先,在一个非常基础的水平,与 CVF 相比,这两艘 VT 公司的 CLS 船只过小(图 B.15)。当然,舰船本身的大小并不重要,但认为 CVF 的复杂程度将大大超过任何 VT 公司的舰船则是合理的。

第二,我们考察过的三个 CLS 案例从本质上讲都是商业产品,或者说是 VT 公司负责的产品。"刷成灰色的商船"——Adrian Burt(VT 公司的技术总监,综合后

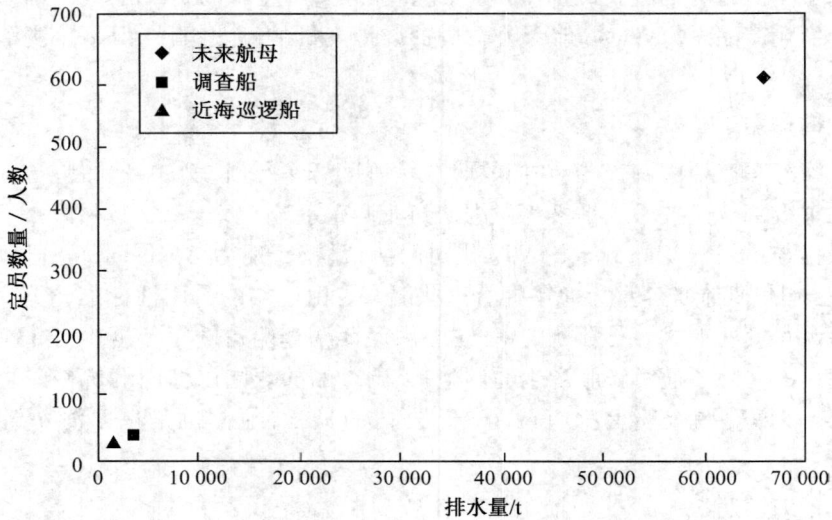

图 B.15　CVF 与 VT CLS 舰船的比较（泰利斯的设计方案）

勤部）之语。例如，C－21A 飞机利用了已经建立的里尔公司私营部门的基础保障设施。事实上，上述三个 CLS 合同中明确规定，在政府提供的军事装备丢失或损坏并妨碍舰船运行的情况下，承包商可以不承担责任。

当然，CVF 不是军事名义的商业产品。政府提供的装备不能以承担舰船可用性责任的单独名义，从整体中彻底分离出来。

相反，CVF 的 CLS 承包商几乎一定会依赖国防后勤组织（DLO）提供船上的一些设备。例如，没有先进的军事雷达系统，CVF 将不能运行，但 CVF 的承包商可能会依赖 DLO 和其他承包商来确保这个系统工作。在可以想见的一系列"接缝"问题上，国防部指责承包商舰船缺乏可靠性，但承包商认为它是依靠 DLO 提供的必需保障。假设 CLS 承包商是英国宇航公司，设想一个舰船问题，国防部认为公司应该可以解决，但英国宇航则认为问题在于泰利斯的设计缺陷。

衔接问题能够得到解决，但对国防部的合同官员来说，要划分出清晰的界线，也要对未知的不可避免的情况做出快速反应，将会有很沉重的负担。这些责任不是课本练习题，在合同开发和管理中并不容易。

另一个问题是，与 C－21A、调查船以及 OPV 未来的使用模式相比，CVF 的使用模式更难预测。CVF 可能会参与应急或打击行动，但这些危机的严重程度以及对 CVF 维护需求的影响则是相当不确定的。

最后，没有承包商愿意承担整船的可用性责任。仅因为舰船不能正常运行就要支付违约金，这一点就很令人却步。回想一下，在第二章中，我们认为每天超过50 万英镑的罚款是合理的。然而，对国防部来说如果没有充分反映舰船可用性价值的罚款,承包商将不会积极地作出上述有效保障的决定。可用性会被低估,长期投资将会被避开,取而代之的是修理一类的短期经济行为。

在一艘像航空母舰这样复杂的船上,仍然存在着确定舰船是否真正"可用"的挑战。英国宇航公司 2002 年的报告指出,"在合理的时间表中,能够可靠测量的基础设施以怎样的程度存在可用性服务中,到现在还不清楚"。如果可用性不容易被界定和公平衡量,那它就不能切实作为承包商赔偿的驱动因素。

出于这些原因,不可能会有一个负责 CVF 的"纯粹"CLS 合同(类似于 C - 21A、调查船和 OPV)。不过,一个修改过的或是分割成若干部分的 CLS 版本或许是适当可取的。例如,国防部可能会考虑将舰船任何居住性方面的居住合同(如水管、暖气、空调以及食品供应)纳入该承包商的责任范围。为"每天都适合居住"付费,似乎是合理和适当的。有人会考虑其他可能的合同划分,例如,一个可操作的飞行甲板合同或推进系统合同。

担保也可能被采用,来代替或成为 CLS 管理划分的一部分。在保修期内,CVF 某一部分的 OEM 将负责在规定期间内运行正常。潜在的"接缝"问题也有保修。例如,对于某一部分来说,由于临近系统的故障或者是无意识的使用,是否能够认为就是这一部分已经损坏。在美国国防部,发动机的保修被像 CLS 这样的工作安排所取代,部分原因是发动机商业保修历来相当简短。此外,部门的分散维护使执行担保很困难(Peters 和 Zycher,2002)。尽管如此,增加承包商责任这一点对于 CLS 和保修条款是一致的。

美国海军的 F/A - 18 - E/F 编队综合战备支援队(FIRST)计划是另一个可行的模式。就像 Blickstein,Camm 以及 Venzor(2003)讨论过的,海军和波音公司在飞机保障方面是合作伙伴关系。这种合作关系并不是一个单纯的 CLS 工作,因为仍有海军提供飞机的基地级支持。有许多详细的规则和安排划定海军和波音公司的角色、职责以及义务(波音公司和海军花了四年时间完成了这些工作)。有趣的是,波音公司并没有采取措施预防海军仓储系统的故障;如果仓储系统当中存在严重的问题,FIRST 计划如何执行便不得而知。

我们迫切希望任何"分割管理"的 CLS 合同都应尽可能地明确职责,包括承包商的职责、DLO 的职责以及其他人的职责都应该清晰明确。对于战斗相关的维护问题,职责必须尤其明确。我们也建议,价值非常高的和常规武器对于 CLS 来说可能并没有很大的意义,除非合同是与武器系统的 OEM 签订的。因此,CVF 最终可能是签订一系列的 CLS 合同,而不是一个单一的 CLS 合同。

国防部还必须愿意降低对任何 CLS 合同的控制。例如,如果承包商负责维护可居住性,那么国防部就不应该再参与空调修理或是更换的决定。

由于 OPV 属于 VT 公司,OPV 合同最根本的就是失去了传统控制,这种情况本身就是 CLS 的一部分,国防部也必须接受。显然,这种做法不会发生在 CVF 上。不过国防部必须容忍失去一部分的控制权利,以利于从 CLS 类型的工作计划中节省费用。

2. 维护规划中的合同以及其他问题

在本小节中,我们简要讨论关于 CVF 终身维护可实施性和高效性方面的三个问题。第一个问题和第三个问题涉及采取措施,监督承包商不得对 MOD 支付的设施和资料实施垄断。第二个问题涉及利用维护的能力,即一旦维护的机会出现,就要充分发挥维护的有利条件。

(1)使用 CVS 专用设施的持续权利

对 CVF 来说干船坞是一个重要而昂贵的设施。英国目前并没有一个具有足够宽度的干船坞容纳 CVF。这样的干船坞必须建造,或者将现有的干船坞扩大,用以装配 CVF。假定干船坞仅仅是为了 CVF 建造,那么新坞的发展将是昂贵的,而且国防部无疑将被要求支付这个项目的大部分或全部费用(CVF 没有使用这个干船坞的时候其他舰船有希望可以使用,但很明显干船坞的尺寸要求将由 CVF 决定)。

由于 CVF 建成以后需要进行维护,因此,至少是有些时候,一个具有足够规模的干船坞仍将是必要的。由于 CVF 干船坞特有的尺寸,最理想的情况是 CVF 中期干坞维护与 CVF 装配在同一地点。

国防部可以采取的一个有益方案就是,可以将要求"开放进入"CVF 干船坞作为建造协议的一部分。举例来讲,假设 CVF 的干船坞建在罗赛斯,那么,如果国防部愿意的话,它可以定一个安全协议,规定除 Babcock 公司之外的承包商可以利用干船坞。换句话说,如果国防部承担了 CVF 干船坞项目的费用,国防部和其他承包商就不应该受制于 CVF 干船坞垄断的影响。另一个国防部需要考虑的问题是,在其运行和保障预算中需要包括专有设施和设备的维护费用。

类似于干船坞的论述,对于 CVF 建造或初始维护期间任何其他 CVF 专有的设备或零件,国防部都应坚持"开放进入"的原则。对于广泛应用于建造和维护其他舰船的普通设备,那是常规船厂投资计划的一部分,"开放进入"对的原则就没有必要使用了。但是,举例来讲,如果一座特种大型吊车或其他非标准设备必须适应 CVF 的特种样式,国防部应该能够将这些设备转移到不同的承包商那里(设备由国防部承担费用)。

国防部也不妨探讨 CVF 干船坞建立在朴次茅斯的可能性。如果舰船能在母港的干船坞停靠,将会有相当大的优势。我们担心,国防部对 CVF 可以在干船坞外面进行维护和升级已经过分乐观了。

(2)在维护机会出现时确保维护工作能够完成

当我们与 CVS 的维护人员进行谈话时,他们表示有一些与"失忆"有关的问题。例如,在坞中的时候,舰船的一个系统可能没有受得理想的维护,但随后在舰船下次进行维护时,由于先前没有记录,则相应的维护将会再次推迟。由于计划中 CVF 维护的次数很少,类似"失忆"的问题将会造成不小的开支。

CVF 在计划时间之外进行维护是完全有可能的。这种意外维护是正常的,例如舰船意外撞击岩石,造成船体损坏。有时情况可能会更加悲惨,如 2000 年 10 月发生在科尔号上的恐怖袭击。

在任何情况下,如果舰船进行意外维护,国防部和承包商应该在分配的时间内像其他维护工作一样尽可能多的进行维护。

计划外的维修会有相当大的挑战。国防部将必须有必要的经费。此外,必须有能力激励 CVF 项目的员工队伍。然而,由于计划中 CVF 的维护时间表很严格,国防部必须充分利用好维护机会的出现,甚至是意外情况的维护。

(3)维护数据的全面、详细和完整,促进承包商竞争,确保"准入"的权利

在 2019 年,就是 CVF – 1 第一次进坞后,关于 CVF 的 CLS 合同第一阶段计划结束。第二次进坞与第一次之间大约有两年的间隔。虽然这个时间看似比较遥远,但是当 CLS 承包商来重新竞争时,国防部必须注意不要留下一个非常没有竞争性的局面。

很明显,关于新的 CVF 的 CLS 合同,国防部希望有尽可能多的投标人。然而,现任的承包商具有天然的信息优势。

国防部必须在最大程度上减少现任承包商的信息优势。所有 CVF 的维护行动都必须要记录,费用信息要列一个总的公共表格。最新的技术资料和制图数据包必须可用。如上所述,各种工作安排必须得到保证,使承包商可以在平等的基础上利用 CVF 干船坞以及其他用于 CVF 的专门设备。

如前所述,就在 C – 21A 的最初 10 年 CLS 合同到期要续签的时候,美国空军从里尔的附属公司改变到另一个外部承包商,Serv – Air。C – 21A 项目的工作人员指出,在 Serv – Air 公司接手合同之后,他们的办公机构不得不调节 Serv – Air 公司和里尔公司之间出现的紧张局势。因此,如果国防部把 CLS 合同续约给一个新的承包商,国防部可能会被要求在舰船系统的 OEM 和新的承包商之间发挥中介的作用。

(三)小结

我们不认为对于 CVF 国防部会有一个"纯粹"的 CLS 工作安排。在这种"纯粹"的工作安排中,承包商负责舰船可靠性的方方面面,并且按照舰船每天的可用性单独计算薪酬。首先,航母过于昂贵和复杂,一个承包商承无法担保舰船不能正常运行的全部金融风险(航母正常运行每天要超过 50 万英镑)。其次,CVF 的 CLS 承包商无疑将会依靠 DLO 以及其他的承包商,以供应和维护一些船用设备。

CVF 的 CLS 工作将会是一个改进后的版本,其中相当大的责任留给 DLO 和武器系统 OEM。部分 OEM 的保修在与 CLS 结合(或取代 CLS)时可能是有用的。无论是否保修,改进后的 CLS 都可能会很容易产生衔接问题,即在舰船不能正常运行时,不同的合同参与者会彼此互相责怪。另外,国防部决定让英国宇航公司

以泰利斯公司的设计造船,这样就会出现进一步的衔接问题。虽然衔接问题可以得到解决,但也需要国防部负责承包的官员进行相当迅速的反应。

改进的 CLS 合同也会构成现实挑战。例如,如果一个承包商基于舰船一部分可用性获取薪酬,那么就必须有一个合理和议定的方法检测其可用性。

除了 CLS 执行上的困难之外,还是有理由对 CVF 的维护费用持乐观态度的。国防部在其应用研究里表示,对新的维护模式降低费用相当有信心,长期运行的优势可能会发生。例如,CVF 维护规范的读者会立即意识到,国防部认为对"无敌"号和"卓越"号在改装期间更换变速箱带来的麻烦是不可接受的。

事实上,航母维护许多最棘手的方面很可能在舰船设计的时候已经解决。国防部剩下的工作就是仔细完成合同,考虑继任的 CLS 承包商是否有权使用第一个承包商的干船坞和维护数据等细节。没有这些工作,一个真正有竞争力的续约很困难的。另外,国防部将必须仔细积极的看到,各种各样的合作者通过责任划分衔接在一起,但衔接处的维护需求各方都不能逃避。

十、航母人员编制估算

如第一章所述,舰员编制对于 CVF 航母全寿命周期费用的预算具有重要意义,其费用占全寿命周期费用的四分之一以上。舰员数量的微小缩减将会有效地降低航母的全寿命周期费用。在下面的介绍中,我们将探索降低舰员编制的方法、回顾人员编制的规模和组成形式、分析其他战舰在缩减人员编制上所作出的尝试,并根据研究的案例,分析并确定缩减人员编制的方法。

为了理解人员编制的运作方法,我们采访了综合项目组成员、泰利斯公司代表以及皇家海军人员编制专家,并收集了相关资料。我们对人员编制的数据进行了鉴定,以便能够更好地理解承包商所提供的假设和评估,以及决定人员编制的流程和政策。

在本章,我们首先回顾人员编制的发展趋势以及相关情况,这些情况对于我们后续的探讨很有帮助。然后,我们从多个方面对比了美国海军、皇家海军和泰利斯公司关于航母人员编制的方案,并针对人员编制的主要影响因素提出了改进意见。

(一)泰利斯公司的 CVF 人员编制

为了了解主要竞争承包商(CPC)在人员编制方面的财政收支概算方法,我们会见了 CPC,并采访了皇家海军人员编制和训练方面的专家。同时,为了更深入地研究泰利斯公司关于人员编制的财政收支概算,我们分析了 2002 年 10 月的人员编制报告。通过研究该报告,我们发现:在国防部的压力下,泰利斯公司减少了 CVF 航母的人员编制,以降低航母全寿命费用。CVF 航母竞标者只能通过降低人员预算赢得合同。

　　实际上,泰利斯公司 2002 年的人员编制报告中,6×10^4 t 的 CVF 航母只需要 605 人的人员编制,与之相比,2.1×10^4 t 的无敌级航母则需要 680 人的人员编制 (两者都包含了飞行部门的人员编制)。我们建议国防部以现行人员编制要求为基准进行招标,历史案例表明,中途的突发事件将使得实际费用超过承包商所提供的初步预算。面对这些突发事件,需要国防部和承包商具有一定的预见性和洞察力。本报告分析了承包商是否受到足够的压力,从而为降低人员编制做出足够的尝试,同时也关注承包商是否受到的压力过大。

　　为了阐明这个问题,以简氏战舰 2000—2001 年的数据为基础,相对于英国、法国、北约和美国的战舰,我们考察了泰利斯公司提出的 CVF 航母排水量和人员编制的关系(图 B.16)。图中拟合了多艘舰船排水量与人员编制之间的关系曲线,其中在三个不同时期,舰船排水量和人员编制之间的关系可以用三条曲线拟合,CVF 航母排水量与人员编制对应的点明显低于拟合曲线。

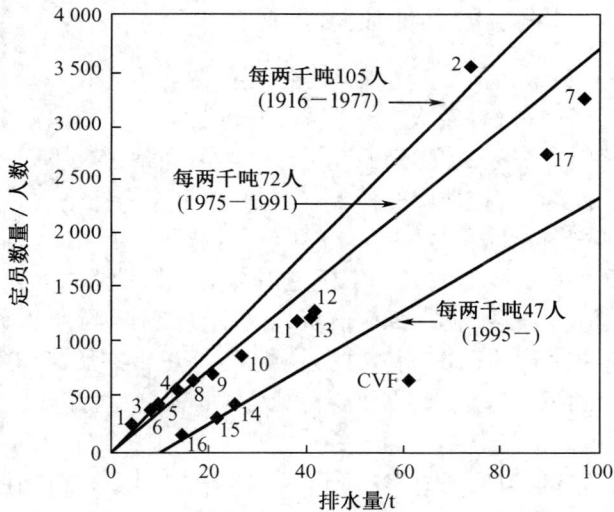

图 B.16　部分军舰的人员编制比较

　　1916 年,美国海军制定了一个人员编制标准:每 2 000 t 的排水量配备 100 人的编制,其中有 5 名军官(见图中最上方的曲线),军官占整个人员编制的 5%,我们称此标准为"按吨位制定编制"。正如我们后面所看到的一样,这个标准依然在被沿用,在整个 20 世纪 70 年代都没有什么变化,即使像美国"小鹰"号航母 (CV−63)这种大型军舰也是一样。从 1975 年到 20 世纪 90 年代中期,舰船的人员编制平均降低到每两千吨 72 人(意大利的 Andrea Doria 号例外)。图 B.16 的中间曲线适合于图例中间部分的舰船,包括无敌级航母。

　　CVF 航母的人员编制明显低于图中曲线,也就是说,CVF 每单位排水量所需人员编制较小。例如,CVF 项目中人员编制少于无敌级,尽管 CVF 的吨位是无敌级的三倍。最新的美国核动力航母吨位不到 95 000 t,可以承载 90～110 架飞机,人员编制接近 3 200,而泰利斯设计的 CVF 吨位只有 60 000 t,人员编制仅有605 人。

将泰利斯 CVF 的编制与荷兰、美国以及英国等国海军现役的航母人员编制进行对比可能更为合理,他们平均每 2 000 t 排水量降至 47 人员的编制。在 605 人编制的 CVF 上,平均每 2 000 t 排水量只有 20 人的编制。但是我们需要确定这种人员编制方案是否适合 CVF 航母,或者是否优于 Andrea Doria 号和 Charles de Gaulle 号。如果是后者,这种航母人员编制不到以前的 1/4;如果是前者,人员编制仍然只有以前的一半,所以必须仔细审查承包商提供的预算方案。当然,这些分析只是一个建议。图 B.16 中的曲线是由少量的数据点拟合而成的,即使很精确,也不能排除有继续减少的可能性。也许 CVF 将是人员编制较少的下一阶段的开始。

(二)降低人员编制的其他注意事项

一艘军舰的人员编制预案不可能不考虑舰员的能力和技术。在舰上,一名军人能够完成多种工作。减轻军人工作压力,不能以降低人员编制要求为代价,较少人员的某一项工作并不一定能降低其工作压力。通常情况下,一个工作岗位在不同时间可以完成多种工作性质的任务。例如,一个军人在平时可以被安排在舰桥值班,当遇上舰船补给时,也可以负责接收补给物品。

这些职责概述在一个"岗位清单"中,它具体规定执勤人员在工作期间遇到不同情况(如导航、航行补给、航行警戒值班以及消防工作等)所担负的不同任务。除了在岗位清单中执行的职责,军人也必须履行其正常的职能职责,其工作内容包括设备操作与维护、警戒值班、自身保障(人员的饮食、医疗和管理等)、设施维护以及战损控制等。

因此,减少部门的某项工作任务并不一定能有效降低该部门在不同时期所要承担的其他职能。另外,不同的工作任务需要不同的专业人员去完成。在人员配备的过程中,必须要认真考虑各部门的工作分配问题。

不同人员的级别和专业同样十分重要,不同级别和不同领域的人员所需要支付的费用也有所不同。人员编制构成的优化工作需要在愿望和实际需求之间折中,既要以最小的人员费用完成工作,又要保留必要的随舰专家。

(三)人员编制方案比较

评价一个人力资源缩减方案的合理性,就要需要了解其人员需求,以及制订该方案的方法原则。皇家海军人员编制的确定方法为启发式,美国海军则是从技术、政策和工作过程方面确定人员编制。泰利斯公司的设计和美国海军一致。

1. 美国海军

美国海军的工作分为 5 大类:操作或警戒执勤(OM)、个人后勤保障(OUS)、预防维护(PM)、故障检修(CM)和设备维护(FM,包括涂装和清洁)。工作量是由作战计划和所携带的设备决定的,其中包括维护方面的需求。将人员编制降到最低,就可以为现有的小编制人员提供足够的补给。后勤补给所需要的时间是由人员编制规模决定的;预防维护是由制造商提供的技术文档和预期维护决定的;故障检修的工作量是通过长期的预防维护经验得到的;设备维护的工作量是由工业标准决定,如面积大小、单位面积耗时以及维护频率等,人员消遣和训练属于附加工作量。

一旦工作量确定,美国海军将按照人员每周工作时间计算所需的人员编制,舰员每周工作时间是根据美国海军 2002 年下发的战时要求得出的。

上面给出了战时条件下军舰人员编制的要求。由于资金的限制,而且平时工作量低于战时,所以平时美国海军舰船人员编制为该要求的 90%。在战时,将从预备部队中抽调人员,扩充舰船的人员编制。然而,由于众多因素,导致舰船实际在位人员低于美国海军平时人员编制的要求。因此,美国海军舰船实际上有三种人员编制:实际编制、平时编制和战时编制。

通过改进操作方法、技术和政策,可以降低舰船所需工作量和人员编制。所以,美国海军经常利用"智能舰船"从操作方法和政策方面降低平时人员编制。另外,美国海军正在推行技术嵌入方法,以减少相应的人力,这些措施将在下一章详细研究。

2. 英国皇家海军

首先,在英国海军中,如何配备军舰人员编制的知识并未形成文字形式,仅掌握在少数负责人手里,正式的书面指令稀少,并且早已过时。我们使用这些书面指令主要是为了提供参考信息,而不是作为评价的基础。

1989 年出版的海军人力规划手册(BR 4017),是关于目前最新的人力规划正式指令,已经过时已经很少使用。目前更新的版本正在编写中,但这已经不重要了,因为从事人员编制的人已经掌握了这方面的知识。

该手册有四个主要部分:人力资源规划、人员编制、结构规划和培训规划。人力资源规划包括组织结构、需求和费用;人员编制包括海上人员和陆地人员;结构规划是指各级军官等级比例配备、减员预算等;培训规划指训练各阶段的总体规划,需要综合考虑训练的需求、训练规模,并预计训练的结果。

人力资源规划由 22 个独立部门组成,他们分别负责人员分配的某个方面。但是现在还不清楚这些部门是否依然参与人力资源的分配。

人力资源需求由以下部分组成。

（1）训练需求，是指具体的人员数量、各级别的比例，并能成为一个有效的战斗单元。

（2）培训损失，是由于人员的再培训等原因引起的人力资源流失。

（3）差额，是指和平时期用不到的人力资源比例。

（4）未训练需求，是指对部队中没有进行过培训的人员进行补充训练。

现在的编制中有 10% 的平时差额，7% 的再培训差额和 5% 的未训练差额。由于受经费的制约，人力资源需求不一定总是能够被满足。人员编制配备过程从岗位表开始，岗位表显示了舰船上每个主要岗位的人员需求情况，例如活动站、防御站、航海部门、港口部门。为了使得整体设计变得更加清晰，海军统筹规划署署长为每一艘军舰制定了一个岗位表。制定该岗位表的基础是确定任务和各部门为完成这些任务所需要的人员，这是由承包商和项目组确定的，然后再执行类似于公共职责的全船活动性评估。

在 BR 4017 中有 3 种类型的工作职位：短期职位，这是为某个限定时期的特殊需求准备的；普通职位，这是为各部门常备人员准备的；专用岗位，是为较长时间的专业人员提供的。

特殊岗位表是指定该舰在各种不同任务中的人员编制情况，不同的任务将直接影响舰船的生活周期，舰船所执行的任务是变化的。舰船有其自身的常规任务，其活动站和防御站决定了常规任务时的人员编制规模，人员编制表（SOC）能够体现出人员编制数量和该舰船所执行的任务。

在不同的时期，人员编制表中的相似人员都要参加所有任务。例如，在舰船建造过程中，人们会加入一个阶段性的建造过程中。在修船阶段，只有相关专业人员待命，其他人员在修船完工后再回到岗位。

1989 年，相关部门制订了各级别舰船中各级人员的最低配置，一旦首条舰的人员编制方案制定，其后续舰船就按照此模式配备人员。但是，按照首条舰配备人员，可能会导致人员配备过多或不足，例如"一个抄写员可以记录 250 条记录"或"每 350 名士兵配备 13 名厨师"等，这些规则没有考虑到技术的发展。

军官结构规划是以军官结构和训练委员会在 1956 年制定的文件为基础。从此以后，海军少校提升为指挥官的比例以金字塔形状变化。该统计模式用于计算其他级别的晋级，如每年招募的新兵数量。BR 4017 的差额人员编制确定方法可能已经过时，但是其基本方法和理论一直为英国和美国海军所使用。

英国皇家海军的人员编制部门有 10 个下属单位，其主要职能是控制所有的人员编制表，并决定如何配备人员。所有新的或修改了的人员编制表都要放入海军人力资源信息管理系统，该系统用于计划、配备和调整人员编制，包含了舰船岗位和人员资料。

英国有两项新的举措影响着人力配置规划：未来人事管理系统（TOPMAST）和海军人力优化集成系统（NOMISETS）。TOPMAST 中规定，士兵在特定时间段内不能远离营地超过 60% 的时间,或三年内不能超过 660 天。NOMISETS 是由 QinetiQ 发明的用于计算和确定劳动力数量的方法。

3. 泰利斯公司

泰利斯公司采用零基准法配备人员,也就是说,它不是以某一个基数开始。例如,CVS 级航母的人员编制是在其最初编制上增减。泰利斯公司舰船人员编制有以下 3 个步骤。

(1)确定任务

航空母舰的人员编制必须满足其承担的各种使命和任务的要求(不仅是日常性工作)。现在并不知道这些任务是如何完成的,这些也许已经经过专家、设计者和政府部门讨论通过了。

(2)沿用 BR 4017 的人员编制

是否会因工作条件和效率的改变而更改人员编制还不清楚,泰利斯公司通过工作量来确定岗位数量。

(3)计算执行任务所需要的最低人员编制,工作量按照部门、级别进行分割,利用人员编制表分配各级人员的工资补给

随着各组数量的增加,系统产生下一层次的需求调整。

泰利斯公司按照预计任务量进行人员编制设置。当此项研究成熟度发展到 35% ~60% 时候,上述规划应该变得更加精确。例如,如果改变原有设备的比例,人员编制情况就应该作出相应的改变,这也将会影响到 2012 年的人员编制趋势。例如,英国皇家海军可能会将重点放在选择适用技术,并相应地培训舰员的技术水平。随着主要设备的更新、管理理念的革新、专业人员和知识性人才的增加,劳动生产率将持续不断地增长。我们不知道泰利斯公司的人员编制确定模式能否说明以上内容。

泰利斯公司通过测试应对系统需求文档中基本任务的能力,证明了人员编制方法的有效性。这样做的原因是为了确保计划中的人员编制能够完成任务。

(四)如何改进人员编制系统

我们对不同舰船人员编制的评估表明,它们在许多方面存在着差异(表 B.7):是否使用人机系统集成(HSI)、是否以工作岗位或工作量为核心、是否进行了功能和任务分析、是否使用人力资源模型工具、是否以减少全寿命费用为目标,或者以优化购置费用为目标、以及与劳动力相关的政策措施是否有效等等。下面将针对人员编制在上述各方面的差异进行分析,在下面的分析中必须牢记:任何一个国家的海军舰船人员配备都有自己的标准,使用的人员可能是军人也可能是一般海员。

表 B.7 不同人员编制方法比较

	HIS	核心方式	功能或任务分析	人力资源模型	目标	项目制约因素
MSC/皇家支援舰队	否	工作岗位	否	否	民用标准	国家标准
智能舰船	否	工作量	是	否	减少 WLC	智能项目
LPD-17	是	工作量	是	是	减少 WLC	智能项目
DD(X)	是	工作量	是	是	优化购置	智能项目
美国航母	部分	工作量	是	是	减少 WLC	智能项目
荷兰海军	是	基于目标	—	—	减少 WLC	预算费用
商船	—	工作岗位	—	—	费用最小化	国家规定
皇家海军	是	工作岗位	是	是	正确、有效	TOPMAST
泰利斯	是	组织分配	是	是	优化购置	TOPMAST

研究表明,是否使用人机系统集成所导致的人员配置结果是不同的。人机系统集成(由人员系统信息分析中心定义)是一门科学,它可以综合人员因素工程学(HFE)以优化整个系统中的人员部分。人员因素包括:人力、职员、培训(MPT),健康危害,安全因素,医疗因素,人员生存因素以及系统购置过程中的居住考虑等。人机系统集成也可以用哲学意义的概念来定义:是"制造人员",而不是"为设备配备人员"。

人员系统能够体现出新技术的应用或工作环境的变化,进而改善体力劳动或方便某项特殊工作的完成。在舰船设计和建造初期,添加新技术或改变设计非常容易,所以人机系统集成在新型舰船上得到了广泛地应用。然而,这种原理在减少旧船人员编制上也得到了充分地运用。在我们的分析案例中,大多数人员编制都使用了人机系统集成。

确定舰船人员编制的主要内容是为舰员分配工作量,工作量的分配主要有以下两种方法:一是利用"设定好的工作量"计算人员编制;二是利用安置运算法计算人员编制。设定工作量的方法是假设每项任务需要一定数量的人花一定量的时间去完成,计算出总的时间和工作量,按照一个人所能完成的工作量确定满足这个工作量的人员数量。安置运算法的特点是系统分析较少,探索较多,就像"每100名舰员就需要一个厨师"。

多数大型机构的人员挑选机制非常复杂,往往会使用计算模型以决定哪里需要人,需要什么样的人,同时还计算出这种人员编制的费用。世界上每一个国家的海军都有自己的人员编制和费用预算模型。兰德公司的团队成员评估了美国和英国的人员编制确定方法,针对相同的舰船分别计算了两种方法的人员编制费用。另外,利用这个工具,在两国海军具有相同工作量需求的情况下,得到了不同的人员编制情况。存在这些差异除了文化和资源因素外,还跟其所选取的模型有关。问题的关键是,当其他条件不变时,不同的模式将得到不同的人员编制数量和费用,这也适用于英国海军。作为 NOMISETS 的一部分,如果将泰利斯公司的人员编制制定模型和工具提供给竞标者们,也可能会得到不同的配置结果。(这点值得注意和研究)。

建造一艘新型军舰,会有很多相互冲突的目标,这就必须要进行优化设计,以求得到最佳的平衡。一般情况下,减少军舰全寿命费用是一项基本目标,因此,减少舰员具有非常重要的作用;还有一些其他目标,如降低建造费用、增强舰船性能和耐用性等。通常情况下,有一两个重要指标决定着舰船的设计和人员编制。例如,降低军舰全寿命费用可能需要增加技术和训练方面的投入,从而会增加建造费用。如果超出建造预算,就必须牺牲舰船全寿命费用,此时的人员编制就会比只考虑全寿命费用时要多。比计划目标更能影响舰船设计及人员配置的是政策因素,如英国未来人事管理系统(TOPMAST)等。对于一些商业部门和美国军事海运司令部(MSC),他们所使用的民用标准与军事标准有很大区别。一些项目正准备改变现行政策或惯例,例如智能船、智能飞机和人员配备优化试验等。

总之,没有两种人员配备缩减方案是完全相同的,人员配备方法的不同组合和发展,将会得到不同的编制方案。

(五)展望更有效的人员编制方法

英国皇家海军人员编制配备过程采用了既定的技术,以及应用了工作量和各等级人员混编的原有假设。这种方式不涉及预期工作量分配问题,也没有考虑一周工作日问题。政策因素可能不起作用,它不能减少费用、增加全体舰员的生产力、提高工作效率、减少人员配置,或者提高协调能力。政策对改进工作或增加技术、材料或设备发挥不了任何作用。目前英国皇家海军的人员编制是由专门部门进行评估和鉴定的,如果舰船人员编制的费用与以前某舰型相同,则审核部门就会有足够的审核经验。大多数启发式人员配备方案,主要单凭经验,如何编制人员并没有明文规定。有些人员编制工具需要专家根据舰船排水量来对最终人员编制作出判断。由于没有系统的人员编制缩减评估方法,以至于现在的人员编制系统可能会受到文化以及过时政策和经验的过度影响。此外,虽然重视培养新人和保持金字塔式人员结构,但是效率并不高。要实现更少的人完成更多的工作,就需要对现在的海军训练模式和人员配备结构进行重大革新,然而这似乎并不现实。

在本章的剩余部分,通过回顾承包商关于人员减配方面正在进行的努力,我们将会陈述其中的一部分人员缩减原则,这些原则英国皇家海军可能会觉得有用。最受注目的原则是关于人员密集型部门的减配问题。下面我们开始总结各种人员减配的方法。

1. 确定高价值的人力减配目标

CVF 的承包商以舰船任务或工作量为人员配备标准,这需要大量的劳动力。因此,必须要进行人员减配。劳动密集型任务通常是有规律的重复性劳动,就是所谓的"人力驱动"。每个竞标者都列出了"人力驱动"清单,表 B.8 比较了美国海军颁布的航母"人力驱动"和竞标者列出的"人力驱动"清单。

表 B.8 是英国宇航公司建立的清单,其中美国航母的条目尤其长,泰利斯公司的条目主要集中于损害管制、食品供应和武器维护。

英国宇航公司的"人力驱动"清单既参考了美国航母的主要"人力驱动"条目,又考虑了泰利斯公司的主要"人力驱动"条目。泰利斯公司将武器维护归入"人力驱动"条目,而英国宇航则没有。

表 B.8　不同组织的航母人力驱动因素

英国宇航公司	泰利斯公司	美国航母
TOPMAST	损害管制	反潜作战飞行岗位
损害管制	食品服务	条件 I(GQ/损害管制)
ME 警戒值班	武器操作	飞行岗位
RAS 与存储		食品服务
ME 维护		住舱管理/清洁
移动飞机		纠察
Ops 警戒值班		洗衣服务
管理		医疗/牙科服务
经营		航行值班操作
宾馆服务		人员与薪酬记录
		人员清单
		保存
		预防性维护
		特殊海域与锚泊
		库存与原料控制
		储备装载与处理
		训练

表 B.8(续 1)

英国宇航公司	泰利斯公司	美国航母
		航行补给
		武器操作与装填

减员的另一个方法是对人员进行分类,泰利斯公司提供的《人员编制配备报告》表明,CVF 的人员编制为 605 人。表 B.9 显示了各部门人员占总编制的比例。"皇家方舟"号被当成基本案例,英国皇家海军和泰利斯公司的人员编制都是以"皇家方舟"号作为对比基础。英国皇家海军 CVF 的评估是应用人员规划系统得到人员编制表的。显然,皇家海军 CVF 的人员编制与"皇家方舟"号非常接近,无论是总编制数还是各部门人员,所占比例都基本相同。文化和传统对舰船的人员编制有一定的影响。泰利斯的人员编制报告中指挥部门人员比例大幅降低,轮机部门的人员数量少量减少,武器部门和飞行部门的人数增加较多,其他部门人数则增加甚微。

表 B.9 人员编制可能发生变化的部门

舰船部门	"皇家方舟"号	皇家海军 CVF	泰利斯公司
作战	34%	30%	20%
轮机工程	22%	24%	20%
武器工程	4%	5%	9%
航空工程	8%	9%	9%
保障	19%	19%	20%
医疗/牙科	2%	2%	1%
航空	8%	8%	15%
其他	3%	3%	6%
总计	678	653	605

2. 其他影响因素

英国宇航公司、泰利斯公司和美国海军制定的人力驱动因素都是与工作量相关的,并且是按照部门进行分析的。人员编制的规模和结构不仅仅依靠于上面的内容,下面我们将讨论其他几种重要的因素。

(1)目标是主要的人力驱动因素

目标或方向是人员编制过程当中的主要驱动因素。在我们研究各种不同舰

船平台人员编制的期间内,我们知道不同的舰船平台目标影响人员编制的大小和规模。目标主要有以下几种:

①最低费用(全寿命费用或购置费用);

②最少人员编制;

③最优人员编制;

④提高舰船的生命力和操控性。

全寿命费用最低往往会导致最小人员编制,因为舰船人员费用是全寿命费用的主要部分。然而,最低费用并不意味着必须要裁减人员,也可以通过利用费用相对较低的舰员代替费用昂贵的高级技术人员。花费在技术上的前期费用可能会使人员编制减少,从长远角度看增加前期投资可能会大大降低后期费用。

最小人员编制不一定能保证低费用。例如,更小的人员编制不一定是更贵的,但是如果这些舰员都是更高级别、更有经验(并且更贵)的人员,那将会导致更高的费用。相反,使用低费用的舰员会增加人员编制。当以较少人员编制为目标时,较少的人员可能无法完成一定的任务。盲目的减少人员编制可能会导致严重的后果。在某些情况下,会给更多比例的低级舰员添加技术设备,但是这个比例有上限,因为他们承担着多种职能。

优化人员编制是指合理配备人员编制和技术因素,以保证舰船在能完成指定任务的同时费用最低。优化人员编制是在人和机器之间找到精确的平衡点,不是简单就可以决定的。

正因为如此,CVF项目的目标和限制需要准确的评估。应该问的问题是:CVF的人力是皇家海军人员系统的驱动力吗? 对于海军人事系统来说,优化后的人员编制是最理想的吗?

(2)功能的变化

一味地依赖先例和历史经验是有问题的,CVS所承担的使命可能与CVF的使命不同。美国海军的创新意识就体现在这。海军确定了未来战舰的各种功能,以及在什么地点、如何完成,等等,根据这些规定就可以对人员编制进行优化。

未来军舰要具有完成多种任务的能力,具有很强的战斗力,而这种战斗力的形成则需要有精干的舰员。1999年,美国海军监察长在一个综合报告中指出:减员不是目的,而是利用节省下来的资金进行技术上的创新和投资。这些投资应该用于舰船设备可靠性和可维护性的改进上,结合政策和程序上的改变,达到最大限度利用每个舰员的目的。此外,在海上的舰船不需要使用那些对于操作、训练和维修等没有直接贡献的功能。这些变化的综合效果将降低舰船人员编制,并提高战斗力。

报告建议,某些舰船的功能(如日常维护和其他附属功能)应该被取消,其他一些必需的功能(如法定的和后勤的功能)应该被转移到岸上,还有一些必须留在船上的功能,要么进行优化,要么根据基本原理进行再设计(表B.10)。这些功能都要支持未来优化配备的舰船。该报告的结论是,在舰船购置决策的过程中,经济性分析具有非常重要的位置。

表 B.10　未来部署中的舰船部分功能

裁减	转移上岸	重新设计(在舰)	改进(在舰)
大部分日常例行维护	任务计划	执勤警戒	损害管理
间接功能	执勤认证培训	特殊进展	舱面气象辅助功能
	涂装和维护可用性	医疗和牙科	舰用分解装置
	升级和改装	伤亡维护	装卸系统
	后勤	清洁	食品服务
	间接任务	外部检查	洗衣服务
	支付	储备与出售	危险废物处理
	邮寄	战斗群训练	熟练度培训(在舰)
	人员记录	内部局域网管理	局域网
	法律服务	物理适应性训练	
	宗教服务		
	福利与娱乐服务		

(3)传统和文化的影响

皇家海军大型舰船的军官编制是一个相当有价值的惯例。如前所述,按照皇家海军惯例,CVF 上的军官占总编制的比例多于美国海军(图 B.17)。在美国各型军舰上,平均军官比例在 5% 左右(攻击核潜艇为 10%)。我们认为这个差距来源于基数,即整个舰船的人员编制数量。也就是说英国海军和美国海军在舰船上配备的军官数量相近,但是英国海军总人数较少,这就使得其军官比例升高。

其他的传统和文化也可能限制了人员编制的缩减。例如,按照惯例,管理层应该都是军官,而军官的待遇有一定的标准(饮食、宿舍等)。如果管理层人数减少,相应的服务和福利将会减少。这些已经在其他舰船上实施,皇家海军舰船的传统和文化应该改变,用以节约人力资源。

(4)沿用成熟系统对于人力缩减的限制

舰船的人员编制依赖于将要安装的设备。在我们对舰船人员编制进行评估的时候,CVF 已经进入设计的初期阶段。但是,据我们所知,CVF 的建造将会使用大量的现有设备。CVF 的人员配备是否也要沿用既有的方案? 剩下的问题不是我们能解决的,因为该项目在设计时就存在以下不足:

①剩余的可以"自由"设计的设备对 CVF 人员编制的影响有多大?

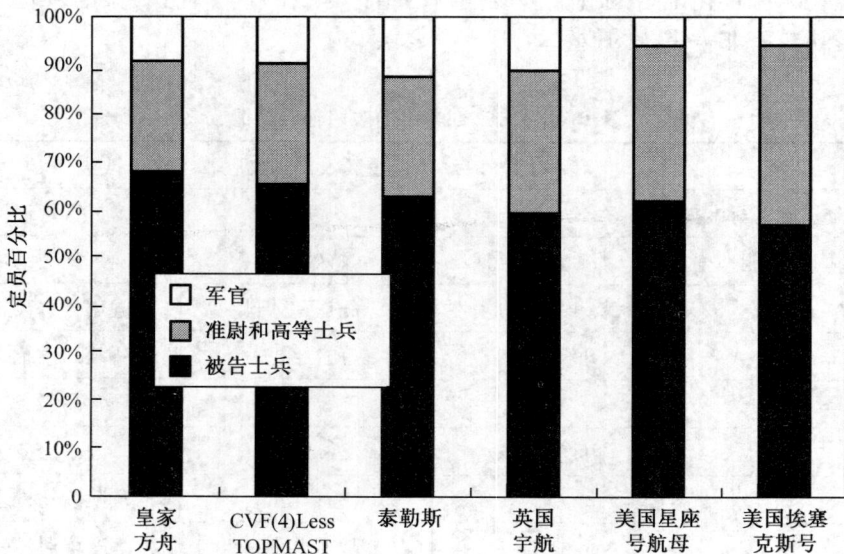

图 B.17　英国和美国的军官比例差别

②这些设计改变了什么？

③购置资金能否投入技术开发？

（5）前期费用高于后期费用

如果目标是通过人员编制最小化来降低全寿命费用，这就需要增加前期对技术的投资，从而导致购置费用增加。在这种情况下，由于前期资金的限制，有可能不购买技术，这将导致全寿命费用增加。提高前期费用是具有挑战性的，因为，购置费用仅占全寿命费用的 30%，但是它集中在一个相对较短的时间段内，结果就是在任意给定年份，购置费的峰值都超过了运行和保障费用。

（6）风险接受事项

更加依赖于技术还是人力，这是一个从维持现状到冒险的变化。为了应对处理舰上出现的突发事件，通常使用的做法是在舰上配置额外的人员，这一做法从某种意义上讲略显浪费，但却被经验证明是一种行之有效的方法。随着新平台与新技术的发展，以及现行政策和程序的变化，负责维护安全设备与舰船安全的行动决策人可能会认为，如果舰船的人员编制减少就要承担更多的风险。这种预想中的风险是未知的，也是不能量化的。不过，在某些情况下这种假设是可靠的。例如，当一个行动指挥官通过损害管制应对火灾或水灾时，缩减的人员编制将会意味着额外的风险。增加对技术的依赖，用以解决故障和控制伤亡，这样就能减少处理此类故障的人力，但新系统必须具备足够的可靠性以减轻运行风险荷兰皇家海军(RNN)已经在其新型防空指挥护卫舰上大幅削减了舰上人员。采用较小规模舰员运行舰船的必然缺点是,舰员无法像从前一样可以同时完成所有的任务。因此,他们需要对任务进行优选并按照先后顺序依次完成各项任务。这种情况导致了舰上的工作需要采用并行交叉的方式进行。由于舰上人员的限制,在制定舰船工作计划的时候必须考虑到,舰员无法同时完成某些任务。

在一个较小的人员编制里,每个成员都要发挥作用。例如,美国舰船上进行的最佳人员配置试验(OME),当人员编制缩减之后,剩余人员需要进行交叉培训以适应多种任务角色的需要。当一个舰员经过更高等级的培训并承担起多种任务的时候,他在完成舰上任务中的重要性就得到了提高。在保持舰船完备状态的过程当中,舰员发生疲劳的情况越来越成为一个重要的影响因素,因此必须进行监控。

(六) 小结

英国皇家海军人员编制配备过程采用了既定的技术,应用了工作量和各等级人员混编的原有假设。这种方式不涉及预期工作量分配问题。政策因素可能不起作用,它不能减少费用、增加全体舰员的生产力、提高工作效率、减少人员配置,或者提高协调能力。政策对改进工作或增加技术、材料或设备发挥不了任何作用。目前英国皇家海军的人员编制是由专门部门进行评估和鉴定的。大多数启发式人员配备方案,主要凭经验,"如何"编制人员并没有明文规定。由于没有系统的人员编制缩减评估方法,以至于现在的人员编制系统可能会受到文化以及过时政策和经验的过度影响。实际上,皇家海军对 CVF 的人员编制目标,无论是在型号上还是在各个部门的人事分配上都和现有航母有所不同。

相比之下,泰利斯公司似乎采取了零基准的方法来进行人员编制。它估计了需要完成的工作,并计算了所需的人力。我们无法知道,泰利斯公司的人员编制方案是否考虑了技术、管理以及教育方面的劳动生产力驱动因素,而这些都是未来几年大家所期待的。泰利斯公司人员编制的结果就是一个劳动的分工,这和皇家海军对 CVF 的人员分配有着极大的不同。泰利斯公司削减了皇家海军战斗部门超过三分之一的人员编制,同时提高了武器工程与防空部门所占的份额。尽管如此,应当清楚的是,在 CVF 激烈竞标的环境中,承包商必须最大限度地降低人力预算才能赢得合同。我们强烈建议,国防部应当细心关注泰利斯的人员编制投标,并将其作为基准。

随着人员编制工作的进一步完成,我们应当清楚以下内容。

第一,必须要遵守一个主要的、持续的目标。最小化全寿命费用,最小化舰员数量,或者是在舰员能力和费用之间获得最佳平衡点等,采用不同的人员配置将会获得不同的结果。

第二,工作量不应该被视为一成不变的。可以削减舰船的一部分功能,或者移到岸上,或者在船上仅配置较少的人员。

第三,军官的费用较高。皇家海军的军官比例比美国海军要高,而且他们还享受非常高的待遇。

第四,据预测,CVF将会大量沿用现有航母的系统。这些系统将会带来低效率的人员配置,将会限制人员编制缩减的机会。

第五,通过技术投资来缩减人力的计划将会受到前期资金的限制。

第六,行动指挥官也许会难以接受较小的人员编制,因为在遇到舰船安全威胁的时候,指挥官可能会认为较少的人员不足以应付整个局面。

十一、其他平台的人员编制缩减措施

维持人员编制所产生的大量费用使得各国海军开始在他们的军舰上努力减少人员配置的数量。我们评估了一些已经实行人员削减的具体案例,进而为确定CVF潜在的人力资源削减方案奠定基础。我们评估的案例有:美国海军的部分计划(智能舰船、智能航母以及DD(X)等舰艇),荷兰皇家海军以及商业邮轮等舰船。除此之外,为了完成这一阶段的研究,我们还进行了采访,参加了海事技术会议①,并阅读和研究了部分文档和报告。在以下的描述中,通过这些案例的分析,我们将讨论人力资源削减方案的确定和评估。

我们的研究不只限于航母,还兼顾了其他平台上相关人力资源削减的效果及经验。我们认识到,评估中所涉及的平台,其任务以及能力通常与CVF完全不同;同时我们也承认由于国与国之间的文化差异,很有可能导致相同舰船不同人力配置的情况。不过,相似的技术、政策以及规章制度在不同平台人力资源削减或优化上产生了一致的效果。我们使用了基于案例推理的办法,通过寻找CVF和其他平台之间的相似性,我们能够确定在别的平台上证明是有效的措施可能在CVF上也能达到较好的预期效果,虽然影响幅度很可能会有所不同。例如,岸基专家的观念可以应用在许多平台上的人力资源削减;岗位节省的数量将根据平台的不同而改变。对于CVF来说,采用上述方法的效果会有所不同,这不仅仅是由于CVF的规模和活动范围区别于其他平台,而且是因为作用于CVF的不同的政策变化、任务要求和风险可接受性。

我们对美国海军尤其关注,他们已经开始对不同级别的舰船进行人员削减。CVN-77项目办事处已经考察了使用邮轮相关经验和设备的可能性,CVX-21项目办事处已经确定了大量潜在的技术用于满足减少人力的需求。遵循智能舰船项目,宙斯盾级驱逐舰将减少10%~15%的人员。此外,还有大量的工作评估甚至挑战美国海军那些阻碍人员削减的政策和规章制度,等等。

---

① 13th International Ship Control Systems Symposium in Orlando, Florida, USA, 7 - 9 April 2003, and Human Systems Integration Symposium, Vienna, Virginia, USA, 23 - 25 June 2003.

我们研究的方案与美国军事海运司令部、美国航空母舰、美国智能舰船计划、OME 以及 DD(X)项目相关。我们还研究了美国海军 LPD – 17 级新型两栖运输舰,荷兰海军的经验和商船制造业。

通过结合技术、政策以及程序上的改变,上述案例都实现了人员编制的削减。如图 B.18 所示,图中的"智能舰船"描述的是从 CG – 47 到约克镇号 CG – 48 的变化。"LPD – 17"代表了 LPD – 4 级的人员配备变化。美国海军"OME"的变化表示,在 Milius 号(一艘 DDG – 51 级军舰)上的人员编制低于 DDG – 51 级的基准配置。目前甚至还有计划对 Milius 号以及其他舰船通过 OME 进行更大的人员削减。"US CVN"(美国核动力航母)是指关于尼米兹级航母的政策、程序或者技术发生变化后所产生的人员削减。图 B.19 表示了如果这项研究提出的建议得到遵循,相应的人员削减能够达到何种程度。"DD(X)"表示低于 DDG – 51 级的人员费用基准。"MSC"代表了将现役操纵的 AOE – 6 转换成非现役舰员操纵的 T – AOE – 6,进而实现的人力削减。"荷兰"代表了荷兰皇家海军配置 200 人的舰船缩减到 50 人的规模(在与 RNN 代表讨论的过程中获得的信息)。接下来我们将讨论上述案例的细节,只是不包括已经在第四章讨论过的商业邮轮业。

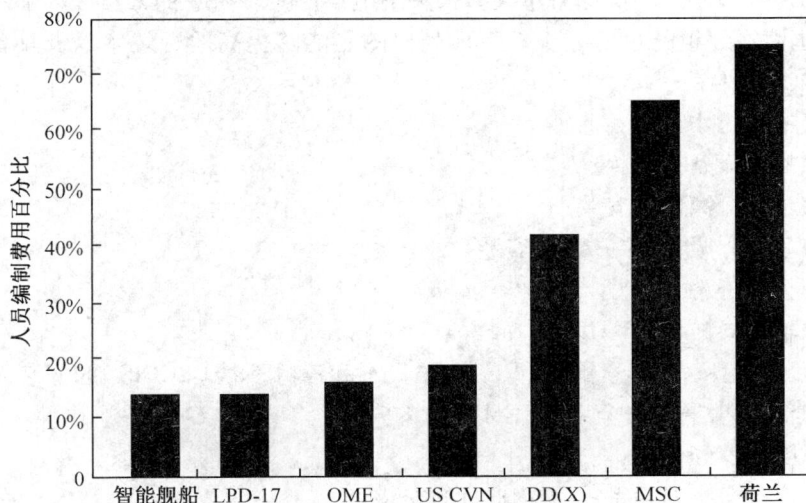

图 B.18　所选案例的人员编制削减情况

(一)军事海运司令部的舰船

MSC 是美国海军管理战斗后勤舰艇的部门。这些舰艇配备了非现役人员,同时通常会有一个现役的美国海军飞行机组和业务部门。在二十世纪九十年代初,海军作战部长批准将 AFS – 1 和 AE – 26 级舰艇归入到 MSC 管理。配置非现役人员的舰船能够实现费用节约,上述划归决定就是基于这一点做出的。美国海军正在进行的现役人员裁减也促成了这些决定。特别是近来,AOE-6级舰艇开始归入到 MSC(在那里被重新编号为 T-AOE-6)。与英国皇家海军辅助舰队的舰船类似,T-AOE-6 作为补给舰为海军舰船运输储备、供应食品和燃料。

1. T-AOE-6 的主要任务①

(1)机动性

以航母战斗群的速度航行,从而保证航母战斗群作战行动的灵活性。

(2)指挥,控制和通信

战斗行动中作为战斗群后勤指挥舰的能力。

(3)后勤保障

保障航母战斗群的后勤补给。

该型舰船能够从 7 个补给站同步进行航行中的补给,如常规弹药、干货或液体货物等。此外,该舰还可以通过垂直补给(直升机运输)同时提供弹药、快速运送、人员、邮件、储备及其他项目。

2. AOE-6 的工作项目

AOE-6 级是专为美国海军大型人员编组设计的。MSC 的人员编组需求明显小于美国海军编组的最低要求。下面列出的是能够提高运行效率以及具备其他益处的工作项目:

(1)主机舱水密门;

(2)螺栓设备拆除板;

(3)油水分离器的安装;

(4)独立呼吸器(SCBA)的安装;

(5)全景屏幕;

(6)辅助导航(NAVAID);

(7)MK2 型海面搜索雷达,电子海图显示和信息系统(ECDIS)的安装陀螺罗经修正全球海事遇险安全系统(GMDSS)的安装;

(8)陀螺罗经修正;

(9)全球海事遇险系统(GMDSS)的安装。

作战后勤部队 AOE-6 转移到 MSC 节省了大量的人力资源。表 B.11 简要说明了不同部门的人员配置,美国海军的 AOE-6 级舰船人员按现役军官和士兵分成两部分。第二列数据反映 AOE-6 级舰船转换到 MSC 后的人员配备情况,而第三列反映前两列人员编制数量的差异。

MSC 人员配备是基于其运行 50 年的历史经验。MSC 人员配置是在进行舰船检查时就开始了,早于美国海军将舰船转到 MSC 下。MSC 具有代表性的是海岸

---

① 由 MSC 发布。

警卫队人员配置最小化的评估,此评估认为主要是舰船甲板警戒和轮机。例如,MSC 的舰桥通常配备四个人员:一个副长,一个舵手,一名瞭望员,还有一名能够执行多种任务的专家。另外,特殊功能需要增加人员配置。例如,舰船航行中的补给需要额外的人员来完成补给任务。有关航行垂直补给以及飞行甲板上的人员配置是基于经验标准进行的。

表 B.11　美国海军 AOE-6 转到 MSC 后不同部门的人员配备情况　单位:人

部门	USN AOE-6		MSC T-AOE-6		USN-MSC 人员配备的差异	
	现役/军官	非现役/征召	现役/军官	非现役/征召	现役/军官	非现役/征召
武器操作	3	37	0	0	3	37
甲板	4	214	8	72	-4	142
通信	3	28	1	14	2	14
电子维修	0	8	0	5	0	3
事物长	3	17	1	1	2	16
医生	2	7	1	0	1	7
轮机班	5	150	11	29	-6	121
甲板机械修理	2	12	1	5	1	7
补给	5	34	4	7	1	27
食品预备	1	17	1	9	0	8
食品服务	0	20	0	33	0	-13
洗衣店	0	11	0	1	0	10
总计	28	555	28	176	0	379

信息来源:美国海军分析中心(2002)。
注:负数指人员配备的增加。

　　MSC 舰船操作人员较少是因为他们的舰员都是功能性的,能够胜任各自的岗位要求。相反,在海军舰船上,有 1/3 的人员是新兵。MSC 舰船上实行工作中的训练,对于不会操作航行补给设备的新舰员,当他们上船后绝大多数都能够胜任岗位。另外,MSC 聘请专业人士做清扫、擦拭和清洁工作。更进一步的,MSC 不关心某一个人的总航行时间。四个月的海上航行后符合条件的舰员可以离舰轮换,但是多数人愿意待的更久,以建立他们的上岸许可账户。MSC 舰员可以调换所在船只,并且能够在新船上累加上岸许可。船上的人手相对保持稳定。另外一种人员编制削减的因素是,MSC 应用商业模式的损害管制,仅有两个修理站,而美国军舰通常有三个修理站。

总之,MSC 的人员配备是基于已被验证的经验和民间标准。

MSC 舰员为设计 CVF 的人力资源削减方案提出特别建议

(1)使用商业模式设置厨房。厨房集中设计,便于士兵就餐,直接连接军士就餐和起居的房间,这样的设计有助于提高食品服务的效率。

(2)计划和轮换的标准餐。这一过程允许使用预先包装好的食物,舰员们称之为"单位"负载,餐饮服务人员会知道并计划相应的存储需求。

(3)罐装苏打水改为果汁并在伙食甲板上分发。罐子是需要回收的,不能丢到海里,这将产生大量的收集、存储和有害物控制问题。假如船上有 605 名舰员,每人每天消耗两罐苏打水,那么每天收集、整理和处理的罐子将超过 1 200 个。如果船只航行超过预定时间,这个收集工作就可能消耗大量的人力资源和占用大量空间。MSC 代表指出如果甲板餐厅使用果汁,收集工作造成的花费将会急剧减少。

(4)设计便于叉车装载的储藏室。此外,他们还建议使用升降机传送包裹。他们特别说明,分解全船的储备物资是人力资源密集型任务,良好的人员配备和有效的装卸货物管理是关键。

(5)使用远程监控系统,自动水密门关闭技术,有效设计工作流程和改变工效。

(6)以现有条件为基础的维护方法。

(7)有组织自身维护的能力。一些 MSC 的舰船能够自己进行中修,这个能力减少了中修时岸上的保障,即使在港口内也能减少。MSC 的舰船定期维护的时间不超过 75 天。

(8)要求每位舰员亲自做自己的清洁,减少了专门的清洁人员。虽然要求他们在业余时间做自己的清洁卫生可能会降低舰员在航海中的生活质量,但是为了降低人员配备这是可以接受的标准。

(9)有航行人事管理中心掌握人员记录。MSC 的舰船自动发放薪酬,不需要行政办公室。

综上所述,在将舰船移交给 MSC 之前,海军需要对舰船进行检查和评估,此时 MSC 舰船的人员配备就确定了。舰船的人员配备主要是依靠检查人的经验,在他对比了类似舰船的设备分布以及 MSC 其他舰船的人员需求之后就可以基本确定。MSC 依靠高度训练有素的、能够执行多种职能的非现役人员去操纵战斗后勤部队的船只。成功实现 MSC 舰船降低人员配备主要归功于舰员们额外的训练和经验,这些经验都是在他们上船报到之前进行获取的原因。另外,移交舰船时的武器拆卸使得 MSC 减少了武器部门的人员配备。此外,MSC 的资产是区别于海军舰船的。海军水手 24 小时执行航海补给。而 MSC 通常是白天补给,正常工作时间外的补给工作需要为舰员支付额外的工资。

(二)美国航空母舰

美国海军已建造完成最后两艘尼米兹级航空母舰。"罗纳德·里根"号是2003 年夏季开始建造的,"乔治·布什"号航母正由诺斯罗普格鲁曼公司在弗吉尼亚州纽波特纽斯船厂建造,并已于 2009 年交付给海军。除了尼米兹级的建造外,海军正在进行下一代航空母舰(代号为 CVX-21)的设计。

据报道 CVX-21 将成为继 20 世纪 60 年代建造的尼米兹级之后最新型的美国航空母舰。计划在 2013 年以 CVX-21 级首舰取代现有的"企业"号航空母舰。

为了增强未来航母的性能及降低全寿命费用,已经采取了多项措施。事实上,减少全寿命费用是航空母舰项目执行办公室的主要目标。为了探讨如何降低航母的运行费用,CV/CVN 项目办公室正在研究大量的技术、运行方针和经验做法。CV/CVN 项目办公室采取了渐进式采办的策略来设计和完成最后一艘尼米兹级航母的建造。该策略的基本目标是确定一种能够降低建造费用、使用和维护费用,以及舰船人力资源需求的技术。CVX-77 已作为一艘测试平台或者过渡舰船用以整合将在 CVX-21 上使用的技术,同时用于测试早期尼米兹级航母技术更新的可能,进而降低它们的全寿命费用。

并不是所有削减全寿命费用的措施都导致减少舰员。此外,也不是所有降低人力的办法都能够在所有船只上达到同样的目的。

渐进式采办的策略是一个逐渐的过程。有一部分因素是在船只服务方面执行;还有一部分为了建造中的舰船,需要短期内就准备好;其他的将被应用到CVX-21 上。表 B.12 是通过多方获取资料制成的,包括航空母舰计划执行办公室。表中显示了以渐进方式进行的潜在技术的发展。这份清单已经发生了变化,并不是所有的改进都会影响人力。

表 B.12　美国海军航母技术发展

目前(智能航母)	短期(CVN-77 及改装)	长期(CVN-21)
工作量的降低和水手生活条件的改善	全整合战斗系统	新推进设备
智能卡	智能甲板	新功能调整
综合条件评估系统	优质服务改进	自动化引擎
先进的排风/过滤清洁系统	综合医疗改进	自动化损害控制
无线通信	总开关板升级	自动化战斗系统
数字式物理安全性升级	航空追踪器安装	
较低的维修材料	遥控损害能力	

表 B.12（续）

目前（智能航母）	短期（CVN-77 及改装）	长期（CVN-21）
减少工况Ⅲ的监视状况	损害控制自动化	
先进的损害控制系统	损害评估的遥感和视频监视	
JP-5 燃油自动管理	可靠性维护中心	
网络基础结构升级	可选择能量弹射器	
核心/弹性	多功能植入天线	
集成桥接器	舰员衣服自己清洗	
不需维护的材料	条形码和扫描仪（UPC）	
遥感器和激励器	习惯性的装卸载	
数据清单控制系统	改良（防腐蚀）覆盖材料	
	集成桥接器	
	合并内科及牙齿部门	
	自动补给品储备和回收过程	
	自动武器存储和回收过程	
	无现金运载	
	电子元件替换辅助蒸汽设备	
	读卡器和卡片撞击器	
	摄影机减少监视	
	远距离监控鉴定系统	

目前智能航母计划中可以采用的措施应该是与 CVF 相关的。智能航母计划不是单纯减少人员配置，其目标一是为了减少工作量，二是为了提高舰员生活水平，三是为了降低总的全拥有费用。智能航母希望将工作量减少百分之十五。减少工作量，将有助于提高舰员的生活质量。另外，人员配置减少将导致更少的职位，从而降低运行费用。最初的做法是将可能削减的目标划分为五个主要领域：信息技术，自动化和控制，人员保障，维护和保存，政策和程序。建议中的技术进步包含的范围非常广泛，包括传感器和自动化环境监控、通信、决策支持系统、武器操作的自动化、供给跟踪自动化、远程教育、在线岸基支持、自动损害观制、自动化舰桥信息、导航、控制和后勤，等等。

第一艘可以完全称得上智能航母的是"卡尔文森"号。智能航母的团队成员告诉我们，他们不想过多地增加舰上技术，而更愿意提供一种方法，将技术整合到当前舰上的其他系统中；希望提供过往执行工作的经验，并帮助进行多种指令的重新编订工作。智能航母的代表指出,航母最重要的项目是有一个局域网(LAN),有一个能够在船上收集和分配数字化资料的中枢。这个网络能够从自动传感器、损害管制控制台、无线通信、闭路电视、远程教育或远程专家等收集和分配关键信息。此外,由局域网衍生的其他系统如下:

(1)航空燃油系统(JP-5),依赖于船体、机械、工程局域网并"提供与装载、存储以及移动超过 1.45×10^5 L(3.2×10^4 gal)舰载机用航空燃料相关的控制功能"(Tangora 和 Mariani,2003)。

(2)综合环境评估系统(ICAS),提供有关评价系统功能的实时更新信息,并保障基于环境的实际维护工作。

(3)机械状况分析——另一种用于保障维护工作的工具。

(4)先进的损害管制系统。

(5)损害管制库存管理和装载系统,用于跟踪损害管制设备。

(6)消防信息系统,提供有关消防数据(如压力等),它连接到局域网并提供损害管制中心的状态报告。

(三)美国海军的智能舰船

作为智能试验船的导弹巡洋舰"约克城"号(CG-48)已经减少了工作量和人力需求,同时加强了战备能力,提高了舰员的生活质量。智能舰船通过整合程序上的变动(例如,核心/弹性人员配备、训练)和技术嵌入(例如,各种商业通用[COTS]系统)来进行改进。

通过核心/弹性人力配备概念实现工作量和人力需求的削减。在核心/弹性的概念中,航行中的值班员在威胁减少的环境中暂时停用。因为大量值班人员的减少,从而增加了非值班人员完成舰船工作量的有效时间。剩余工作量经过重新设计并均匀地分配到每名舰员,他们能够进行长时间的持续性操作。变成"白天工作"的舰员数量正在增加,他们可以较好地协调和安排训练及需要的工作量。当余下的核心值班团队随着形势变化而增强时,这个"弹性"就出现了。

此外,智能舰船组织制定了增强的培训能力。为了减少人员配置培训更好的训练有素的舰员成立了一个专门的培训部门。新舰员在训练部门接受广泛的指导和持续不断的培训。

智能舰船使用的技术,主要是商业通用的硬件和软件产品。这些产品是一套通过局域网运行的民用个人电脑系统,关键技术如下:

(1)机械控制系统(MCS)——由装载在局域网上的控制主推进系统和电力柴油发动机的软件、所有功能交换机、400 Hz 分配器、岸电及特定的辅助设备组成;包括了燃料控制系统(先前独立运行的系统)。MSC 将单机控制台重新安装在每个发动机操作台上。

(2)ICAS——将舰用机械与美国海军后勤管理系统进行计算机互联,能够提供完善的机器状态评估,诊断和维护管理能力。

(3)损害和压载控制系统——由几个基于局域网的常驻软件系统组成:损害控制传感器/系统集成;消防和通风控制及显示;压载系统的控制和显示;在线损害管制培训。该系统取代了以前安装的防火/通风控制台、压载控制台及众多的室内通信警报器。

(4)综合舰桥系统——将全球定位系统、速度记录、陀螺仪、windbird 和测深仪的传统导航信息转换成数字数据格式,并且通过局域网提供给全舰。约克镇号军舰测试了上述以及其他技术和程序,并取得了巨大成功。

(5)基于综合舰桥、损害管制和工程系统的操作,使得舰员能够从许多日常例行任务中解脱出来,从而专注于他们的作战技能。

(6)实现了减少 15% 维护工作量的目标。

(7)在人力方面每年为船只节省约 175 万美元。

(8)在全寿命上每年估计有 276 万美元的节省,包括相关岸基人力的裁减和舰船修理节省。

总之,美国军舰"约克城"号取得的结果是通过使用费效商业技术和政策,以及程序的变化来实现的,将舰员从重复性任务中解放出来并加强他们的作战和专业技术能力。智能舰船使得人员配置减少的机会增加。要实现更大的或革命性的人员削减,完整的平台和系统集成设计就必须实现。总结智能舰船的经验可以看出,优化舰船人员配置是复杂的,而且任务和人员配备的关系必须被认真考虑并进行整合。

(四)美国海军人员配置优化试验

人员配置优化试验(OME)的目的是在不影响性能的前提下削减人员规模。"莫比尔湾"号(CG-53)和"米利厄斯"号(DDG-69)参加了试验,并且都取得了明显的人员配置削减成果。"莫比尔湾"号将工作岗位从 321 个减少到 287 个,而"米利厄斯"号则从 290 个减少到 237 个。以上人员削减主要通过新技术、程序及政策实现。

"莫比尔湾"号人员配置的削减主要靠舰员的交叉训练来完成,他们能够胜任不同岗位的需要。在"米利厄斯"号上,一套新的自助餐饮流水线使得食品供应人员大幅度削减。增加使用摄像头进行远程监测还减少了某些需要 24 小时监测的岗位,远程支援软件通过岸基专家增强了水手的业务能力。舰员通过掌握通用技能的人员与岸上专家探讨修理故障,从而使得不需要在船上为每个系统都配备一名专家。

大量的政策修改也包括将一些岗位移到岸上。舰船将在港口由专业团队进行一些预防性检修。"莫比尔湾"号和"米利厄斯"号的母港都在圣地亚哥,并且都派出部分舰员到岸上的维修机构进行培训。当舰船返回港口后,这些人员就上船进行设备维护,减少了舰船公司执行维护任务的需求并且使他们免于执行业务职能和进行培训。

在"米利厄斯"号上,一些程序性的变化也有助于减少工作岗位的配置。例如,副水手长、军需官和通信兵被整合为一个称作"舰桥专家"的单独岗位。电子技术和信息系统技术人员相互学习业务知识。通过使用一个可靠的修理站来代替原有的三个修理站,舰船采取了更加灵活、快速反应的方法来进行损害管制。

这些人员配置削减方案使得 OME 在"米利厄斯"号上减少了 53 个工作岗位(仅指征召人员)。美国海军正计划将 OME 贯彻到其他导弹驱逐舰(DDG)部队。

(五)LPD - 17 及其他两栖舰船

智能舰船方案已在进行之中,一个称为"智能守门人"计划的方案也开始运行,该方案是分析如何将智能舰船原则应用在两栖舰艇上。该计划称之为 Gator17 项目,用于 LPD - 17 级(尽管并不限于这一级别)的舰船,有四个主要目标:减少舰船的工作量,减少其人员编制,提高舰员的生活质量,提高战备能力。"拉什莫尔"号于 1998 年 1 月完成了第一期设施安装。它们包括以下内容:

(1)通过光纤网络连接各部门的计算机;

(2)称为 Hydra II 的内部通信系统,逐渐消除对电话的需要;

(3)一个"实时"损害管制系统(取代内部通信报警),界面友好的绘图功能,使得舰船能够废除层压损害控制盘及油脂铅笔;

(4)两个新的控制系统:综合舰桥系统(由一个自动雷达标绘仪和电子海图组成)、通过光纤控制转向的现代操舵台;

(5)与智能舰船上类似的机械控制系统。

GATOR17 第二阶段的安装正式开始于 1998 年。这一阶段的重点工程包括:

安装污染防治系统,例如使用过滤系统(将石油产品从污水中过滤出来,污水可以直接抽离船只),以及腐蚀控制设施(使舰船能够不依靠外部承包商的协助而进行喷沙和粉末涂层阀门,水密门及其他工作)。

LPD - 17(圣安东尼奥级)是美国海军最新型的两栖舰船。它正在取代旧的 LPD - 4 级。圣安东尼奥级的任务是装载、运送和卸载美国海军陆战队的先进两栖突击车(AAAV),气垫登陆艇(LCAC),以及 MV - 22 鱼鹰偏转旋翼飞机到世界各地的冲突点。其设计的主要着眼点是可靠性,生存能力,及战争能力。第二个主要的设计目标是减少运行费用,提高舰船将高新技术纳入其生命周期的能力。这里要注意的重点是该项目办公室"强调充分运作准备和在减少人员配置前验证削减是否有效的重要性"。

研究小组会见了 LPD - 17 人员配置的权利部门,我们的谈话表明,人力优化(包括整合人机一体、人性化设计和技术,以改善性能)开始于使用"所有权设计"方法的设计早期阶段。LPD - 17 的设计团队使用三维模型为潜在用户显示舰船完成后的样子。潜在用户能够将自己的更改意见实时的提供给设计者,使得操作更加有效率。1 200 个设计更改项里有 300 个已经在进行。在早期设计阶段还有一个重点是使技术嵌入和升级更为容易,从而在未来完成节省人力资源和提高作战能力的目标。

LPD - 17 是在美国新的购置政策下第一批建造的舰船,此项政策考虑了总的运行费用,其中包括原始购置,维护和运行费用。该级别所有舰船运行和保障费用降低的目标是 40 亿美元,除其他事项外,完成此项目标需要削减 20% 的人员配置。在费用与运行效能分析中原本有 450 个工作岗位,而在舰船人力预备文件中,这一数字被减少到 382 个,但距超过 22% 的削减目标仍然有 22 个(Koopman和 Golding,1999)。目前舰员人数是 361,这个数字希望在某项技术获得认证之后得以减少。

评估 LPD - 17 计划的人力资源时,许多项工作要被认真考虑。LPD 人力资源很大一部分是在舰岸之间移动设备,所以在舰上安装一个易于接驳码头的侧面斜坡,就能便于设备的装卸。电梯在加快装卸载过程中也具有重要地位。关于减少食堂排队,以及饮食服务其他方面的设计变动已经实施。为了更好地实现人体工程学和人性因素的保障,舰桥和作战信息中心进行了重新设计。安装了更多的舰上训练系统。LPD - 17 的代表指出,无线通信和舰船新型广域网在削减人员配置方面的贡献在于极大地提高了效率。

不是所有减少人力的结果都是通过采用技术获得的。在实际工作、常规做法以及技术嵌入方面的综合变化一样能够对人员削减做出贡献。LPD - 17 人员配置中 43 个岗位的减少,是由于执行警戒岗位需求改变的结果。另一种实践中采用的方法是更换设备以减少保养维修,例如把大型、笨重、维修率高的设备更换为小巧灵活和更有效率的电脑。有一些变动需要增加舰员,例如,增加训练部门的人数,该部门可以包括 5 ~ 7 个人。LPD - 17 的工作人员不断向我们强调,任何数量的减少都不能轻易归因于一个特定的变化。这是设计改进、增加技术、实践和政策改变的综合作用结果。工作人员表示,单纯对应于某个特定变化的数量改变,实现起来是非常困难的,而且也不能代表这种变化影响的最终价值。

除了上面提到的技术和措施,智能舰船方案还有其他几个涉及 LPD - 17 的措施:

(1)第Ⅲ阶段工作情况监督的变化;

(2)电子数据交换,用于减少各种管理操作;

(3)安装 EZ - Pup Ⅰ,一个商业消防处理装置;

(4)ICAS 终端和独立工作站;

(5)用本地遥控装置以及 COTS 远程执行器,更换冷却水和消防阀门(从损害控制台提供手动关闭阀门,本地遥控,或远程控制能力);

(6)自动日志保存,包括安装设备关键工程参数的自动记录器,显著减少检测者的记录需求。

其他改进包括:舰用发动机冲洗装置的安装,减少所需的人力和维护;智能电力资源管理系统以及其他电子或电力管理增强措施。

LPD – 17 计划利用了"智能技术"和人力优化的有利条件,提高操作、减少工作量,并实现了运行和保障费用的显著节约。表 B. 13 由 LPD – 17 人事管理部门提供,显示出对提高操作和减少工作负荷及费用有重要影响的主要技术和改进区域。

表 B.13　LPD – 17 上加强业务和减少工作负荷及费用的方法

智能技术	其他改进措施
先进的食品服务	高级两栖突击车(AAAV)
发动机控制系统	AEM/S 旗杆
光导纤维设备	腐蚀控制变更
火/烟感应系统	高坚固涂层
集成桥接器	削减维修
集成工况和评估	优化人员配备(设计调整)
集成产品数据环境	定向维修概念
舰船广域网	潮湿环境瓷片覆盖
基于 C4I(命令、控制、通信、计算机和智能)的智能追踪	SCBA 对 OBAs
整船训练系统	润滑油自清理/海水滤网
废水管理系统	隔热瓦
无线通信	合成甲板铺板
	钛管道
	双螺杆冷冻压缩机
	水密门改变

(六)荷兰皇家海军

荷兰在确定舰员需求方面的创新成果是众所周知的。在类似舰船上,相对于其他国家的海军舰艇,荷兰海军通常有较低的人员配备。新的防空指挥护卫舰(ADCF)有 45 ~ 50 名的基本舰员,如果需要可以扩展到 100 名。最初设计的 ADCF 为 227 人的人员配备。

相对于英国皇家海军和美国海军,荷兰皇家海军(RNN)的预算相当小,因此削减人力对于实现预算是必须完成的工作。然而,RNN 并没有严格的自上而下的人员配备方法。ADCF 人员因素与舰船自动化部只是被给定了一个不能超过的上限,可以灵活地独立提出人员数量。ADCF 所提供的数量上限和人员因素与舰船自动化部所规定的数目相近。一旦上限确定,就需要在给定数量内设计最佳的人员配备可能。核心岗位如导航和作战信息中心(CIC)需要最先配备人员。余下的舰船人员编制就可以进行灵活设计,例如损害管制、烹饪和清洁等不需要持续工作的岗位。

人员因素与舰船自动化部的工作人员提出了一个概念,即"信心水平",削减舰员的主要理念就是对"信心水平"的优化。"信心水平"可以定义为:"信心水平描述了何种舰船功能可以实现到何种水平,以及何种舰船功能可以同时进行。"信心水平概念引入了一个有趣的人员配备理念:"在给定费用上限的情况下最大化信心水平",或者是在给定的信心水平下最小化费用。牺牲信心去降低费用意味着工作以先后顺序进行,进而减少人员规模,这主要是通过减少高峰工作量水平实现的。此类做法反映了部分不经常发生但却要求大量人员参加的工作,例如航行补给等。因此,当舰船涉及此类工作的时候,其他活动几乎就不再进行了。高信心水平是将应急能力与舰员的集体反应结合在一起的,所以牺牲信心水平来降低队人数会增加风险。信心水平的概念是灵活的,必须将风险作为考虑如何决定减少舰员的因素。与减少舰员相关的风险反映了在战斗中特定舰船的任务及其参与战斗的可能性。

通过制定任务的先后顺序以减少舰员的方法,适用于如烹饪和清洁一类的日常工作,这类工作对于平均工作量影响很大。高峰工作量和平均工作量的减少受政策和程序变化的影响最大,其次是技术执行的影响。目前,部分政策和程序的改变正在用于减少平均工作量(或主要人员)。

(1)减少预防性维护并将工作转移到岸上

ADCF 的一般业务程序是小部分或主要舰员执行安全和自卫等主要功能。许多预防性维护工作由岸上人员执行,大部分日常保养工作也在岸上进行。

(2)岸基专家

RNN 强调使用岸基专家来进行咨询和故障诊断,其提供的咨询内容包括:

第一,机械化应用,如流水线设备,以减少甲板上的工作量。

第二,引入通用教育程度更高的人员,以实现灵活性。这需要更广泛的变化,因为当前 RNN 的训练,教育和结构推广是针对现有舰船的要求。更一般地说,将现存编队中的人员结构集成为一种新设计的人员编制是很困难的。这样的组织原则可能会限制减少舰员的可能性。

第三,损害管制理念。最初的反应是采用先进的内置系统,然后再进行舰员跟进。这是一个决策支持技术进步的案例。除舰桥上、最高司令部或者轮机舱内的人员,其他人都被包含在损害管制当中,不过在没有损害管制的时候也要执行其他职责,如做饭,清洁等。

(3)无人驾驶控制中心

同样,这种转换也是基于先进技术,但在程序上的改变则是削减人员。在美国军舰上,最高司令部的警戒人员执行很多与舰桥人员相同的功能,如导航和水面舰艇追踪等,用以作为舰桥的备份,无人驾驶舰船控制中心就消除了这些多余操作。荷兰海军在这方面采用了"模块化舰员"的理念,这种模式基本上与美国的核心/弹性概念相同,额外的舰员"模块"可以按照任务要求添加到舰船上。

荷兰海军还通过设计和技术进步来节省人力。无人操作的最高司令部能够整合舰桥,通过电力驱动系统还可以进一步实现舰船自动化。

来自RNN的人员透露,他们的海军有许多独特的实践、政策和程序来帮助加速人力资源削减。例如,赞成新技术的系统似乎并没有美国或英国那样严格。进步是非常受欢迎的,而且不会遭到太多的阻力。几乎所有的组织都支持削减人力。

(4)可靠自主系统

该系统的目的是减少任务数量和提交给操作人员的信息量。自动化任务包括系统损坏部件的钝化作用,受损路径的隔离,损害发生时替代路径的激活,以及供应和需求系统的匹配。各项系统的自动化水平都不尽相同。

(5)自我配置的分布式控制网络。这种网络基于与环境有关的信息收集并自主决策,不依赖于人为操作。在灾害事件发生时,能够对自身进行重新配置。

(6)基于风险决策辅助的损害管制。设计该系统的目的是,用来帮助决策者评估风险并选择损害控制行为。它们需要实时收集关键系统和组件的数据,并集成软件和决策工具,最终显示给操作员。

技术评估表明,根据美国国家航空和航天局(NASA)的先进"等级准备"措施,荷兰海军考虑采取许多风险值较高的技术。这些技术包括人工智能,例如,在1级和3级间(没有确认),而其他依赖于技术的可靠自主系统,则处于4级和7级之间的水平(确认到原型阶段)。

(七)DD(X)

美国海军的DD(X)计划是为了建造未来的水面战斗堡垒,它使用了新的购置策略以及新的技术,用以最大限度地提高能力,同时对人员配置进行了削减。DD(X)购置策略最主要的变化源于"使用发展中的技术并在使用中进行技术升级"的目标。一个舰艇系列,包括未来的巡洋舰,都将使用DD(X)的技术。下列技术正在进行DD(X)上的工程测试应用:先进火炮系统、综合电力系统、双波段雷达套件、整舰计算环境、外围垂直发射系统、全封闭舰体、自主消防系统、集成水下作战系统。

为降低总的拥有费用,DD(X)计划将会优化人员配置,这项工作是基于广泛的人机系统集成进行的,并且考虑了人性因素工程学。DD(X)计划,之前称为DD-21计划,最初的人员配备目标是95名舰员。这一目标现已增加到125名舰员,其最大的人员编制为175人。保持费用合理和实现高作战效能的需求,需要一个系统化的方法,以尽量减少舰船全寿命总的拥有费用。

美国审计总署的报告中(GAO—2003),讨论了如何使DD(X)的舰员配置不同于之前传统的舰船。老式舰船的舰载系统是相互独立开发的,各系统都需要安排值守。系统集成和有关值守的交叉训练很少被应用。原有系统是"烟囱管"模式,也就是说,它们分别开发、维护,并按需要进行专门训练。"烟囱管"模式导致舰上需要许多专门人员和值守,增加了舰船的人员编制。

GAO报告还表明,DD(X)计划需要20个值守站,60个工作岗位—相对于DDG-51驱逐舰有了大幅度的减少,DDG-51拥有61个值守站和163个工作岗位。为了支持减少人员编制,DD(X)计划包括一种新的舰员操作观念,以人为本的设计和推理系统,舰船高级清洁和储藏系统,新的维护策略,自动损害控制系统,以及反馈技术和远距离支持。为了支持这个新的人员配置概念,DD(X)将在旧的舰船上消除部分障碍,这些地方上的原有系统都有单独的值守站,并且缺乏交叉培训。舰员将以多种技能的、资深的、经验丰富的人员配备为目标,进行功能区域交叉训练。通过使用"更换"而不是"修理"的维护策略,改进设备的可靠性,并且基于工况的检修方式将会减少对舰上维修专家的需求。DD(X)将整合全舰的传感器、武器和数据库,并改变针对不同系统需要不同专业人员的做法。这种方法将提高每个值守站的灵活性。

为了确保DD(X)人员配置优化方案的目标实现及总拥有费用的降低,海军将会强调人员编制和培训政策改变的必要性,让军舰以及各个系统能够配置更多训练有素的、更有经验的和具备多种技能的舰员,积极利用计划中的和已经体现出来的技术改进优势。人机系统工程师们将与舰队的操作人员一起工作,并将其引入早期的设计工程当中,使他们相信将要在未来军舰上安装的自动化技术。有经验的并拥有专业知识的DD(X)舰员将被要求进行全面的舰艇培训,并且能够胜任他们的岗位,因为减少人员编制增加了每个人的重要性。

(八)小结

为了提供潜在的与CVF相关的人员配备削减方案的依据,我们考察了不同国家海军关于削减人员编制的相关工作。

(1)将军舰划归到MSC

随着海上补给舰船由美国海军划归到MSC(大量使用非现役人员),在很大程度上减少了工作岗位的数量。舰员减少是可能的,因为舰员在上船报到及岸上补充之前都是经过全面培训的,例如,在正常工作时间内完成。

（2）美国航母

更令人感兴趣的是智能航母项目，主要在尼米兹级航母的改装中实施一系列的创新改进。其中最重要的创新是在全舰不同系统间建立一个用于分发状态数据的局域网。

（3）美国海军智能船

在导弹巡洋舰约克镇号上进行的试验中，核心/弹性概念的引入是人员配备削减得以实现的重要手段。航行中在环境威胁减少的情况下使更多的人员从事其他岗位的工作，但仍担负着值守岗位的需要，这样的做法使得人员配备更加有效。

（4）美国海军的人员配备最优试验

基于美国海军"米利厄斯"号驱逐舰和莫比尔湾号巡洋舰的创新理论是，在不影响战术性能的前提下减少人员规模。将预防性维修队伍转移上岸是减少人员编制的最重要的手段之一。在智能舰船方案中，较少的舰员进行交叉培训是最重要的手段。

（5）LPD – 17 及其他两栖舰艇

智能守门人计划适用于智能舰船原则的两栖舰艇。例如，舰船系统操作人员参与到设计过程中并给出提高效率的建议。

（6）荷兰皇家海军

荷兰在人员数量上限上受到比英国更加严格的限制，因此接受了较高的风险，将最具可预见性的工作分配开来，并由很少的舰员完成。RNN 也处在自动化的最前沿。

（7）DD（X）

这一整套技术将被用于未来美国的水面战斗舰艇。一个旨在消除"传统人员配备"的良好协议已经获得通过，"传统人员配备"与早期原有的系统平台相关。

OME、智能航母、智能舰艇以智能及守门人等越来越多的计划都显示出人员编制能够实现大约 15% ~20% 的削减。DD（X）和某些荷兰舰船可能会获得更高比例的人员削减。

十二、缩编方案的确定与评估

前文描述的一系列案例为节约或优化人力资源提供了广泛的方法和途径。我们把满足下列条件的方法确定为减少 CVF 编制的备选方案：

（1）该方法能够减少人员编制的费用；

（2）该方法能够减少工作量或需要的劳动力；

（3）该方法能够提高效率进而可以减少编制；

（4）该方法能够为多个平台广泛采用。

我们认为建立标准很重要，达到这些标准的方案包括引进技术、改变政策或机制、革新设计等方案,或者是上述几点的总和。

通过对各种案例的调查研究,我们确定 130 个方案作为备选方案,以对它们进行进一步的评估。这些方案在 CVF 的人员编制上都具有技术上和运行上的可行性。我们的评估内容包括对如下问题的定性判断:这些方案对费用和人力需求的潜在影响、这些方案的技术准备情况或技术的成熟度以及使用这些方案的风险等级。这个研究阶段是通过访谈、查阅文献和报告、评估采用的技术、政策和程序来实现的。

在本部分内容中我们确定并描述了 57 个方案,我们认为这些方案有减少人力需求的潜能,并符合费用、风险和技术准备等级的要求。我们按部门对它们进行了分类(把涉及全舰范围的方案单独作为一类),逐个部门把它们罗列出来。在描述这些方案时,我们同时给出了定性的评价(全部 57 个方案中有一些方案比其余的更有吸引力)。通过表格的形式,我们总结了各个方案在我们研究的案例中的优势。最后,对所有方案进行综合讨论,以表格形式列出了讨论结果,并给出了根据上述工作获得的一些关于 CVF 在那些地方可以减少编制的想法。

我们从以下三个角度评估这些方案,它们保证了我们对这些方案的讨论是合理的。

(1)操作风险

我们把操作风险定义为危及航母安全的任何变化。操作风险分为三个等级:低风险,是指技术失败不会或几乎不会危及航母的安全;中等风险:是指技术失败会暂时地,或较大程度地危及航母的安全,但是不会导致灾难性的、无法复原的事故;高风险:是指技术失败会导致航母安全性或生存能力大幅下降,或者严重地危及航母或舰员的安全。

(2)技术成熟度等级

我们对技术成熟度等级的分类源于美国航空航天管理局为评估技术风险颁布的标准(表 B.14)。我们把美国航空航天管理局颁布的九个等级修改为四个等级(表 B.15)。

表 B.14　美国航空航天管理局颁布的技术成熟度等级标准

技术成熟度等级 1	观察并报告了基本原理
技术成熟度等级 2	系统表述了技术概念和用途
技术成熟度等级 3	分析、验证关键功能和证明概念的典型特征
技术成熟度等级 4	在试验室环境中元件和试验模型的验证
技术成熟度等级 5	在相关环境中元件和试验模型的验证
技术成熟度等级 6	在相关环境中系统/子系统模型或样机的验证

表 B.14(续)

技术成熟度等级 7	空间环境中系统样机的验证
技术成熟度等级 8	完成实际系统并通过飞行资格测试
技术成熟度等级 9	实际系统成功完成飞行任务

表 B.15　兰德公司为评估 CVF 颁布的技术成熟度等级标准

技术成熟度等级 1	技术处于概念阶段(对应于 NASA TRL 1－3)
技术成熟度等级 2	技术处于试验验证阶段(对应于 NASA TRL 4－5)
技术成熟度等级 3	技术处于样机阶段(对应于 NASA TRL 6－7)
技术成熟度等级 4	技术处于实际可操作的系统阶段(对应于 NASA TRL 8－9)

(3)名方案缩编潜力的简要定性判断

在看关于各方案缩编潜力的简要定性判断时,我们应该时刻提醒自己:缩编是一个复杂和反复的过程。在 CVF 的不同就绪等级和方案的不同演化下,每一个舰员都有几种不同的职责。在岗位表的演化下,引进一项技术或一个设计、政策或机制的变革,可能减少对某一个舰员的需求。但是,我们要重新检查这个岗位表以判断这个舰员的其他职责是否可由保留的舰员来履行。我们采用每一个缩编的方案后都要做这个工作。只有当一个舰员的所有职责都消失了或者完全由其他舰员来履行时,我们才能裁减这个舰员的职位。

裁减舰员编制要非常谨慎,要确保保留的舰员有能力履行这些额外的职责。舰员的职责和技能常要求特定的培训并取得相应的资格。如果考虑减少舰员,那么就要增加保留下来的核心舰员的训练时间,使他们获得相应的资格。采用一个方案带来的变化和对一个舰员的所有岗位表职责进行重新分配的能力的总体效果决定了这个方案减少舰艇编制的能力。我们必须考虑这些因素,不仅在开始设立编制时要考虑,而且在航母的全寿命周期内,只要编制发生了变化,就要考虑这些因素。

1. 损害控制方案

我们把与损害控制有关的缩编方案列在表 B.16 中。不同的方案风险不同。损害控制技术是针对事故属性而设计的,如果技术的某个环节出现问题,那么它带来的风险可能是很高的。有些损害控制技术还在试验,并不是所有的技术都马上就能用。因为损害控制部门是人力需求最大的部门,因此这些方案对减编意义重大。

表 B.16　损害控制方案

	军事海运司令部	LPD－17级两栖船坞运输舰	商船	智能舰艇/OME	美国航母	荷兰皇家海军	DD(X)驱逐舰
自助式呼吸器	√	√	√	√			
舱室遥感		√	√	√	√	√	√
灵活的损害控制响应小组				√			
系统失败时自动识别可选路径						√	
自动从网络中隔离被破坏的路径						√	√
自动停止被破坏的系统单元						√	√
自动化损害控制	√	√	√	√		√	√

注:表中的√表示我们考察的方案已在各平台上使用(有可能有些方案已在平台上使用,但是没有标记出来)。

目前美国航母损害控制部门达到 1 100 人,这比我们 CVF 计划的总编制还要多。有建议说通过现代通信系统的应用、现有商业损害控制设备的改进、条令的修订和组织的精简,美国航母损害控制人员可减少约 700 人。很明显,损害控制技术、政策和机制的发展使得美航母的人力需求的大量减少,对我们的 CVF 来说也是可能的。

(1)自助式呼吸器

自助式呼吸器是替代氧气呼吸器的新型消防呼吸设备。老的氧气呼吸器既笨重、比较难戴,操作又困难,而新的自助式呼吸器穿戴比较容易,操作也比较简单。因为自助式呼吸器使用简单、性能可靠,所以比现行的氧气呼吸器风险更低。民用企业和消防部门已使用自助式呼吸器。这种设备的生产技术是现成的,美国海军已广泛配发了这种设备,舰员们使用后的反映不错。这种设备简化了操作,但是可能不会影响消防人员的数量需求。因此,采用这个技术不能大量减少编制。

（2）舱室遥感

舱室遥感涉及一系列测量液位、烟、热、压力和噪声的传感器,这些传感器可以代替舱室的舰员。舱室遥感技术已在商船、LPD－17 级两栖船坞运输舰,智能舰艇、美国航母、荷兰舰艇上使用,DD(X)驱逐舰也计划使用这种技术。使用遥感技术减少了有人舱、探测和安全警戒的人员需求。因为这项技术已经得到广泛使用,则可以认为远程传感器是可靠性高、风险低的选择。远程传感器减少了日常值班人员的需求,可以减少人员编制。从传感器的使用情况来看,传感器的费用比节省的舰员的费用要低。

（3）灵活的损害控制响应小组

灵活的损害控制响应小组反映了美国海军的政策在智能舰艇平台上的一个变革。这一想法是:一艘舰艇有几个快速反应小组,他们负责处理舰上的火灾、水灾等事故。过去发生火灾时,全体舰员各就各位,关闭所有的标有 X,Y 和 Z 的隔离装置,这使得全体舰员在整条舰上设置了很多不可穿越的边界。灵活的损害控制响应小组根据事故发生的情况,迅速组织相当的力量处理事故。另外,在海军的最优人员分配试验中,增加了舰艇的主要工程维修人员(维修 5 组),减少了舰艇前部维修人员(维修 2 组)和舰艇后部维修人员(维修 3 组)的人员。维修 5 组负责处理主要的工程事故,2 组和 3 组作为预备队。在主要事故经常发生的地方,增加维修 5 组的人员使得处理事故的力量得到了加强。灵活的损害控制响应小组反映了政策的变革,而且这个变革是低风险的。根据这个政策制定的损害控制方法有助于减少编制,而且这个政策变革的费用应该很低。

（4）自主系统

荷兰皇家海军正在开发这种技术。智能系统通过计算机网络与外界通信,自动把设备重新设置到默认的或安全的状态,而不需要操作人员介入。在某些情况下,操作人员面临许多紧急决策或紧急任务,而且将来减少编制后,信息超过负荷的情况会更严重。自主系统能有效减少操作任务和信息负荷,使得工作量更加容易管理。自主系统具有以下三种功能:自动识别可选路径;自动从网络中隔离被破坏的路径;自动停止被破坏的系统单元。

以自主系统处理冻破的水管为例来说明其功能。如果是人工处理系统,维修员会关掉系统损坏的部分,把这部分与系统剩余的部分隔离开来,然后改变供水路线,把水供给要害部门,同时监测供水系统以平衡负载使之在设备的参数范围之内。如果是自主系统来处理,当水管破裂时,包含传感器和远程控制阀门的自主系统能够监测系统的压力和运行参数,重新配置供水系统,整个过程不需要人员干涉。

自主系统还处在初步设计阶段,荷兰皇家海军和美国海军的 DD(X)级驱逐舰正在考虑使用这个系统。我们认为这个系统的风险等级为中等风险,因为这项技术的可靠性还没有得到验证。自主系统确实能减少编制,尽管使用这个系统究竟能减少多少编制还不清楚。相关的评估没有提供足够的信息,因此不能确定这个系统的费用。

(5)自动化的或高级的损害控制系统

自动化的或高级的损害控制系统是一个集显示器、工作站、控制台或计算机为一体的系统,它们分布在舰艇的各个部位,通过局域网互相连接。实时动态显示器显示来自光、烟、水箱水位等传感器或由人工输入的信息,把事故的相关情况通报给各个岗位。为了遏制事故所必需的舱位信息可以显示给相关部门以协调控制事故。这些信息包含如何电动隔绝发生事故的舱位和该舱位的主要消防预案。自动化的损害控制系统的相关概念包括:使用损害控制系统水泵灭火的能力;火、烟传感器系统;自动关闭冻住的水管、煤气管道和通风系统的所有阀门;控制全舰关键部位分布的一系列点源喷雾灭火系统的能力;远程激活灭火剂如:形成水膜的泡沫和二氧化碳;煤气管道破裂的自动检测和隔离;自动化的边界冷却和船舱排水。

LPD-17级两栖船坞运输舰采用了自动化损害控制的基本思想。自动化损害控制的其他一些形式还可以在商船、智能舰艇、和荷兰的军舰上看到。DD(X)驱逐舰也计划使用自动化损害控制。使用自动化损害控制风险高,因为技术环节出现问题必然会对舰艇的安全保障带来不可避免的危险。即,一个显示器出现故障或阀门的远程操作失败都可能对舰艇和舰员造成危害,让控制事故的努力化为泡影。但是,这项技术是现成的,而且自动化损害控制可以减少人力需求。通过远程操控损害控制设备,一个可靠的系统可以减少损害控制部门的人员需求。

2. 航海工程方案

我们确定的航海工程方案罗列在表 B.17 中,这些方案风险低、技术成熟,费用和对编制的影响各不相同,下面对此进行了讨论。

表 B.17 航海工程的方案

	军事海运司令部	LPD-17级两栖船坞运输舰	商船	智能舰艇/OME	美国航母	荷兰皇家海军	DD(X)驱逐舰
无人值守机械舱	√		√	√		√	
钛合金海水管道		√		√			
反渗透		√					
岸上的军事机构的预防性维护				√			

表 B. 17（续）

	军事海运司令部	LPD – 17 级两栖船坞运输舰	商船	智能舰艇/OME	美国航母	荷兰皇家海军	DD(X)驱逐舰
倾斜控制系统		√				√	
综合化状态评估系统		√		√			
民用加热和通风系统	√		√				
自动化的燃料控制			√	√	√		√
全电力辅助系统		√			√		√

注:表中的√表示我们考察的方案已在各平台上使用(有可能有些方案已在平台上使用,但是没有标记出来)。

（1）无人值守机械舱

采用无人值守机械舱的政策是一种商业实践,已在智能舰艇上、最优人员配备试验中和荷兰皇家海军中实施,DD(X)驱逐舰也可能实施这个政策。尽管机械舱可以远程控制,美国海军通常还是采用有人机舱。远程监控和闭路电视等技术常用于确定船舱里的工程事故或不安全的状况,这些技术为无人值守机械舱的政策的实施铺平了道路。通过与远程监控相结合,维护无人值守机械舱的风险低,而且监控设备是现成的。维持无人值守机舱可以减少编制,因为它减少了对机械舱值班人员的需求。

美国海军正考虑在战舰上使用钛合金海水管道。这种管道能够抵御海水和海上空气的腐蚀。由于钛管优良的抗腐蚀性能,使用钛管需要的维护比使用现有的铜镍合金管少得多,因此可以减少编制。

（2）反渗透

舰上传统的海水淡化使用蒸馏设备,把海水加热成蒸汽,蒸汽冷凝得到淡水,而反渗透是通过过滤掉盐、小颗粒和其他杂质来获得净化的淡水。一项私人的商业性研究指出如果海军采用反渗透淡水系统能节省大量费用。LPD – 17 级两栖船坞运输舰采用了反渗透技术,但是该技术对减少编制的影响可能不大。

（3）岸上的军事机构的预防性维护

美国海军的智能舰艇和最优化人员配备试验把舰员送到战备维修组的海岸基站进行培训,让他们学习维护技术。等到舰艇再靠岸时,准备支援部队的舰员们再返回到舰上,对舰上设备和系统进行修正和预防性维护。以前,为满足支援作战任务的需求,海军需要派技术人员上舰经受紧急训练。现在做法的好处是不再需要这些人了。这样做对费用的影响还不清楚,因为这似乎只是简单地将在舰艇上进行的维修的费用转移到了岸上。维修任务还是要有人去完成的,只不过去完成的人不一样罢了。

（4）倾斜控制系统

倾斜控制系统用水位指示器监测倾斜控制厢。这些系统采用远程监测,可以代替人工的测量水位。倾斜控制系统提供了集监测、控制、水泵和电动阀门的操作于一体的倾斜控制功能。LPD－17级两栖船坞运输舰使用了倾斜控制系统,美国航母也正在计划安装倾斜控制系统。这个系统的主要好处是减少了值班人员的负担,费用低,但是减少编制的可能性不大。

（5）综合化状态评估系统

综合化状态评估系统是自动化的机械状态监测和评估技术,它使得基于状态的维修和航行日志的产生成为可能,特别是对舰艇的机动系统而言。该系统通过连接舰艇的数据库把装备的配置和后勤信息提供给操作人员。美国海军各型舰艇都有使用这个系统。这个系统的好处包括减少了设备故障、维修费用和能源消耗。这个系统的费用不高,减少编制的可能性不大。

（6）全电力辅助系统

全电力辅助系统替代蒸汽动力用于加热、烧水和烹饪。蒸汽动力辅助系统是人力密集型系统,因为蒸汽管道维护、保养困难。LPD－17级两栖船坞运输舰使用了全电力设备,美国的新型直升机登陆舰和船坞登陆舰也要装备全电力设备。一项私人的商业调查指出,如果美国航母采用全电力辅助系统可以减少维修工作量和全舰的重量。这项技术对减少编制影响可观,但是其他费用还不能确定。

与使用传统的重力排水系统相比,使用淡水真空污水收集技术可以减少污水系统维护90%的工作量,而且全舰的污水、废水和食品垃圾总量可以减少70%。处理费用将大幅下降。真空系统还使用小口径的铜镍不锈钢材料的管道系统,这也可以节省一些材料费用。因此算上前期投入,这套系统仍可以减少全寿命周期费用,而且减轻了舰的重量,节省了舰上的空间。不过,尽管这套系统的维护至多需要一个士兵,使用这套系统对减少编制影响很低。

3. 医疗和牙科部门的方案

医疗和牙科部门的方案对减少编制也有一些作用。一项关于美国航母的私人调查建议,当船靠岸时,可以将舰员送到岸上的机构进行治疗而不是在船上进行例行牙科护理。调查指出在岸上设置设备齐全的牙科机构是更高效的方法,这个方法不仅可以减少舰上牙科医生的负担,而且更好地满足了舰员例行牙科护理的需求。同样的调查还建议合并医疗和牙科机构以提高传染性物质的处理和管理事务的记录的效率。采用这两个建议可以减少工作负担和费用。

4. 供应部门的方案

我们把各个研究案例中采用的供应部门的方案列在表 B.18 中。所有的方案都是低风险的,需要的技术也都在现有的系统中使用过。大部分方案需要的投入和维护费用低,但是也有例外,见下述分析。

表 B.18   供应部门的方案

	军事海运司令部	LPD-17级两栖船坞运输舰	商船	智能舰艇/OME	美国航母	荷兰皇家海军	DD(X)驱逐舰
升降机代替带式包裹传输机	√	√					
智能卡/不用现金的舰艇/自助售卖机	√	√		√	√		
厨房和储藏室的最优分布与设计	√				√		
将管理部门设在岸上	√			√	√		
自助邮戳机	√			√			
自助邮资机	√			√			
采用信息技术减少后勤和其他管理的工作量	√	√		√	√		
签订货物装卸合同		√			√	√	
自动化的存货清单和物资管理系统					√		
高级餐饮服务	√	√		√	√		√

注:表中的√表示我们考察的方案已在各平台上使用(有可能有些方案已在平台上使用,但是没有标记出来)。

(1)使用升降机代替带式包裹传输机

使用升降机代替带式包裹传输机可以把一托盘的补给运送到舰上的升降机上,物资的存取更方便。与传统的输送系统相比,这个系统需要的装卸货物人力更少。升降机比带式传输机更安全,而且更容易将货物从一艘船上转运到另一艘不同高度的船上。MSC 和 LPD-17 级两栖船坞运输舰使用了升降机系统,主要用于货物的装卸。那些需要大量人力装卸货物的舰艇,使用这套系统可以节约大量的人力资源,而且使用这个系统没有额外的操作风险,事实上这个系统改善了安全状况。这个系统的费用与舰艇的设计、升降机的数量及其他一些因素相关,对减少编制的影响值得重视。

(2)智能卡

智能卡可以提高效率,减少人力需求。智能卡是形状和大小类似信用卡的塑料卡片,包含了个人的信息如:财务信息、私人信息等。舰员使用智能卡在舰上和港口设有读卡器的地方买东西。用卡者在船上和世界各地很多地方都不用携带现金。在船上,舰员刷卡进入某些场所、从厨房获得食物、从自动售卖机或商店购买东西,这减少了个人用现金买东西的需求。MSC,LPD - 17 级两栖船坞运输舰、智能舰艇、OME 和美国航母都采用了智能卡技术。如果相关的信息系统到位的话,使用智能卡费用最少,但是对减少编制的作用不大。

(3)厨房和储藏室的优化分布与设计

例如,把厨房设在一起,可以共享包括职员在内的资源;排污、垃圾处理和其他各种功能可以结合在一起以节约人力资源。优化设置储藏室的地点可以通过减少舰员在路上的时间和寻找物资的时间,最小化舰员的工作量。目前,MSC 和 LPD - 17 级两栖船坞运输舰和美国航母采用智能设计以提高效率,减少舰员工作量。如果在舰艇设计时就采用这个方法,那么费用将是适度的,而且对减少编制的影响是可观的。

(4)管理部分设在岸上

将管理部门设在岸上是少许减少舰艇编制的一项政策措施。如果多艘舰艇共用岸上的机构、职员和资源,那么可以形成经济规模,节省费用。把舰上的信息传输到岸上需要一些技术,但是这些技术都是现有的,而且已经投入使用。目前,MSC,LPD - 17 级两栖船坞运输舰、智能舰艇、OME 和美国航母都采用了这一减少人力需求的方法。

(5)自助邮戳机和邮资机

自助邮戳机和邮资机是一些简单的设备,它们可以替代人来出售邮票和提供邮政服务。MSC、智能舰艇、OME 都使用了这两种设备。使用这两种设备能够减少的编制较少。

(6)采用信息技术减少后勤和其他管理的工作量

访问、维护岸上的支付电子记录和个人电子记录的功能只是用于减少后勤、管理与执行工作量的诸多技术中的一种。通过使用智能卡、个人数字助理和智能传感器等自动化的日志记录技术可以稍微减少编制,同时又提高供应链的效率。它还可以把原先设在舰上的管理薪水的职员岗位转设到岸上。如果信息系统的支持就位了,它的费用应该是最小的。MSC,LPD－17级两栖船坞运输舰、智能舰艇、OME和美国航母都使用了信息技术以减少日志记录和行政管理的工作负担。

(7)签订货物装卸合同

签订货物装卸合同是允许租赁私人公司进行货物装卸的政策措施。在执行海外任务和部署前夕,舰艇的货物装卸是人力密集型的工作。LPD－17级两栖船坞运输舰、美国航母和荷兰皇家海军有的使用了这个政策,有的正在评估这个政策的使用情况。这个政策的影响证明它能大幅减少货物装卸和物资补给的人员需求。是否让承包商装卸货物主要物取决于租赁的公司和当时对该问题的评估,但是,这个政策减少的工作量及节省的后续的人力资源是可观的。

(8)自动化的存货清单和物资管理系统

自动化的存货清单和物资管理系统可以减少大量的人力需求。自动化的存货清单和物资管理系统选择一种补给、可以判断这种补给物资是什么、决定它的去向、把它们储存好备用。反过来,它们可以读取输入的需求信息,确定需求的东西存放的地点并且找到它。这个系统有一个数据库,记录了存货清单和库存量,当库存下降到某一水平时,它就会发出订单、购买物资、充实仓库。这些系统可以和升降机、带式传输机、产品编号扫描仪、射频编码器、智能信息系统和自动装置构成一体化系统,费用不高,但是节省人力的效果也一般。这项技术已在制造业中广泛使用。针对军事应用的系统也研制出了原型机,针对美国CVF的系统正在评估中。

(9)高级餐饮服务

高级餐饮服务包括了许多节省人力或提高效率的技术和实践。已经使用的技术包括:食物快速冷冻和加热技术,巡洋舰使用了该技术;用苏打汁代替罐头,这样减少了垃圾,节省了空间;使用标准菜单,这样订餐更容易,浪费也更少。而且,改善餐饮服务不需要通过大的变革来节省人力资源。甚至在军舰上使用自动洗碗机和塑料盘子也算是的一种改进。MSC,LPD－17级两栖船坞运输舰、智能舰艇、OME和美国航母正在使用高级餐饮服务,DD(X)驱逐舰也正考虑使用高级餐饮服务。这些革新没有风险或风险很小;都比较容易实施,技术现成,费用相对较低。与它们对节约人力资源、提高效率的效果相比,费用和风险不值一提。

5. 作战部门的方案

表 B.19 列出了作战部门缩减方案在几类平台上的分布情况。所有方案使用的系统都是现成的,风险低。大部分方案的费用低(例外情况在下文中讨论),但是节约人力资源的影响也低。

表 B.19　作战部门的方案

	军事海运司令部	LPD-17级两栖船坞运输舰	商船	智能舰艇/OME	美国航母	荷兰皇家海军	DD(X)驱逐舰
多模显控台		√					√
先进封闭式桅杆系统		√					√
综合舰桥系统	√	√	√	√		√	
合并信号兵和领航员的业务				√			
自动化日志记录		√					

注:表中的√表示我们考察的方案已在各平台上使用(有可能有些方案已在平台上使用,但是没有标记出来)。

(1)多模显控台

多模显示器,例如安装在 LPD-17 级两栖船坞运输舰上的 Q-70,使得一个值班员可以利用一个显控台监控多个场景,另外还能够利用决策支持系统提高态势认识。这项技术还没有被证明能够减少大量舰艇编制。改进显控台的操作界面减少了人力需求,提高了值班人员的工作效率,因此需要的值班人员更少。美国海军的各种平台上都广泛使用了这项技术。而且,显控台采用的是商业技术和设计,显控台升级也很容易。

(2)先进封闭式桅杆系统

先进封闭式桅杆/传感器(AEM/S)系统封装了现有的雷达,有利于隐身和其他操作。通过封装主要的天线和其他敏感设备,AEM/S 系统保护了这些元器件免受严酷环境的侵蚀,从而减轻了维护的工作量,大幅提高了隐身性能。维护工作量的减少使得全寿命周期费用更低。LPD-17 级两栖船坞运输舰试用了这套系统,DD(X)驱逐舰正在考虑安装。这套系统的操作风险低于现有的桅杆系统。减少的维护工作量能节省很少人力资源,操作和战术性能的改善是推动这项技术实现的主要原因。

(3)综合舰桥系统

综合舰桥系统是一组辅助设备,能够帮助舰桥导航人员安全地驾驶舰艇。舰桥观通人员必须融合多源信息,确保航行安全、保障舰艇和舰员的安全。这些辅助系统提供了基于计算机的导航、计划编制、监视追踪、自动雷达标绘和自动舰船控制。综合舰桥技术已经在商业领域获得成功应用,被证明是一种高效的技术,可以提升态势认识,减少作战风险。军事海运司令部、LPD - 17 级两栖船坞运输舰、商船制造工业、智能舰艇、OME 和荷兰皇家海军以及其他一些平台使用了这套系统。由于提升了舰桥值班员的效率和警诫效果,因此可以削减值班员的数量,尽管这在减少编制方面的综合影响很小。

合并信号兵和领航员的业务。领航员负责在海图上标绘舰船的当前位置,为舰上的舱面指挥官提供安全航行的意见。信号兵负责可视通信,如灯语、旗语等,是舰桥值班小组的成员。通过合并这两个业务,每个值班小组可以减少一个值班人员。合并后的业务员需要负责舰艇的航行安全和可视通信。这项政策的费用变化相对较低,包含了信号兵和领航员两项培训的费用。这两项培训可以在舰上进行,但是可能还需要在岸上进行一些培训。

6. 舱面、航空和武器工程部门

舱面和航空部门是传统的人力密集型部门。下列方案的目标在于减少装载补给、回收锚和武器操作等专业岗位的人员需求。能否减少这些专业岗位的人员需求,取决于这些舰员的其他职能是否能够分派给其他舰员。

（1）使用传输机在岸舰之间运送物资

使用传输机在岸舰之间运送物资可以减少舰员的工作量,减少的程度取决于补给的频率和补给的数量,这可以大量减少编制。传输机能够高效地把补给从岸上运到舰上,比搬运需要的人要少得多。目前,军事海运司令部、LPD - 17 级两栖船坞运输舰和美国航母使用传输机搬运补给。这项工作几乎没有技术风险,完全没有操作风险,传输机也是现成的。

（2）锚链冲洗

通过安装在锚链管道上的设备可以冲洗锚链。这个装置在起锚时释放高压水冲掉锚链和锚上的淤泥以及有机物。它使得在起锚作业时,不需要舰员用灭火水龙带冲洗锚链,能节约少量的人力资源。这个装置没有或几乎没有操作风险,技术简单、现成,费用低。LPD - 17 级两栖船坞运输舰目前使用这套装置。

（3）自动装卸弹药

海军的入库和出库系统(NAVSTORS)正在研发当中。它是一种全自动的系统,能够自动搬运弹药库中的物资和弹药。使用体积大、人工操作的弹药装卸设备,在飞机和弹药库之间卸载或装载弹药是费时、费力的作业。目前弹药的卸载和装载使用手推车、叉式升降机和弹药升降机来完成。

在战斗对抗当中,对抗目标变化不定,需要能够灵活响应的系统给飞机装卸各种弹药以满足任务需求。人工装弹的速度会限制飞机出击速度。

弹药自动装卸系统可以减少弹药装卸的人力需求。而且,它能加快装卸的速度,最大化地利用仓库空间以储存不同尺寸和形状的弹药,还能在军火库中选择满足需要的弹药并自动把它移到升降机上。这些优点对于一个作战指挥官来说是非常有用的。

对文献的回顾和对美国海军官员的采访表明,弹药自动装卸方案在减少人力需求方面前景光明。专家正在评估这个方案的风险和费用,它们取决于平台类型以及具体情况。美国目前正考虑在CVF上采用自动弹药装卸方案。

与CVF的设计者联系后,我们得知,对弹药自动装卸设备是否进行投资的意见目前还没有达成一致。需要考虑的相关问题很多,举例来讲,CVF航母的主要任务是随时听从指挥官的调遣,打击对方目标。弹药自动装卸设备能够加速这个过程,提升CVF母完成这一任务的能力。在装卸弹药的过程中,使用弹药自动装卸系统的频率,节省的人力资源和系统的可靠性都会影响这个系统的投资回报。

7. 涉及全舰的方案

在表B. 20和表B. 21中,许多涉及全舰的方案致力于减少人员需求。由于舰员职责表规定了在值班期间和执行专项任务期间,舰员将会涉及全舰的诸多职责,所以涉及全舰的方案具有节省大量人力资源的潜力。当然,不同的方案,能够减少编制的程度不同。所有这些方案的特点是风险低,费用少(例外情况在下文中讨论),技术成熟。

(1)远程视频专家

利用通信和视频技术,航行中的舰艇可以记录下自身的情况,并向陆上的专家咨询解决问题的办法。关于设备故障的视频可以传输给陆上的专家,专家可以针对如何发现并修理故障给出建议。视频技术允许在必要时向陆上专家咨询,尽管操作和维修这些系统需要一些简单的技术。这并不是说舰艇只要通过向专家咨询就能够修复故障设备,有些设备可能是不可修复的。但是,这种记忆能力为有效维修故障设备提供了额外的资源。MSC,LPD – 17以及智能舰船都在使用视频技术。

表 B. 20　涉及全舰的方案(第1部分)

	军事海运司令部	LPD – 17级两栖船坞运输舰	商船	智能舰艇/OME	美国航母	荷兰皇家海军	DD(X)驱逐舰
通过视频技术利用远程专家	√	√		√			
使用甚高频手持无线设备	√	√	√	√	√		√
防腐蚀涂层		√	√	√	√		√
舰艇综合训练系统		√		√			

表 B.20（续）

	军事海运司令部	LPD – 17级两栖船坞运输舰	商船	智能舰艇/OME	美国航母	荷兰皇家海军	DD(X)驱逐舰
（监控器主导的）基于状态的维修	√			√	√		√
替换取代维修							√
以可靠性为中心的维修	√	√					√
维护工作的私人化			√	√			√
多批次舰员轮换	√						
安装低维护甲板材料			√	√	√	√	√

注：表中的√表示我们考察的方案已在各平台上使用（有可能有些方案已在平台上使用，但是没有标记出来）。

表 B.21 涉及全舰的方案（第 2 部分）

	军事海运司令部	LPD – 17级两栖船坞运输舰	商船	智能舰艇/OME	美国航母	荷兰皇家海军	DD(X)驱逐舰
人类系统集成设计		√		√	√		√
嵌入式培训		√		√	√		√
核心组与弹性组思想		√					
联合值班	√	√	√	√	√		√
在舰上使用非现役舰员	√						
使用闭路电视监视和监测全舰		√	√	√			√
多种技能的培训或交叉培训	√		√	√	√		√

表 B.21（续）

	军事海运司令部	LPD-17级两栖船坞运输舰	商船	智能舰艇/OME	美国航母	荷兰皇家海军	DD(X)驱逐舰
自动化的日志记录				√			
网络化的内部通信	√			√	√		√

注：表中的√表示我们考察的方案已在各平台上使用（有可能有些方案已在平台上使用，但是没有标记出来）。

（2）甚高频手持无线设备

这种设备大大减少了美国海军舰艇内部通信对话务员需求。甚高频无线设备是一项民用技术，它提高了舰艇指挥、控制以及指向等日常通信的速度。美国海军某些专业需要包含工程控制回路的网络支持，其中的控制回路就是由话务员实现把命令中继传达至控制站。甚高频手持无线设备允许指挥部门之间的即时通信，减少了在某些专业对话务员的需求。甚高频手持无线设备在各种测试场合中都得到了使用。使用这种无线设备减少了进行专业任务的人员需求，因此对减少人员编制影响很大。

（3）防腐涂层

防腐涂层的使用对舱面部门和其他部门的工作量有极大的影响。由于舰艇身处易腐蚀的环境中，维护舰艇需要大量的人力。大量的初级岗位分到舱面部门去除锈和涂漆，以保持表面的垂直和水平，这是一个人力密集型而且反复的工作。防腐涂层的改进可以增大维修（除锈和涂漆）的间隔时间。而且，航母的甲板涂的是防滑材料，需要定期进行重新喷涂。防腐涂层的改进可以增大重新喷涂防滑材料的平均间隔时间，减少工作量，从而潜在地减少维护甲板的舰员人数。喷漆需求的减少也减轻了这项人力密集型任务的负担。防腐涂层在除 MSC 之外的所有被考察平台上使用，它是低风险的方案，而且对减少人力需求的影响大。

（4）舰艇综合训练系统

一个更小的、优化的编制意味着舰上全体舰员对要完成任务都了如指掌。舰艇综合训练系统可以在任何时间、任何地点，一经请求就能够对广泛的任务进行训练，这些任务涉及了各种操作故障。LPD-17级两栖船坞运输舰、美国海军智能舰艇、OME 使用了这个系统。这个系统对人员编制的影响还不清楚，但是这个训练系统有助于保持性能，抑制风险，对减少人员编制是有帮助的。

（5）基于状态的维护（传感器主导的）

根据原则，对一个系统或设备进行监控，观察它的状态变化，并在设备状态发生变化时对它进行维修，以此代替原有的预定维护计划。状态维护的目标是精确检测系统的当前状态,准确预报系统的剩余使用寿命。在这一原则指导下,舰员只需在防止系统运行失效的时候对系统进行维护即可。这样就减少了周期性的维护,同时减少了机器失效的可能性。对设备的监控有两种途径:一种是由舰员经常性地检测设备状况;另一种是由传感器或利用其他技术定期记录和报告测量结果。很明显,用人去测量比用传感器或其他技术的费用更高。MSC、智能舰艇、OME 和美国航母已经采用了传感器主导的基于状态的维护原则,DD(X)驱逐舰也正在考虑使用这一原则。这一原则的广泛使用证明了此原则可以极大地减少不必要的维护,从而节省人力资源。此项人力资源的直接节省依赖于这一原则的应用程度以及这一原则与其他节约人力资源技术的结合程度。使用这一原则所需的传感器和网络技术是现成的,费用相对较低(与全寿命周期费用相比)。因为操作和技术的风险低、费用低,效果较好,所以这是一个不错的方案。

(6)更换取代修理

维护原则是,建议在舰艇上储备备用的零部件,在零部件需要维修时替代该部件。这样,损坏的部件可以送到岸上的维修中心进行修理,从而减少舰艇上各种设备的维修,以及降低相应的技术要求。DD(X)驱逐舰正在系统地研究这个方案。只有在这一原则被广泛使用,并且岸上的维修机构形成经济规模之后,这一方案才是经济的。这一策略的费用和节省的人力资源,极大地依赖于这一策略的使用程度、舰艇各种备份的数量以及舰员的技术水平。这一方案本身不需要专门的技术。

(7)以可靠性为中心

以可靠性中心是总的维护原则,它包含了基于状态的维护原则以及其他原则。在这个原则下,根据设备的历史状态和当前状态的广泛详细的信息来决定是否对设备进行维护或修理。这需要用到一个或多个系统及其部件的信息,这些信息包括平均修理时间和故障率。使用这个原则的好处是提高了资源的利用率,包括人力资源。MSC,LPD - 17 级两栖船坞运输舰、智能舰艇、OME 都使用了这个原则,DD(X)驱逐舰也正在考虑使用这一原则。

(8)维护工作的民营化

维护工作的民营化是减少核心编制的一种方法,该方法雇佣非现役舰员或其他一些私人机构完成一些必要的工作。这种方法主要适用于那些人力非常密集且需要专门工作人员的周期性工作,在这些情况下能最有效地减少人员需求。一个很好的例子是舰船涂装。节省人力资源的多少取决于哪些职能由私人机构来完成,不过采用这种方法总能够节省一些人力资源。在完成一项工作之前,该工作对于舰艇安全和国土安全的威胁程度需要进行评估,然后再决定是否雇佣私人机构。商船、智能舰艇、OME 都采用了这个办法,DD(X)驱逐舰也正研究这一方法的可行性。

（9）多批次舰员轮换

多批次舰员轮换是这样一个概念，即舰艇保持前沿部署，而舰员采用轮换制度。这个概念通过舰艇保持值班状态进而最大化地利用舰艇。这个设想在 MSC 的非现役舰员间获得了采用，美国海军正在试行这个方案。保持前沿部署的舰艇进行轮换舰员似乎不能节省人力资源。但是，如果舰艇保持额外的执勤状态，就可以更大程度地利用这些舰艇去完成任务，这就提高了战备能力。增加的执勤时间可以抵消增加舰员的费用。如果轮换舰员受到的培训与原舰员受到的培训不一样的话，那么操作风险可能就会很大。多批次舰员轮换是由更高级别的部门主导的政策改革，这项政策现在已进入实用阶段。

（10）安装低维护甲板材料

安装低维护甲板材料是指采用高级材料，这些材料是防腐蚀的，几乎不需要清洗，或者是免清洁的，或者具有可以减少维护需求的其他特点。冲洗甲板历来是人力密集型的工作。减少甲板的清洗和维护可以大量减少工作量，从而减少人力需求。由于这个原因，商船、智能舰艇、OME，美国航母，RNN 和 DD（X）驱逐舰都采用了这种低维护甲板材料。这个方案费用低、没有风险、具有明显的优点，是一个可行的好方案。

（11）人机系统集成

人机系统集成被广泛认为是达到人力资源优化配置的唯一途径。美军正在申请该方案进入购置程序。有关该方案的描述见第七章。人机系统集成方案并不一定能减少人员编制，但是能使得人员的配置更理想。该方案的费用取决于设计的变化、技术的选择以及其他各种因素。使用该方案可能减少操作风险，而不会增加操作风险。该方案涉及的技术很容易在新平台上实现。LPD－17级两栖船坞运输舰和美国航母在设计阶段就采用了该方案，RNN 在舰艇全寿命期间都使用了该方案。

（12）嵌入式培训

嵌入式培训是指舰船本身拥有成套的装备、设施和教练员，使得舰员不管是在港口还是在海上执行任务在船上就能进行培训。这个想法使得舰员可以在任何时间、任何地方进行培训，舰员的培训安排更容易、更灵活。例如，水手需要20个小时的培训，如果没有嵌入式的培训系统，他就要下船进行为期5天的训练。但是如果船上有嵌入式的培训系统，他可以更快地完成培训，而且在船上还能履行其他职责。该方案的费用与诸多因素有关，它的好处不在于减少了人员需求，而在于优化了人力资源和提高了全舰的效率。上述考察过的美国海军各型平台都使用了嵌入式培训系统。

（13）核心/弹性概念

核心/弹性概念是美国海军智能舰艇上正在试验的一个政策变革：大部分舰员在白天工作，这样他们的效率更高；而只有核心组的成员负责值班。形势需要时,增加核心组的值班人员或安排弹性组的舰员进入核心组以应付各种威胁状况和特别的工作。这一风险低、影响大的政策变革可以减少值班人员的需求,从而节约人力资源。

(14)联合值班

在联合值班时,合并值班岗位的职能,减少对值班人员的需求。联合值班是减少人力需求很有效的方法,但是它需要具备关于舰艇各个系统及其功能的详细知识。如果具备了这些知识,就可以评估值班的工作量、风险处理能力和其他事项,然后可以决定合并哪些值班职能。MSC,LPD – 17 级两栖船坞运输舰、商船、智能舰艇、OME、美国航母和 DD(X)驱逐舰都采用这一方法减少人力需求。联合值班的操作风险取决于舰艇的类型、舰艇执行的任务以及舰员。使用某些技术有助于联合值班,而且这些技术几乎没有风险。采取联合值班的方式没有额外费用或费用很少,而且这种变化很快可以完成。

(15)在舰上使用非现役舰员

CVF 已考虑在舰上使用非现役舰员来完成某些职能。机动岗位的舰员经常被派去完成一些附加的任务,如提供餐饮服务等。这些舰员必须进行培训,但是往往只在很短的时间内负责这些工作。使用非现役舰员来完成这些工作的优势在于可以按照民用标准来配置人员。在一些非战斗岗位,使用非现役舰员可以更有效地履行这些职责,而且费用更低。这项低风险、低费用、效果较好的政策已被MSC 采用以优化人员编制。

(16)闭路电视

用于全舰监控的闭路电视包括摄影机、信息系统和电视监视器,用以转播全舰各处状态和活动的实时视频图像。使用这一网络技术潜在的减少了对值班人员、损害控制人员和其他人员的需求。它还能改善通信功能和提高舰上各种作业的效率。目前,LPD – 17 级两栖船坞运输舰、民用船舶工业、智能舰艇、OME 和美国航母都采用了这一技术,DD(X)驱逐舰也在考虑使用这一技术。使用这一技术可以潜在地减少人员需求而且费用很少(假如已有一些基础网络的话)。采用这一技术的操作风险取决于使用它的平台类型,以及因采用这一技术而减少的人员数量。

(17)多种技能的培训或交叉培训

多种技能的培训或交叉培训是减少专业培训费用的一种方法。专业技能需要专门的培训,同时又限制了舰员所能从事的工作。例如,专业化需要达到一定的水平才行,但是要为不同型号的发动机分别配备不同专业培训的电工,费用很高。多种技能的培训使得受训的电工能负责不同型号的发动机。这也许能(不确定)减少培训费用,但是需要的人越少,费用越低。如果舰员受过多种技能培训,那么为舰艇分配人员也更灵活。这样做的风险与实际情况有关。这一转变需要很长时间才能投入完成,因为要建立、实施新的培训原则。这样做是很有好处的,因此 MSC、民用工业、智能舰艇、OME、荷兰皇家海军都采用这一方法减少人力需求,美国海军也在考虑在 DD(X)驱逐舰使用这一方法。

（18）自动日志记录

自动日志记录是一个节省时间的政策,或者说是一个机制的变化,它利用舰艇上安装的自动日志记录设备记录航泊日志。例如,从前领航员不得不在舰艇的航泊日志上记录每一次航速的变化,但是最近几年,航海工程部门的数据记录仪自动地记录这些情况。对电子记录舰艇活动的重视和对航泊日志记录的现实评估,减少了日志记录人员的需求。美国海军的智能舰艇、OME 正在探索节省时间的类似革新以减少舰上的冗余人员。这个机制的变化以很小的代价减少了值班员记录日志的工作量。

（19）网络化的内部通信

网络化的内部通信也许是减少人力需求最重要的一个着力点之一,因为它使得诸多减少人力需求的努力成为可能。它负责自动化的传感器、闭路电视、多模显控台、综合舰桥以及其他类似系统之间的数据传输。美国海军把它称作舰域网,它被许多平台所采用,包括这里提到的所有美国舰艇平台。网络通信最大的好处在于提高了效率,从而减少了人力需求。如果采取了正确的安全措施,那么它的风险相对较低。费用因船而异,但是它属民用技术,因此费用相对较低。

8. 综合方案

以前文的案例分析为基础,我们确定了 57 个与减少 CVF 编制有潜在关系的方案,这些方案在技术上和操作上都是可行的。其中的大部分方案根据其对费用的影响和对减少编制的影响列在表 B.22 中,其中七个方案的缩编和费用的影响本文估计不了,因此省略了它们。在表 B.22 中,两个自助邮政服务的方案合到了一块,因此列了 49 个方案。

我们要对其中的许多方案采取折中的办法,对各种品质进行权衡,然后才能给出评估结果。例如,由于弹药装卸将是 CVF 上人力最密集的操作之一,我们认为这项功能的自动化对舰艇的编制具有较高等级的影响。但是这可能也是一项费用高昂的改革,而且它的研制还没有进入原型机阶段,所以它在 CVF 上的可用性还不能确定。反过来说,许多方案费用不高、技术成熟,但是对人员需求的影响却相对较小(见表 B.22 的右边的最下一格)。

建立一个反应灵活的损害控制团队应该是一个费用低、对 CVF 的编制影响相对较高的政策变化,因为损害控制也是一个人力密集的操作。然而,根据倾向性的思想来分配履行这种关键职能的人员,这一做法会给舰艇的安全带来一些风险。

表 B.22 各种方案对 CVF 的费用影响

		费用影响		
		高	中	低
编制影响	高	（安装自动化的弹药装卸系统）	（自动化的损害控制 a）	灵活响应的损害控制小组 a 无人值守机械舱 联合值班 核心组与弹性组思想 在舰上使用非现役舰员 多种技能的培训或交叉培训 使用传输机搬运物资
	中		民用加热和通风系统 真空污水系统 替换取代维修 人类系统集成设计 网络化的内部通信 升降机代替传输机 厨房和储藏室最优分布与设计 （自动化存货清单和物资管理）	舱室遥感 陆上的机构的预防性维护 监控器主导的基于状态的维修 使用闭路电视监视和监测全舰 签订货物装卸合同 高级餐饮服务
	低		反渗透淡水系统 钛合金海水管道 综合化状态评估系统 民用金属和玻璃餐具 洗涤消毒机	自动化的燃料控制 焚烧炉 自助式呼吸器 倾斜控制系统 在陆上设置医疗和牙科部门
编制影响	低		多模湿控台 高级封闭天线系统	使用远程专家 防腐蚀涂层 以可靠性为中心的维修 维护工作的私人化 自动化日志记录 智能卡/不用现金的舰艇 将管理部门设在岸上 自助邮政服务 信息技术减少管理工作和日志记录的工作量 综合化舰桥系统

表 B.22(续)

		费用影响	
	高	中	低
			合并信号兵和领航员的业务
			安装低维护甲板材料
			锚链冲洗

注:a 表示中等或高等风险,其他为低等风险。

( )中的方案表示还没有可操作的系统(还处于样机或更早的阶段)。

不过,并不是所有的方案都需要去权衡它们的积极影响和消极影响。一些可用方案费用低,而对减少人力有着中等或高等影响,尽管可能带来一些低等级的风险(见表 B.22 最后一列的上面两格中低风险的方案)。在这 12 个达到我们设定标准的方案中,6 个是涉及全舰范围的,这些方案对编制具有广泛的影响;3 个方案涉及可供选择的人员分配方法:联合值班、核心/弹性概念和用非现役人员替代现役舰员。例如,核心/弹性概念,这一思想是由美国海军的智能舰艇计划倡导的。它的使用极大地减少了值班人员的数量,而且使得更多的舰员在白天工作。这样,舰员能更有效地完成培训和维护他们的设备;而在形势需要时,弹性组的舰员可以加入到核心组。

值得注意的是 12 个最具吸引力的方案中,有 7 个是政策性或机制性的措施而不是引进技术的措施,后者一般来说费用更高。事实上,在表中所列的所有方案中,政策性和机制性的方案减少了最大块的人员编制。但是,全面实现其中一些机制性的措施,需要升级技术支持。反过来说更是如此:如果相应的政策和机制的变革没有出现的话,引进技术的好处往往不能完全实现。例如减少值班员和综合舰桥系统的关系就是如此。综合计划小组应该仔细地评估以节省人力资源为目的的政策和机制的变革。这些变革可能会减轻在进一步减少人力时,出现的技术、设计和财政方面的挑战。

还有其他一些原因使得我们分析表 B.22 中的评估结果时要谨慎。在某些案例中,费用很大程度上取决于平台的类型、是否使用民用技术、提供什么程度的培训等等。某些方案对全部人员编制的绝对影响,如:编制越大,减少编制的潜力越大。最后,如果一个方案具有减少舰员的潜力,那么这个潜在可能性的实现取决于保留的舰员能否承担原有的全部工作量。

这 12 个方案应获得重点关注,同时还有一些很有希望的方案,虽然它们的费用稍微高了一点(见表 B.22 中央一列)。例如,如果舰艇设计一个单独的厨房以及与之相连的就餐场所,皇家海军就能减少费用、节省空间、减轻舰艇吨位、节省人力资源。安装吊车在两个平台之间传输成批的货物,可以减少装载货物所需要的大量人力。积少成多,表中那些对减少人员编制影响较低的方案也不应该被忽视。

还有很多减少人员编制的方案,在其他平台上进行了试验或已计划进行试验,它们可能有助于实现 CVF 减少编制的目标。我们在这里不能说 CVF 就应该采用这些方案,即采用这些方案可能带来减少编制的好处,但是也带来相当的额外费用。航母的设计还不够成熟,我们也没有关于航母设计和现阶段编制的详细资料,因此无法对它们进行估计。我们不能判断采用这些方案是否有助于 CVF 设计人员接近、达到、甚至超过减少编制的目标。我们不清楚这个目标依赖哪些假设,也不清楚这些假设是否包括采用我们确定的一些或许多方案。尽管如此,表 B.22 还是提供了一份有用的清单,以方便进行后续的评估。

9. 优化人员编制缩减的原因

CVF 的吨位比无敌级航母大很多,那么为 CVF 配置 605 人的编制就是一个大胆的甚至是革命性的设想。由于缺乏可靠的数据,我们对实现这个目标并没有多少信心。但是我们还是有理由对编制进行优化:

(1)英国及其他一些国家对减少舰艇的全寿命周期费用,有很强的财政原因。因为人力资源的费用在舰艇的运行和保障费用中所占比重最大,在 35—40 年的舰艇寿命期内,减少舰员能省大量的费用。

(2)皇家海军和竞标 CVF 的主要承包商已经把减少编制作为舰艇设计和计划要达到的重要目标。人机系统集成的实施应该支持这一目标的实现。制定编制的部门和设计部门的协作正在进行中。

(3)因为 CVF 的设计还没有完成,设计的进一步改进对于综合减少编制的措施还留有空间,特别是那些依赖于技术的措施。甚至一个成熟设计仍然能够从政策和机制的变革中获益,我们的案例研究证明了这一点。

(4)培训能完成多种职能的舰员,这一关于操作人员的政策还将继续促进和支持编制的减少。理想情况是,一个舰员能够完成舰上的任何职能。当然这是不大可能的,但是把相似的技能进行分组,如皇家海军把 33 类岗位合并成 17 类岗位,这样做增加了使用舰员的灵活性,舰员可以进行范围更广的培训,以具备完成多种职能的能力。高级的、更有经验的和综合能力更强的舰员可以促成节省人力资源。这样的舰员似乎并不具备明显的优越性,但是财政情况和技术革新促使皇家海军朝这个方向发展。

(5)随着技术的发展,人类对技术的依赖程度越来越大。旧有的人力密集型思想最终要给新技术带来的竞争力优势让路。新技术的可靠性能得到保证时,皇家海军和承建 CVF 的公司才会有信心;只有信心增强了,才可能采用新技术从而减少编制。总而言之,更多地使用新技术能节省人力资源。

10. 存在的挑战

如果要达到或超过减少编制的目标,清醒地认识到这样做存在的挑战对于目标得以实现也是很重要的。我们看到以下四个主要方面的挑战：

（1）竞标 CVF 的主要承包商的设计部门和皇家海军制定编制的部门告诉我们，CVF 建造很大的比例仍采用现有的设备。因此，即使采用新技术或新政策，变化的比例也是比较小的。尽管如此，CVF 采用现有的设备并不一定要按现有编制配置人员。美国海军的 OME 证明政策和机制的革新能够减少编制，而不需要大量更换现有设备。但是，我们要意识到这一点：OME 是在巡洋舰和驱逐舰上进行的，它们与 CVF 在吨位、使命任务以及能力等方面都不相同。

（2）虽然政策和机制的变革可能很有效，但是完成这个变革也是很困难、很费时的事情。虽然这些变革本身不难，涉及的费用很少，但是这些变革付诸实施对于个人所需的时间费用还是很多的。如果完成这个变革要花费那么多的时间和精力，我们还得克服制度上的惯性，特别是在这个变革与现行的文化发生冲突的时候。

（3）根据以往的经验，我们为新一级舰艇制定编制时往往比较乐观，编制和相应的费用会定得偏低，为 CVF 制定编制也是这样。在航母从概念阶段到成形过程中，为了满足现实情况需要，编制人数会逐渐增加，尽管在这个过程中编制增加的原因还不清楚。此外，航母的使命经常变化，通常每次变化都需要增加一些编制，而不会减少编制。

（4）作战指挥官需要准备到什么程度才能承受减少编制带来的额外风险，这一点尚不清楚。在面对挑战性的作战问题时，指挥官现在还习惯于手下有大批的人可用。因此，编制的减少可能潜在地限制航母能够完成的使命，同时限制航母完成任务和履行职责的能力。为 CVF 制定编制的人员必须考虑减少编制措施对作战指挥官的影响。这可不是件容易的事情。CVF 这样大的军舰只配备 605 名军官和士兵，皇家海军不知道这样做会发生什么事情，以及这个编制意味着什么。这些问题将随着航母进入现役而一一揭晓。但是，下列问题也许能够描绘出这些疑问的基本情况：每一个减少编制的措施是怎样限制指挥官的选择的？如果技术出现故障会发生什么事情？有备份的系统替代它吗？舰员在备份的系统上培训过吗？作战指挥官指挥最优编制航母的总体风险是什么？如果航母遭受一场大的火灾或水灾或作战毁伤，会有什么后果？舰员是否受过培训，人员是否充足使得航母能够从灾难中恢复过来并继续投入战斗？

11. 展望

我们在刚开始分析这个问题时，希望提供一个战略性的方向，为航母编制的制定者提供指导，指导他们如何从推荐方案的清单中选择并实施合适的方案。因为航母的设计还在评估阶段，我们没能达到这个目标。但是，通过分析，我们总结出了一些一般性结论，可以指导航母编制的制定者在面对不确定性时，如何着手确定缩编方案并推动它们的实施。

（1）人员配备的传统和人事政策

首先,我们的研究表明,皇家海军某些人员配备需求是因惯例和传统而存在的。为了节省人力资源,必须向惯于配备过量人员的文化传统和教条主义发起挑战。基于循规蹈矩的探索得到的人员配备方法不可能制定出最优的编制。

同时,考虑舰上的人事政策变革是很重要的。现在的人事政策是金字塔型的人事政策。数量巨大的工作人员进入现役,逐步升职,然后退役或退休,职员有两条路,要么升职,要么走人。CVF 综合计划小组必须考虑这个问题:在 CVF 上采用新的人事政策会对海军其他单位产生什么影响? CVF 的编制能脱离皇家海军的人事模式吗? 它们是否应该保持一致? CVF 优化后的编制将是人事政策的一种新模式吗? 或者 CVF 的编制不需要优化,现行的人事政策就是皇家海军最经济的政策?

（2）在设计时减少编制

我们一直强调,CVF 设计时就要优先考虑减少编制。舰艇设计完成后,再要通过引进技术达到相同的效果将更加困难,而且费用高昂。当然,减少编制的技术并不限于大型的、复杂的、涉及全舰的系统技术;有时候,它们可能是一些简单的技术,就像软件升级技术一样简单。

为了利用更多有效减少编制的技术,便于技术更新的灵活的航母设计是有好处的。使用可升级的民用设备有助于淘汰过时的设备,而且民用设备升级产生的兼容问题更少,这都有助于 CVF 在技术上保持领先地位。如果国防部能够持续评估私营部门在工程中采用的技术革新,以及这些技术革新与 CVF 上其他系统整合的情况,那么民用技术的效用可以达到最大。当然,技术引进取决于可用的前期投资。如果这些投资不能确定下来,那么保持一个兼容的方案作为备份也是必要的。

我们建议,在设计之前和设计阶段要持续地、甚至推广使用人机系统集成方法,这样做可以在设计时产生更大的（减少编制的）效果。下面的例子能更好地说明这一点,LPD－17 级两栖船坞运输舰的人机系统集成计划,该计划把舰员引入设计过程。他们对当前的设计进行评价,给 LPD－17 级两栖船坞运输舰设计团队提了 1 200 条建议,这些建议涉及装备应该如何设计、安装才能使得操作、维护和支持更加容易。

（3）目标和协作

在决定采用哪种技术、推动哪些政策和机制的变革时,国防部应该首先看看那些大目标,例如那些减少或消除了全舰范围人力密集型作业人力需求的目标（同时考虑可能存在的风险）。这些作业包括弹药装卸、损害控制和货物装载。对那些能够减少主要人力需求因素的技术进行投资,再结合保障性的政策和机制的变革,对减少 CVF 的人力需求的影响将会很明显。

方案联合的效果需要给予关注,同时采用几种措施,虽然单独使用这些措施对减少编制效果不明显,但是它们的联合效果可能很明显。当主要人员需求岗位的编制需求减少时,我们应该重新评估剩余岗位的人员需求。通过综合几个精心挑选的、不会对财政形成挑战的设计或技术方案,再结合能够充分发挥节省资源潜力的政策和机制的变革,就可以形成联合方案。

(4)舰员和装备

必须明确而且充分理解舰艇、舰员和装备的限制。应该对包括自动系统的作战毁伤设定进行评估,以分析舰员使用新技术和备份系统的全面反应。

拥有多种技能且受过交叉培训的人力资源为制定 CVF 的编制提供了许多选择。高级、有经验的职员是最好的选择,因为他能完成舰上的多种职能。当系统变得越来越复杂时,操作员和维修员的培训需求也随之增加。支持舰员多种技能培训的技术包括一些系统,这些系统不需要专业人士来操作、维护和检修。另外还需要嵌入式逻辑训练系统,它能够减轻 CVF 的操作、维护和检修的负担;而且舰员不需要下船,在他们要操纵的设备上就可以进行训练。优化编制要求部分职员拥有多种熟练的技能。设计和购置这些系统将会是有价值的投资。

如上所述,CVF 大部分装备仍采用传统设计。过去这些装备及其保障技术的发展很大程度上都是独立进行的,因此需要为其配备相应的人员,或者是专门的操作人员。要减少与这些装备相关的操作人员,就要减少这些设备之间的独立性,从而减轻操作、训练、维修和其他保障功能的负担。

总而言之,这里列出的大部分方案,在技术层面、政策和机制层面或设计层面的实现是可行的,操作风险低,能够减少或优化编制,费用也相对较低。现在需要的就是去实现它们。

12. 总结

我们确定了 57 个与 CVF 缩编有潜在关系的可行方案。在这些方案中,我们认为有 12 个方案需要的投资少,维持费用低,技术失效引发的风险也低,实现的技术准备充足,具有中等到高等的缩编潜能。这 12 个方案如下:

(1)无人值守机械舱,远程监控等技术推动的政策变革;

(2)联合值班,如:合并值班岗位的职能,减少对值班人员的需求;

(3)采取核心/弹性相结合的人力资源分配思想;

(4)在非战斗岗位如餐饮服务岗位使用非现役舰员;

(5)加强培训掌握多种技能和受交叉训练的人力资源,使更少的舰员能完成与原先相同数量的工作;

(6)使用传输机帮助舰员把储备物资从岸上运到船上;

(7)使用舱室遥感监视液位、烟雾、热量、压力和噪声;

(8)把预防性维护人员送到岸上学习维修技术,等到舰艇再靠岸时,让他们对舰艇设备进行维护;

(9)依靠传感器主导的、基于状态的维护,使得舰员只需在传感器监测到设备即将出问题时,对设备进行维修即可;

（10）安装闭路电视摄影机和监视器以转播全舰各处状态和活动的实时视频图像；

（11）签订货物装卸合同，如租赁私人公司在港口进行装卸货等；

（12）通过采用食物快速冷冻、快速加热、标准化菜单等技术提高餐饮服务的效率。

我们认为上述 12 个方案中前 6 个方案的效果特别值得期待。那些没有在这里列出的方案也应该给予认真地考虑，尽管它们涉及更高的费用，或对缩编影响较小，有时候风险还更大，或者技术还不太成熟。

我们确定的方案中，某些方案可能已经纳入了 CVF 的编制估算中。我们没有关于此事的足够信息，因此不能确定，也不知道这个估算的编制是最优的还是保守的。但是我们还是相信能够达到使编制最优的目标，理由如下：

（1）有强大的财政动机以节省费用；

（2）缩编是 CVF 设计的一个重要目标；

（3）设计的不成熟为进一步节省人力资源留出了空间；

（4）操作和人员政策将不断向多功能水手方向发展；

（5）当新技术证明了它们的价值，旧的人力密集型的方法就会消失。

最初的编制目标从历史的角度来说是最优的，但是由于存在的一些挑战，缩编的进展可能变得复杂。这些挑战包括传统设备的问题和作战指挥官的问题，他们不愿意大幅减少舰员。而且，很多缩编方案不是技术性的而是机制性的，进行这些变革的努力还会遇到来自制度的阻力。

最后，我们把几个一般性的观察结果作为总结，即在面对不确定性时，怎样更好地确定缩编方案，并且推动它们逐步走向实现：考虑 CVF 革命性的编制政策对皇家海军人事结构的影响是很重要的。在 CVF 的设计过程中要注重缩编的因素，必须坚持使用人机系统集成方法。设计人员还应该考虑设计的灵活性，为将来的缩编预留空间，如使用容易升级的民用系统。设计人员和编制制定人员应该把目光放在人力密集型的作业上，同时还要寻求协作的效果及其他的次级效果，它们可能对缩编也有影响。鼓励采用不需要拥有高级专业技能职员的设计和系统，鼓励在舰上进行嵌入式培训。

十三、各个部门备选方案的评估

各个部门备选方案评估表 B.23 所示。

表 B.23　各个部门备选方案评估表

部门	备选方案	风险	技术准备等级	效果	缩编影响	费用影响	军事海运司令部	LPD-17级两栖船坞运输舰	商船	智能舰艇/OME	美国航母	荷兰皇家海军	DD(X)驱逐舰
	自助式呼吸器	低	4	提高效率	低	低	√	√	√	√			
	舱室遥感	低	4	减少工作量	中	低	√	√	√	√	√	√	√
	灵活响应的损害控制小组	中	政策	减少工作量	高	低				√			
损害控制	系统失败时自动识别可选路径	中	1	减少编制	无	高						√	
	自动从网络中隔离被破坏的路径	中	1	减少编制	无	高					√	√	√
	自动停止被破坏的系统单元	中	1	减少编制	无	无						√	√
	自动化损害控制	高	1-4	减少编制	高	中	√	√	√	√		√	√

表 B.23(续 1)

部门	备选方案	风险	技术准备等级	效果	缩编影响	费用影响	军事海运司令部	LPD－17级两栖船坞运输舰	商船	智能舰艇/OME	美国航母	荷兰皇家海军	DD(X)驱逐舰
	无人值守机械舱	低	政策	减少编制	高	低	√		√	√		√	
	钛合金海水管道	低	4	减少编制	低	中		√		√			
	反渗透	低	4	减少费用	低	中		√					
	岸上的军事机构的预防性维护	低	政策	减少工作量	中	低				√			
航海工程	倾斜控制系统	低	4	减少工作量	低	低		√		√		√	
	综合化状态评估系统	低	4	减少工作量	低	中		√					
	民用加热和通风系统	低	4	减少编制减少费用	中	中	√		√				
	自动化的燃料控制	低	4	减少工作量	低	低		√	√	√	√		√
	全电力辅助系统	低	4	提高效率减少维修	中	无					√		√

表 B.23（续 2）

部门	备选方案	风险	技术准备等级	效果	缩编影响	费用影响	军事海运司令部	LPD-17级两栖船坞运输舰	商船	智能舰艇/OME	美国航母	荷兰皇家海军	DD(X)驱逐舰
污水	真空污水系统	低	4	提高效率	中	中						√	
污水	焚烧炉	低	4	提高效率	低	低			√	√			
污水	民用金属和玻璃餐具洗涤消毒机	低	4	提高效率	低	中			√				
医疗和牙科	在陆上进行例行牙科护理	低	政策	减少工作量	低	低					√		
医疗和牙科	在陆上设置医疗和牙科部门	低	政策	减少编制	低	低		√			√		
全舰方案	远程视频专家	低	4	减少编制	低	低	√	√		√			
全舰方案	甚高频手持无线设备	低	4	提高效率	低	低	√	√	√	√	√		√
全舰方案	防腐蚀涂层	低	4	减少维修	低	低		√	√	√	√		√

表 B.23(续 3)

部门	备选方案	风险	技术准备等级	效果	缩编影响	费用影响	军事海运司令部	LPD-17级两栖船坞运输舰	商船	智能舰艇/OME	美国航母	荷兰皇家海军	DD(X)驱逐舰
	舰艇综合训练系统	低	4	增加人员可用性	无	无		√		√			
	(监控器主导的)基于状态的维修	低	4	减少维修	中	低	√			√	√		√
	替换取代维修	低	政策	减少在舰艇上维修	中	中							√
	可靠性为中心的维修	低	政策	减少维修	低	低	√	√		√			√
	维护工作的私人化	低	政策	减少在港口的工作	低	低			√	√			√
	多批次舰员轮换	低	政策	优化平台	无	中	√				√		
	安装低维护甲板材料	低	4	减少维修	低	低			√	√		√	√

表 B.23（续 4）

部门	备选方案	风险	技术准备等级	效果	缩编影响	费用影响	军事海运司令部	LPD-17级两栖船坞运输舰	商船	智能舰艇/OME	美国航母	荷兰皇家海军	DD（X）驱逐舰
全舰方案	人类系统集成设计	低	政策	减少编制	中	中		√			√	√	√
	嵌入式培训	低	4	增加人员可用性	无	无		√		√	√	√	√
	核心组与弹性组思想	低	政策	减少编制	高	低		√		√	√	√	√
	联合值班	低	政策	减少编制	高	低	√	√	√	√	√		√
	在舰上使用非现役舰员	低	政策	减少编制	高	低	√						
	使用闭路电视监视和监测全舰	低	4	减少编制	中	低	√		√	√	√		√
	多种技能的培训或交叉培训	低	政策	减少编制	高	低			√	√	√	√	√

表 B.23(续 5)

部门	备选方案	风险	技术准备等级	效果	缩编影响	费用影响	军事海运司令部	LPD-17级两栖船坞运输舰	商船	智能舰艇/OME	美国航母	荷兰皇家海军	DD(X)驱逐舰
全舰	自动化的日志记录	低	4	减少编制	低	低				√			
	网络化的内部通信	低	4	提高效率	中	中				√	√		√
	升降机代替带式包裹传输机	低	4	减少工作量	中	中	√	√					
供应管理	智能卡/不用现金的舰艇/自助售卖机	低	4	减少编制	低	低	√	√		√	√		
	厨房和储藏室的最优分布与设计	低	4	减少编制	中	中	√	√			√		
	将管理部门设在岸上	低	政策	减少编制	低	低	√	√		√			
	自助邮戳机	低	4	减少编制	低	低	√			√			

表 B.23（续6）

部门	备选方案	风险	技术准备等级	效果	缩编影响	费用影响	军事海运司令部	LPD-17级两栖船坞运输舰	商船	智能舰艇/OME	美国航母	荷兰皇家海军	DD(X)驱逐舰
	自助邮资机	低	4	减少编制	低	低	√			√			
	采用信息技术减少后勤和其他工作量的工作量	低	4	减少编制	低	低	√	√		√	√		
	签订货物装卸合同	低	政策	减少工作量	中	低		√				√	
	自动化的存货清单和物资管理系统	低	4	减少工作量	中	中					√		
作战	多模显控台	低	4	减少编制	低	中		√					√
	高级封闭天线系统	低	4	提高性能减少维修	低	中		√					√
	综合化舰桥系统	低	4	减少编制	低	低		√	√	√		√	

表 B.23(续 7)

部门	备选方案	风险	技术准备等级	效果	缩编影响	费用影响	军事海运司令部	LPD-17 级两栖船坞运输舰	商船	智能舰艇/OME	美国航母	荷兰皇家海军	DD(X)驱逐舰
	合并信号兵和领航员的业务	低	政策	减少编制	低	低				√			
	自动化日志记录	低	4	减少编制	低	低		√			√		
甲板和航空	使用带式传输机把储备物资从岸上运到船上	低	4	减少工作量	高	低	√	√			√		
	冲洗锚链	低	4	减少工作量	低	低		√					
弹药工程	安装自动化弹药装卸系统	低	2	减少编制	高	高					√		

注:表中中"√"表示我们考察的方案已在各平台上使用(有可能有些方案已在平台上使用,但是未标记出来)。

★ ★ ★ ★ ★